Duivelskus

www.mynx.nl

Sarwat Chadda

Duivelskus

Oorspronkelijke titel: *Devil's Kiss*
Vertaling: Marce Noordenbos
Omslagontwerp: HildenDesign, München
Omslagillustratie: © Ilona Wellman / Trevillion Images

Eerste druk juni 2009
ISBN 978-90-8968-060-0 / NUR 280/334

Published by arrangement with Rights People, London

Mynx is een imprint van De Boekerij bv, Amsterdam

Voor mijn vrouw en dochters

Wie heeft u tot overste en rechter over ons aangesteld?
Denkt gij soms mij te doden, zoals gij de Egyptenaar gedood hebt?
Exodus 2:14

1

Het moet niet moeilijk zijn om hem te doden, hij is nog maar zes.

Waarom had ze dan die knoop in haar maag, die galachtige smaak in haar mond?

Hij is nog maar zes.

Billi baande zich een weg door het hoge, sprieterige gras naar de achterzijde van het park. De windvlagen fluisterden in haar oren, op deze donkere, herfstige avond in de Put.

Wat een naam voor een speelplaats.

Maar er speelde hier niemand, al jaren niet meer. Het lage hek eromheen was lang geleden al ingestort en de vermolmde planken staken als scheefstaande zwarte tanden uit de grond. De wipkippen keken haar met lege, uitdrukkingsloze ogen aan en de verroeste stalen veren knarsten terwijl ze als in een begroeting met hun kop knikten.

Het jongetje zat op een van de schommels, de middelste van de drie.

Nog maar zes.

Met de zaklantaarn in haar hand kwam Billi dichterbij. De lichtstraal werd bijgestaan door de vollemaan en de rode lichten van de antenne van Radio Crystal Palace, die boven haar uit torende en als een reusachtige, zwarte spijker de hemel doorboorde.

De roestige kettingen kreunden, terwijl hij met zijn blik op haar gericht heen en weer schommelde.

Misschien is het hem niet. Misschien is het een gewoon jongetje.

Misschien hoef ik hem niet te vermoorden.

Hij zag er gewoon uit. Afgetrapte gympen, een spijkerbroek met een elastieken band en een blauwe sweater van Crystal Palace.

Een jongetje van hier.

Gewoon. Op de plekken in zijn nek na. Zijn witte hals zat onder de verkleurde blauwe plekken.

Billi haalde diep adem en stapte met bonzend hart over de restanten van het oude hekwerk. Het gravel van de speelplaats was bezaaid met zwerfvuil: lege blikjes en schimmelige kranten, die half verscholen gingen onder de kleine bruine blaadjes die uit de stakerige bomen op de heuvel omlaag waren gewaaid. Het verval had echter met meer te maken dan alleen ouderdom. Alle tekenen waren aanwezig.

Van een desolate plek, een kwaadaardige plek. Hier had onschuldig bloed gevloeid, dat de aarde had besmet. Als ik zou durven luisteren, dacht Billi, zou ik de doodskreten misschien nog in de wind kunnen horen echoën en de laatste levensadem van een kind in de bladeren horen ritselen. De aarde was doordrenkt met een zoete, olieachtige geur. Hij hing in de lucht, maar toen Billi de onzichtbare grens passeerde werd hij twee keer zo sterk. En na een paar stappen was het alsof hij de lucht uit haar longen perste. Het onkruid en de paar bloemen die door het gravel heen waren gebroken, zagen er grauw en misvormd uit. Kevers met glimmend zwarte rugschilden scharrelden met hun gepantserde lichamen over het steengruis en onder haar voeten kronkelden vette, wit oplichtende wormen.

'Dag,' zei het jongetje.

'Dag,' zei Billi.

Het jongetje keek haar aan. Een van zijn onderste voortanden ontbrak, maar verder was de glimlach die hij haar schonk zacht en vriendelijk.

Net als op de foto.

Het kan nog steeds een vergissing zijn.

Maar met elke stap die ze dichterbij kwam, groeide haar zekerheid. Het waren de blauwe plekken.

Een paar meter voor de schommel bleef Billi staan. De plekken zagen er nog steeds uit als vingerafdrukken, zelfs na al die jaren.

'Kom je spelen?' vroeg hij.

Kijk in zijn ogen, hadden ze tegen haar gezegd. Was het niet een van de eerste lessen van de Orde geweest? De vensters van de ziel. Vaak had ze in haar eigen donkere poelen gekeken en zich afgevraagd wat er zich in de diepte bevond. Misschien alleen nog meer duisternis.

Het jongetje sprong van de schommel en onwillekeurig deed Billi een stap achteruit.

Hij keek naar haar op. De maan verlichtte zijn mollige gezicht met het onregelmatige melkgebit. Zijn ogen glinsterden als spiegels, als kattenogen. Billi keek erin, maar er was niets te zien, niets dan een lege weerspiegeling.

Hij is het.

'Sorry, Alex. Ik ben gekomen om je mee terug te nemen.'

'Hoe weet je hoe ik heet?'

Wat wist ze niet van hem? Ze had de oude kranten gelezen, een week lang het archief van de bibliotheek doorgespit. Ze had zelfs naar het verschoten 8mm-filmpje gekeken, een flakkerende, vergeelde illusie op een wit laken.

Alexander Weeks. Zes jaar. Bartholew Street 25. Zit op de kleuterschool van St. Christopher. Broertje van Penny.

Voor het laatst gesignaleerd in 1970.

'Maar ik ben nog maar net hier. Ik wil naar mijn mama.'

Enige zoon van Jennifer en Paul Weeks. Billi zag weer voor zich hoe de ouders met haar en haar vader in de kerk hadden gezeten en hun oude fotoalbum hadden laten zien. Hadden verteld dat ze na al die jaren nog steeds van Alex droomden.

Dat ze op sommige avonden zijn gezicht voor de ramen zagen.

'Ik weet het. Maar je kunt hier niet blijven.'

Ze had gezegd dat ze nog maar vijftien was, een jaar te jong. Maar haar vader had erop gestaan. Het was tijd voor het Oordeel. Haar laatste test voordat ze door de Orde geïnitieerd zou worden.

En niemand waagde het Arthur SanGreal tegen te spreken.

Ze had verwacht dat het er heet aan toe zou gaan. Een woest gevecht met een hoop kabaal. Vanwaar anders al die extra zwaardvechtlessen bij Pars? Haar armen en benen waren bezaaid met blauwe plekken en snijwonden, en trokken zo al genoeg aandacht op school. Ze had verwacht dat er een duel zou plaatsvinden met een van de echte goddelozen. Een waanzinnig, misschien zelfs hels schepsel met blikkerende tanden.

Niet dit.

Niet dat ze een jongetje zou moeten doden.

Billi deed weer een stap naar voren.

'Waarom? Het is niet eerlijk!' De schommels aan weerzijden van hem rukten opgewonden aan hun kettingen. Billi verstijfde. Er kwam kippenvel op haar armen, ondanks haar dikke trui. Alex ademde kilte uit.

'Ik weet het, mijn jongen.'

Billi draaide zich razendsnel om.

Haar vader stapte over het vergane hekwerk heen en liep op hen af. Hij droeg zijn pak, het enige dat hij bezat. Een donkerblauw pak dat glansde van ouderdom. In zijn linkerhand hield hij een schede, in zijn rechter een zwaard. Een zwaard van anderhalve meter lang, met op het gevest een dikke metalen schijf waarop het symbool van de Orde was aangebracht: twee ridders op een enkel paard. Het brede lemmet glansde spookachtig in het zilveren maanlicht. Het was een wreed wapen dat gemaakt was om te houwen.

Het jongetje keek naar hem. 'Ga je me doodmaken?'

Arthur bleef halverwege hen en het hek staan en wierp de schede op de grond. Hij keek Alex glimlachend aan, maar het was een fletse, vermoeide glimlach. Er lag geen vriendelijkheid in zijn koude, blauwe ogen.

'Nee, knul. Je weet dat ik dat niet kan.' Hij wierp een blik op Billi. 'Je bent al dood.'

'Het is niet eerlijk!' De schommels begonnen te ratelen en te bonken, de draaimolen kwam knersend tot leven en zette zich langzaam in beweging, zodat het aangetaste metaal over de roestige as schuurde.

'Die meneer had gezegd dat ik de vogels mocht voeren! Die meneer had gezegd...'

'Hij is gestraft voor wat hij heeft gedaan,' zei Arthur.

'Is hij in de hel?' vroeg Alex.

'Reken maar.'

Het jongetje begon te jammeren. 'Ik wou niet dood!' Hij stak zijn handen uit. 'Mag ik alsjeblieft blijven?' Er biggelden kristallen tranen over zijn gezicht en zijn mond en kin vertrokken zich van verdriet. 'Het is donker en ik ben helemaal alleen! Het is donker en ik ben bang!' Hij sprong van de schommel en deed smekend een stap naar voren.

Het is nog maar een kind...

'Niet doen, Billi!' schreeuwde Arthur, maar het was te laat. Billi had zich op haar knieën laten zakken en omhelsde Alex. Ze trok hem tegen haar borst en...

de kilte stroomt door haar poriën naar binnen en vormt ijskristallen in haar huid. Zwart ichor sijpelt als gif haar aderen in en vult haar lichaam met Alex' wanhoop, afgunst en

HAAT

omdat hij door zweterige handen en verbrijzelende vingers uit het zonlicht is gegrist en in de modder en de gevallen bladeren gesmeten waar hij nooit meer de

WARMTE

zal voelen die hij zó mist, meer dan wat ook ter wereld en die hij nu uit haar zuigt, waardoor er tot in het merg van haar botten slechts kilte overblijft, hij zuigt de lucht uit haar longen, witte rijp, en op haar

VLEES

vormen zich blaren en de tranen bevriezen op haar gezicht terwijl ze in Alex' ogen staart, zwart en vervuld met kwaadaardigheid, zich alleen nog bewust van de

DOODSANGST

die hij onmogelijk kan vergeten en die hem verteert als een grondeloos virus dat hij niet kan bedwingen zodat zij moet

LIJDEN

zoals hij toen, en de kou verbrandt haar hart terwijl hij dieper graaft, naar haar klauwt, zodat ze hem in de duisternis volgt, steeds dieper...

Een krachtige hand sloot zich om Billi's schouder en rukte haar los. Arthur gooide haar opzij, weg van het jongetje. Ze viel op de grond en kwam hard met haar wang op het steengruis terecht.

Ze kon zich niet bewegen. Haar bevroren vingers zagen eruit als misvormde klauwen en trilden van de intense kou.

Bezeten. Bijna was ze bezeten geweest. Het was Alex niet. Niet meer. Ze probeerde overeind te komen, maar haar benen wilden niet buigen. Ze voelden breekbaar als ijspegels.

'Billi!' riep haar vader.

Er klonk een luid gekraak. De houten schommel brak en de twee losgeschoten kettingen vlogen hun kant uit. Billi kon de ketting die haar kant uit kwam nog net ontwijken, maar de andere ketting sloeg tegen Arthurs voorhoofd. Het zwaard viel uit zijn handen, hij struikelde en werd toen opgetild door de ketting, die zich om zijn hals wond.

En zichzelf strak trok.

Arthur bungelde aan het stalen frame van de schommel, dat een lugubere speelplaatsgalg was geworden. Zijn gezicht liep paars aan en hij probeerde de ketting los te trekken.

'Laat hem los!' schreeuwde Billi. Ze boog zich voorover en met benen die zwabberden als spaghettislierten duwde ze zichzelf overeind.

Maar Alex luisterde niet. Er gloeide een zwart, woest vuur in zijn ogen en terwijl haar vader aan de ketting bungelde, stootte hij een beestachtig gehuil uit. Het geluid sneed als dolken door Billi's huid.

Alex had nooit zo'n geluid kunnen maken. Geen enkel kind had dat gekund.

Het zwaard stond rechtop tussen hen in, met de punt in de grond geboord, als een stalen crucifix.

'Alex, alsjeblieft!' smeekte Billi. Arthur bewoog niet meer en zijn handen hingen slap langs zijn zij.

Maar Alex, of het ding dat deed alsof het een levend jongetje was, lachte alleen maar en zwaaide met zijn armen, als een waanzinnige poppenspeler met haar vader als zijn pop.

Billi dook naar voren en trok het zwaard in een wolk van aarde en insecten uit de grond. Alex draaide zich om en ze gaf hem een trap tegen zijn borst, zodat hij tegen de grond smakte.

Ze hief het zwaard boven hem, met de punt omlaag.

'God vergeef me,' fluisterde ze.

En ze stootte het lemmet in het hart van het kind.

Het gekrijs reet de hemel aan stukken en Billi huiverde, maar haar vingers grepen het met draad omwikkelde gevest stevig vast. Er golfde zwarte gal uit de wond, bijna alsof hij leefde, die op haar kleren en haar gezicht spatte. Ze kokhalsde toen een paar druppels ectoplasma in haar mond terechtkwamen en door haar keel omlaag gleden.

Ze stootte het zwaard nog dieper zijn lichaam in, zodat Alex aan de grond werd gespietst.

Terwijl ze op het gevest leunde, stopte ze één hand in haar zak en haalde er een kleine, zilveren flacon uit. Met haar zweterige vingers kon ze het dopje niet los krijgen, dus beet ze het eraf. Vervolgens smeerde ze de heldere olie op haar vingers.

Alex staarde haar met grote ogen aan. Ze gooide het lege flesje weg, liet het zwaard los en viel op haar knieën naast hem neer.

'Nee, Billi! Alsjeblieft! Ik wil niet gaan!' Hij stompte en gilde en krabde, terwijl ze zijn hoofd probeerde vast te houden om het kruis erop aan te brengen. Hij trok aan haar korte zwarte haar en bespuugde haar met vettig, stinkend geronnen bloed.

'*Exorcizo te, omnis spiritus immunde, in nomine Dei Patris omnipotentis*,' reciteerde ze. Terwijl ze zijn hoofd met haar linkerhand vastklemde, drukte Billi de wijsvinger en middelvinger van haar rechterhand eerst op zijn voorhoofd, toen op zijn kin en ten slotte op zijn beide wangen.

'Alsjeblieft, Billi. Laat me blijven. Nog even,' jengelde hij.

Billi probeerde de wanhoop in zijn stem te negeren. Ze moest dit afmaken.

'*Ego te linio oleo salutis in Christo Jesu Domino nostro, ut habeas vitam aeternam!*'

Alex begon te stuiptrekken en Billi sprong opzij. Er stroomde gal uit zijn ogen, neusgaten, oren en mond, grote golven borrelende, giftige vloeistof die de lucht vervulde met de stank van een gewelddadige dood. Naarmate de golven wegebden, verflauwden Alex' kreten en loste hij voor haar ogen op.

'Wat heb je gedaan?' beet het jongetje haar toe en in zijn ogen vlamde een demonische waanzin.

'*Deus vult*,' fluisterde Billi. Het was de strijdkreet van de Orde, maar op dit moment klonk het meer als een vloek.

God wil het.

Hij stootte een laatste kreet uit en toen verdwenen de laatste resten van Alex: de vage contouren van zijn lichaam bleven nog even trillend hangen en losten toen ook op met de zucht van een lichte bries.

Ik heb hem gedood.

Ze was geslaagd voor het Oordeel, ze zou dolblij moeten zijn. Ze had hier zo lang en zo hard aan gewerkt.

Ze voelde zich alleen maar misselijk en leeg.

Arthur, die uit de nu levenloze kettingen was bevrijd, stortte op de grond neer. Hij hoestte droog en raspend, en kwam toen langzaam overeind. Struikelend kwam hij naast haar staan en hij inspecteerde de donkere plek op de grond.

'Netjes gedaan,' zei hij met schorre stem, terwijl hij over zijn pijnlijke nek wreef. Toen zag hij Billi, die onder het slijmerige bloed zat. 'Bij wijze van spreken, dan.'

Arthur pakte zijn zwaard beet en wrikte het net zolang heen en weer totdat het vrijkwam. Hij veegde het lemmet af met een oude lap en inspecteerde het centimeter voor centimeter of er geen deukjes of kerven in waren gekomen. Uiteindelijk knikte hij tevreden, raapte de schede op en stak het zwaard erin.

'Hoe was het op school?' vroeg hij.

'Wat?'

'Op school. Je bent vandaag toch wel geweest?'

'School? Hoe kun je het nu over school hebben, na wat ik zojuist heb gedaan!'

'Wat jij hebt gedaan? Je hebt een gekwelde ziel bevrijd. Wat je ook denkt te hebben gezien of gehoord, dat was Alex Weeks niet. Dat was een kwade geest die misbruik maakte van de donkerste gevoelens van dat kind, van zijn ziel.' Hij keek naar de kapotte schommel. 'De doden moeten niet blijven rondwaren.'

'Jezus christus, hoe kun je zo harteloos zijn?'

'Geen gevloek, Billi.'

Ze stond te zwaaien op haar benen en haar ingewanden kolkten. Ze zoog de koude avondlucht naar binnen, maar er borrelde iets van rotting in haar maag. Arthur legde onhandig een hand op haar schouder. 'Hoe voel je je?'

Ze wilde lachen. Hoe ze zich voelde? Na wat ze had gedaan? Met haar handen tegen haar maag geklemd, wankelde ze naar de rand van het terrein. Het ectoplasma ging als slangen in haar tekeer en kronkelde door haar keel omhoog.

'Ik voel me...'

Ze liet zich op haar knieën vallen en gaf over. Het was zwart.

Bij elke golf klapte ze dubbel. Arthur hurkte naast haar neer en haalde een verfrommeld pakje sigaretten tevoorschijn. 'Ja, zo verging het mij ook, de eerste keer.' Hij stak een sigaret op. 'Welkom bij de Tempelorde.'

2

Billi liet zich op de achterbank van haar vaders gebutste, grijze Jaguar vallen. Zodra haar wang het vertrouwde versleten leer raakte, zakten haar oogleden omlaag. De bank schokte toen de motor tot leven kwam, alsof de auto wakker geschud moest worden voordat hij in beweging kwam. Haar vader praatte nog steeds, maar met de radio die erdoorheen tetterde en het doffe gedreun van de motor kon ze er geen wijs meer uit worden. Hij had het trouwens toch alleen maar over tempeliersgedoe en daar had ze voorlopig haar buik van vol. Meer dan.

Welkom bij de Tempelorde.

Alsof ze ooit een keus had gehad.

De auto begon ritmisch te bewegen. Billi sloot haar ogen en gaf zich over aan haar uitputting.

Welkom bij de Tempelorde.

Ze doet alsof ze slaapt. Ze hoort de deur piepend opengaan en er valt een zilveren schijnsel over de vloer van de kamer en haar bed. Billi houdt haar ogen gesloten en laat haar adem zo gelijkmatig mogelijk in en uit gaan.

De planken kraken, ook al probeert de bezoeker zo stil mogelijk te doen. Ze hoeft niet te zien wie het is. Een hand strijkt het haar uit haar gezicht en ze vangt de vertrouwde geur op van zweet, olie en verweerd leer.

Haar vader.

'Ze wachten, Art,' klinkt een luide fluisterstem vanaf de gang. Het is een diepe, zachte stem: Pars, haar peetvader.

De hand trekt haar dekbed recht en blijft even op haar schouder rusten. Dan zucht haar vader en hij draait zich om. Even later gaat de deur dicht, waarna de klink in de haak valt en het weer donker is.

Roerloos blijft Billi een tijdje wachten en dan laat ze zich uit bed glijden. Ze is lang voor haar leeftijd, maar licht. De planken piepen zelfs niet wanneer ze de kamer door loopt. Ze blijft naast de deur staan luisteren.

Er klinken gedempte stemmen. Ze kan de woorden niet verstaan, maar dan schraapt er een stoelpoot over de houten vloer en hoort ze water lopen: ze zitten beneden in de keuken.

Billi weet dat het verkeerd is, maar ze móét het weten. Haar vader liegt tegen haar.

Waarom?

Waarom liggen er halfverbrande verbanden in de haard? Bebloede verbanden.

Waar gaat hij heen wanneer hij denkt dat ze slaapt?

En waarom is ze bang dat hij misschien nooit meer terugkomt?

Billi opent de deur op een kier en glipt door de smalle opening. Ze trippelt het kleine gangetje door en hurkt boven aan de trap neer.

En luistert.

'Als de jongen gelijk heeft, hebben we geen keus.'

Dat is haar vader. Hij klinkt moe. Welke jongen? Het kan niemand van school zijn, geen van de ouders laat zijn kinderen nog met haar spelen. Misschien is het de jongen die Vader Balin vorige week heeft meegenomen. Die magere jongen met de grote, blauwe ogen en het witte haar. Hoe heette hij ook alweer? Dan herinnert ze het zich.

Kay.

'Een meisje? In de Orde? Dat is geen dwaasheid, dat is regelrechte ketterij!' De stem is hard en vol razernij: Gwaine. Waarom is hij altijd zo boos? Haar vader en hij waren vroeger vrienden.

'Art, gun haar ten minste nog een paar jaar vrijheid, ze is nog maar tien,' zegt Pars.

Ze hebben het over haar! Billi's adem stokt. Ze wil alles horen. Ze zet een voet op de tree en laat langzaam haar gewicht erop rusten. Ze neemt nog een geruisloze stap, en nóg een. Weldra is ze beneden en blijft ze naast de deur staan wachten.

De kraan wordt opengedraaid en het water valt kletterend in de ketel.

'Je weet wat de jezuïeten zeggen,' zegt iemand, met het lichte Welshe accent van haar babysitter, Vader Balin. 'Geef mij een jongen van zeven en ik bezorg je de man.'

Gwaine snuift. 'Wij zijn geen achterlijke jezuïeten. Wij zijn...'

'Genoeg. Ik heb mijn besluit genomen,' zegt haar vader en iedereen zwijgt. Het lijkt wel of ze bang voor hem zijn. Maar hoe kan dat? Hij is niet belangrijk. Hij is maar een gewone portier, net als Pars en Gwaine. Hij repareert din-

gen. Hij onderhoudt de tuinen en geeft de planten in de zalen water. Ja toch?

Of misschien weet Billi helemaal niet wie haar vader is.

'Denk je dat ik er blij mee ben? Als ik eraan denk wat haar te wachten staat...'

Waarom hebben ze het over haar? Moet ze weer naar een andere school?

Ze gluurt door de nauwe opening en ziet Vader Balin de oude metalen ketel op het elektrische fornuis zetten. Pars, Gwaine en haar vader zitten aan de keukentafel. Ze ziet iets van glanzend metaal op tafel liggen en dan verschuift Pars, de grootste man die Billi ooit heeft gezien, zijn stoel en wordt haar het zicht erop ontnomen. Ze ziet nu wel iets anders liggen. Iets in een zwarte, plastic zak.

Waaruit bloed druipt.

Gwaine schudt zijn hoofd. 'Dat je meester bent, geeft je nog niet het recht om zulke beslissingen te nemen, Art.'

Meester? Waar heeft Gwaine het over? Meester waarin?

'Sorry, Gwaine, maar het meesterschap geeft me nou juist wel dat recht.'

Gwaine schiet naar voren. 'Negen eeuwen lang, sinds Bernard van Clairvaux, heeft de Orde de Tempelregel gehoorzaamd. Jij kunt die niet zomaar afdanken en je eigen regels bedenken!'

Arthur leunt met over elkaar geslagen armen achteruit in zijn stoel.

'Dat kan ik wel en dat heb ik ook al gedaan.' Hij wijst naar de priester. 'Balin, van jou krijgt ze Latijn, Oudgrieks en occulte kennis.' Hij slaat Pars op zijn enorme schouder. 'Parsifal, wapentraining.'

Billi ziet een flauwe glimlach rond Pars' lippen verschijnen.

'Geen probleem,' zegt hij. 'Nog voorkeur? Zwaarden, dolken, stokken?'

'Alles,' antwoordt Arthur. 'Ik zal haar zelf onderwijzen in het ongewapende gevecht.'

'Arthur, alsjeblieft. Denk er nog eens goed over na.' Gwaine. Hij geeft het niet op. 'Denk aan wat er met Jamila is gebeurd.'

Billi schrikt bij het horen van haar moeders naam. Er valt een stilte en ze kijkt naar Arthur. Hij staat stram op. Zelfs nu, vijf jaar na de moord op haar moeder, doet haar naam zijn gezicht vertrekken van pijn.

Arthur wijst naar Gwaine. 'Geschiedenis en Arabisch.'

Gwaine springt met een rood hoofd overeind. 'Met je arrogantie heb je je vrouw de dood in gejaagd en nu jaag je er ook nog eens je dochter mee de dood in!'

Billi gilt wanneer Arthurs vuist over de tafel heen schiet en op Gwaines kaak landt. Gwaine tuimelt achteruit en botst met een dreun tegen Balin op, die het dienblad met de theekoppen op de betegelde vloer laat vallen. Billi gilt nogmaals wanneer de mokken breken en de thee in het rond spettert.

De rest heeft echter geen oog voor het kapotte aardewerk.

Allemaal staren ze haar aan.

Stoelpoten krassen luid over de vloer wanneer Arthur zich naar haar omdraait. Zijn gezicht staat koel, strak en dreigend. Hij wijst voor zich op de grond. 'Hier komen. Onmiddellijk.'

Gwaine staat met moeite op, waarbij hij Pars' uitgestoken hand negeert.

'Kleine rat. Hoelang staat ze daar al te luisteren...'

'Hou je mond, Gwaine,' zegt Pars.

Billi's ogen kruisen die van Gwaine en er welt een vurige woede op in haar borst. Hij liegt. Haar moeders dood was niet de schuld van haar vader: hij hield van haar. Hij zou haar nooit iets hebben aangedaan. En hij zou Billi ook nooit iets aandoen. Ze weet wat er op het schoolplein wordt gefluisterd, maar het is niet waar. Haar vader was onschuldig bevonden. Dat heeft de rechter zelf gezegd.

Het lijkt een eeuwigheid te duren voordat ze de kamer door is. Ze kijkt hoopvol op naar Pars – als hij er is kan haar niets gebeuren – maar van de vriendelijke uitdrukking op het gezicht van de West-Afrikaan is niets meer te bespeuren. Het staat hard en gevoelloos als steen.

Ze blijft voor haar vader staan en dwingt zichzelf hem aan te kijken. Wanneer haar ogen zijn strenge blik ontmoeten, beginnen haar benen onbedwingbaar te trillen.

'Waarom stond je ons te bespioneren?' vraagt hij. Vreemd hoe haar vaders stem altijd beheerst en vlak wordt als hij kwaad is.

'Ik... wilde het gewoon weten.'

'Wat?'

Billi haalt diep adem. Alles. Ze wil alles weten. Waar moet ze beginnen? Waarom zei Gwaine dat? Waarom praatten ze op die manier over haar? Daar zal ze beginnen, bij hem.

'Waar je naartoe gaat. Wat je doet.'

Arthur kijkt haar lange tijd zwijgend aan. Het is alsof hij in haar ogen naar iets zoekt. Uiteindelijk knikt hij kort.

'Kijk dan zelf maar wat ik doe,' zegt hij en hij doet een stap achteruit.

Billi hapt naar adem. Op de donkere eiken tafel ligt een zwaard. Het is immens. Het lemmet is breder dan haar hand en het is ongeveer even lang als zij. Het gevest ligt aan haar kant en ze kan zien dat er iets in de pommel is gegra-

veerd: twee ridders schrijlings op een enkel paard. Het lemmet is afgeveegd, maar op het gepolijste staal zitten nog resten bloed.

Naast het zwaard liggen een grote revolver met een lange loop en drie kogels. Van zilver.

Ze staart naar de wapens. Dan draait ze zich om naar haar vader.

'Jullie zijn toch geen... bankrovers?'

Arthur kijkt haar geringschattend aan, maar zegt niets. Hij maakt het zwarte plastic los.

Billi weet ternauwernood een kreet te onderdrukken wanneer ze de afgehakte poot ziet. Het is de voorpoot van een hond. Gespierd en grijs behaard met gevaarlijke, gele klauwen zo lang als vingers. De hond moet zo groot zijn geweest als een leeuw!

'Heb je een hond gedood?'

'Een wolf,' zegt Arthur. 'Laat het haar zien, Balin.'

Balin haalt voorzichtig het zilveren crucifix van zijn nek, klemt het stevig in zijn rechtervuist en raakt met zijn linkerhand de poot aan.

'Exorcizo te,' *fluistert hij en dan doet hij een stap naar achteren.*

Billi kijkt naar de poot. Er gebeurt niets.

Is dit een grap? Wisten ze dat ze stond te spioneren? Ze verwacht half dat ze allemaal in lachen uitbarsten omdat ze haar zo de stuipen op het lijf hebben gejaagd.

De poot trekt zich samen. De dikke nagels gaan het vlees in en de stugge, grijze vacht wordt dunner en lost op in de huid. De poot draait en kronkelt, verandert van vorm en kleur. De haren zijn nu bijna allemaal verdwenen en wat er overblijft is een fletse, bleke huid. De klauw is een vijfvingerige hand geworden. Het is niet meer de poot van een reusachtige wolf, maar de onderarm van een man. Billi trilt over haar hele lichaam en haar huid is bedekt met koud zweet. Ze wil wegrennen en haar hoofd onder haar kussens begraven, maar ze kan haar ogen niet losmaken van de afgehakte arm.

'Raak hem aan,' zegt Arthur.

'Nee!'

'Raak hem aan.'

Billi kijkt ernaar. De metamorfose is gestopt. Ze ziet dat de nagels veel te lang zijn en onder aangekoekt vuil zitten, maar wel gewone nagels zijn en geen klauwen. En de poot is een gewone arm geworden. Ze steekt haar hand uit, doodsbenauwd dat hij opeens tot leven komt en haar vastgrijpt.

Maar dat gebeurt niet. Ze laat haar hand zakken en raakt de huid aan. Hij voelt dood aan, als... vlees. Niet veel anders dan de kippen van de slager. Koud, een beetje hard, geen arm meer, maar dood materiaal. Haar hart, dat een paar seconden geleden nog met tweehonderd kilometer per uur voortraasde, komt tot rust en het trillen wordt langzaam minder.

Gewoon dood vlees.

Ze stapt achteruit en Arthur doet het zwarte plastic er weer overheen. Hij laat zijn hand op haar schouder rusten en kijkt haar diep in de ogen.

'Angst doet de wolf groter lijken,' zegt hij.

De ochtendkilte beet zachtjes in Billi's nek en deed haar uit haar droom ontwaken. Nee, het was geen droom geweest, maar een oude herinnering. Van vijf jaar geleden, en nog steeds stond het haar haarscherp voor de geest. Ze herinnerde zich dat Gwaine Arthur achteraf dreigend had aangekeken en halfslachtig zijn verontschuldigingen had aangeboden voor zijn belediging. Maar de verbittering was gebleven, zelfs nu nog. Ze herinnerde zich niet veel meer van vóór die avond; het was alsof dat het begin van haar leven was geweest. Ze kreunde en krulde zich op de achterbank op in een poging zich af te sluiten voor de koude tocht die door het open portier naar binnen stroomde.

'We zijn thuis,' zei Arthur. 'Eet even iets. Over een uur zijn de metten.'

Billi keek op haar horloge: drie minuten over half zes. De vogels waren nog niet eens wakker en hij wilde dat ze naar het ochtendgebed ging? Was het nog niet genoeg dat ze de hele nacht met een geest had gevochten? Ze keek toe hoe hij de achterbak openmaakte en er het tempeliers-zwaard uit haalde. Hij trok het half uit de schede en deed het weer terug.

'Kan ik geen speciale dispensatie krijgen? Na het Oordeel en zo?'

Arthur schudde zijn hoofd.

'Des te meer reden om bij het gebed aanwezig te zijn en dank te zeggen.'

Dank zeggen? Voor het feit dat ze bijna bezeten was geraakt? Voor wat ze had gedaan? Ze probeerde zichzelf eraan te herinneren dat ze geen zesjarig jongetje had gedood, te geloven dat het een als kind vermomde, haatdragende, kwaadaardige geest was geweest, maar het viel niet mee. Billi gleed van de bank en ging met haar armen om zich heen geslagen naast de auto staan. Het was nog donker en de koude bries droeg de eerste tekenen van de winter met zich mee. Ze huiverde.

'Hou daarmee op,' zei Arthur. 'Een tempelier beeft niet.' Ze keken elkaar aan. Hij kon niet meer zoals vroeger op haar neerkijken. Ze was te groot geworden. Misschien was hij niet haar echte vader. Het zou een hoop verklaren, ze hadden vrijwel niets gemeen. Zij leek op haar Pakistaanse moeder: lang, mager en met donkere ogen. Hij was fors gebouwd en had een bleek, verweerd gezicht dat hard was geworden door de jarenlange strijd en werd gedomineerd door zijn doordringende, kilblauwe ogen. Zijn haar was niet meer zo zwart als vroeger, maar doorschoten met grijs. Hij gaf een nauwelijks zichtbaar knikje met zijn hoofd, draaide zich om en liep weg.

Billi kon nog net de neiging onderdrukken om haar middelvinger op te steken. 'Ik kom al,' mompelde ze.

Ze stak de met keien bestrate binnenplaats over en haastte zich tussen de paar auto's die er nog stonden geparkeerd achter haar vader aan naar hun huis aan Middle Temple Lane. De tempeliers bezaten nog steeds een paar panden in het Templedistrict en het smalle neobarokke huis uit het begin van de twintigste eeuw was er één van. De verf van de kozijnen bladderde, de muren moesten opnieuw gevoegd worden en de dakpannen waren een bij elkaar geraapt zootje. Boven de rode deur was een kleine nis met een reliëf van Sint-Joris die de draak versloeg. Arthur maakte de deur open en Billi wipte naar binnen.

Haar vader deed het licht in de gang aan. Het zachte gouden schijnsel verlichtte de donkere houten vloer en legde een warme gloed over het verkleurde tapijt dat naar de smeedijzeren wenteltrap aan het eind van de gang liep.

'Geen ballonnen?' vroeg Billi droog.

'Als je ballonnen wil, moet je maar bij het circus gaan.'

Typisch. Dit was wat hij had gewild. Maar een lovend woord kon er niet af. Alle andere tempeliers waren als volwassenen toegetreden, alleen Kay en zij waren er als kind bij gekomen. Kay, de enige vriend die ze had. Maar zelfs hij was verdwenen, weggestuurd door haar vader.

Billi liep langs de portretten van de oude grootmeesters van de Orde en taferelen van beroemde veldslagen de schemerige gang door. Ze bleef staan bij Jacques de Molay, de laatste grootmeester, en hing haar jas aan het haakje aan de muur. Daar stond hij, een imposante verschijning in zijn wapenrusting en witte mantel met het grote, rode kruis op zijn witte tabberd, zijn hand rustend op een zwaard.

Wat zou hij nu van de Orde vinden? Een handjevol vrijwel berooide strijders die in het geheim leefden onder leiding van haar vader, een ex-crimineel en een volslagen waardeloze vader? Ze schudde haar hoofd. Hij zou er niets van vinden. De oorspronkelijke Orde was allang verdwenen. Jacques de Molay was door de inquisitie van ketterij en duivelsaanbidding beschuldigd en op de brandstapel beland.

Arthur ging de keuken in op de eerste verdieping, maar Billi liep door naar de tweede en schopte haar laarzen uit voordat ze de badkamer in ging. Ze draaide de warme kraan helemaal open. De buizen ratelden.

Terwijl de ruimte zich met stoom vulde, inspecteerde ze de blauwe plekken van die avond. Die op haar wang was lichtgevend paars; make-up zou hier niets meer uithalen.

Shit. Ze werd al zo in de gaten gehouden door de maatschappelijk werker op school.

De snijwond bij haar knie, van de zwaardvechtles van maandag, was bijna geheeld – ze had geluk gehad dat hij niet gehecht hoefde te worden – maar over haar ribbenkast liep nog een vuurrode striem die ze aan Pars en zijn stok te danken had. Ze draaide zich langzaam om en kreunde bij de beweging van haar spieren onder haar gloeiende, donkere huid.

Ik heb tenminste niets gebroken. Billi bleef naar zichzelf staan staren totdat ze door de warme mist werd opgeslokt. Toen draaide ze zich om en klom uitgeput in bad.

Nadat ze zich had aangekleed en had ontbeten, ging ze op weg naar de metten. Er had een doos chocola van Pars op haar slaapkamer gelegen, om haar te feliciteren dat ze het Oordeel had overleefd en niet dood was. Niets van haar vader: *quelle surprise*.

Ze had gehoopt op een bericht van Kay. Ze hadden al meer dan een jaar geen contact gehad, maar ze had gedacht dat hij nu toch wel iets zou laten horen. Maar nee, zelfs geen kaartje of sms. Fijne vriend. Billi schopte een leeg blikje de binnenplaats over. Vrienden. Zij had ze niet nodig.

Ze keek omhoog naar de Tempelkerk en bleef zoals altijd even staan. De kerk was in ochtendmist gehuld en de oranjegele muren glansden mat in het herfstige schemerlicht. De flagstones glinsterden door de rijp en de grote, gewelfde, gebrandschilderde ramen in de hoge muren leken op poorten naar de onderwereld, poorten van gepolijst zwart marmer.

'Hierheen! Snel, mevrouw Higgins.' Billi zag iets paars achter de pilaren van de kloostergang die naar het plein liep. Plotseling verschenen er een stuk of tien figuurtjes onder leiding van een grote vrouw in een knalrode regenjas. Ze beende op het tempeliersmonument af, een tien meter hoge zuil met het embleem van de Orde.

Half zeven. Dat moest de Monarch-rondleiding zijn. Alleen die begonnen zo vroeg.

De gids telde snel de koppen en klapte in haar handen, alsof ze een klasje schoolkinderen onder haar hoede had in plaats van een groep grijsharige toeristen. Ze schraapte haar keel.

'Het gebouw achter u is de Tempelkerk. Ooit was dat het hart van de commanderij van Londen, het Engelse hoofdkwartier van de arme ridders van Christus en van de tempel van Salomo, beter bekend als de tempeliers. De Orde werd in 1119 door Hugo van Payns gesticht en ontleende haar naam aan de uitvalsbasis op de tempelberg in Jeruzalem, de vermeende ruïne van de oorspronkelijke tempel van Salomo. Het waren riddermonniken die hadden gezworen de pelgrims in het Heilige Land te beschermen. In eerste instantie telde de Orde negen leden, maar al snel groeide ze uit tot een van de machtigste organisaties van Europa.'

Er verscheen een verwoed zwaaiende hand boven het groepje uit. Een vrouw met bleekblauw haar en een zilverkleurige bril baande zich met drukke armbewegingen een weg naar voren.

'We gaan zo meteen voor u op zoek naar een wc, mevrouw Higgins,' zei de gids. 'Deze kerk is in 1185 ingezegend, maar heeft sindsdien een groot aantal veranderingen ondergaan. Niet in de laatste plaats door toedoen van de Luftwaffe, die hem in 1941 heeft gebombardeerd. Maar het was vanaf dit soort plekken dat de Orde haar kruistochten en heilige oorlogen afkondigde. Ja, mevrouw Higgins?'

De vrouw stak haar kin in de lucht.

'Men beweert dat ze in het Heilige Land kostbare schatten hebben gevonden. Is dat waar?'

De gids snoof.

'Er zijn honderden complottheorieën en legenden over de tempeliers, maar de werkelijkheid is zeer alledaags. Het was een zeer goed getrainde, fanatieke militaire groepering die heel rijk is geworden en veel afgunst heeft gewekt.'

Billi onderdrukte een lachje. Fanatiek was wel heel zacht uitgedrukt.

Een tempelier zou het pas opgeven als hij tegenover een drie keer zo grote overmacht kwam te staan. Hij zou nooit losgeld betalen of levend in handen van de vijand vallen.

'Wat is er met ze gebeurd?' riep een van de anderen.

De gids keek naar de twee bronzen ridders boven op de zuil. 'Van het begin af aan hebben er allerlei geruchten over de tempeliers de ronde gedaan. Er werd bijvoorbeeld gezegd dat ze aan zwarte magie deden of dat ze een pact met de duivel of andere bovennatuurlijke wezens hadden gesloten. Hoe zou hun bliksemsnelle opmars anders kunnen worden verklaard?'

O god, die onzin. Onvoorstelbaar dat mensen daar nog steeds in geloven, dacht Billi. Tempeliers legden een eed af om de goddelozen te bestrijden, niet om er een verbond mee aan te gaan.

De gids wees naar de kerk. 'Het staat echter buiten kijf dat de tempeliers ketterse sympathieën koesterden. Dat heeft tot hun ondergang geleid.' Ze draaide zich weer om naar het groepje toehoorders. 'Op vrijdag 13 oktober in het jaar 1307 werd de hele Orde gearresteerd. Hun grootmeester werd voorgeleid voor de inquisitie en de tempeliers werden schuldig bevonden aan ketterij en duivelsaanbidding. De tempeliers werden uitgeroeid.'

'Maar ik dacht dat een aantal wist te ontsnappen,' zei mevrouw Higgins, terwijl ze haar blik over de binnenplaats liet dwalen. Billi spitste haar oren bij de vraag. Verbeeldde ze het zich of keek de oude vrouw haar aan?

'Geruchten. Niets dan geruchten. De tempeliers behoren nu definitief tot het verleden.' De gids klapte weer in haar handen en liep tussen het groepje door terug naar de kloostergang. 'Even doorlopen nu. We moeten over een half uur in Buckingham Palace zijn.'

Hoe vaak had ze dat verhaal niet gehoord? Honderd keer? Duizend keer?

Sommige dingen klopten natuurlijk wel. De Orde was inderdaad opgericht om het Heilige Land te verdedigen, maar die strijd was al heel lang geleden verloren. De oorlog die zij voerden ging niet meer om Jeruzalem, maar om de ziel van de mens. Nu vochten ze tegen het bovennatuurlijke kwaad dat op de mensheid loerde. Een oorlog die zij de Duistere Strijd noemden.

De *Bataille Ténébreuse*.

Billi volgde met haar ogen het groepje dat terugliep naar Fleet Street waar hun bus klaarstond. Veilig in hun cocon van onwetendheid, zich niet bewust van de schaduwoorlog die om hem heen werd uitgevochten. Een koude windvlaag liet de mistslierten als rusteloze geesten over de flagstones dwarrelen. Ze stond in haar eentje in de kou, maar in de grote commanderij was de aanwezigheid van de oude ridders nog voelbaar. Was er buiten haarzelf, haar vader en een paar anderen nog iemand die wist waarom ze waren gestorven of welke offers ze hadden gebracht? Billi trok haar jas dichter om zich heen. Zou ook haar geest ooit over deze stenen dwalen?

Want wat was ook alweer de belofte die alle tempeliers te horen kregen?

Gij zult zich begeven in het gezelschap van martelaren.

3

Om te kotsen. Een andere manier om haar dag te beschrijven kon ze niet bedenken en het was pas lunchtijd. Ze was onder aardrijkskunde in slaap gevallen en moest nu nablijven. Billi had een smoes bedacht waarom ze haar wiskundehuiswerk niet af had, want ze vertelde mevrouw Clark liever niet dat ze zich niet eens herinnerde dat ze huiswerk had gehad. Hoe kon het ook anders? Elke avond Latijn, Oudgrieks en occulte kennis – de hiërarchie van de hel – en elke ochtend wapentraining en ongewapend gevecht. Misschien vergat ze haar huiswerk wel vanwege alle klappen tegen haar hoofd die ze de afgelopen vijf jaar had moeten incasseren. Vijftien en nu al boksersdementie. En dit waren dan de mooiste jaren van haar leven.

Eerst had ze het spannend gevonden om deel uit te maken van iets groots en mystieks, iets uit sagen en legenden. Van de tempeliers en hun geheime oorlog tegen de vijanden van de mensheid: de goddelozen.

Het Innerlijke Beest. Stervelingen met het hart van een wilde.

De Hongerige Doden. De lijkeneters en bloeddrinkers.

De spoken. De geesten van het leed.

De duivels. De verleiders van de mensheid.

En de *grigori*. De duistere engelen.

Maar al snel was ze tegen haar vrienden aan het liegen, sloeg ze lessen over, zat ze onder de blauwe plekken en snijwonden en vervreemdde ze van de andere kinderen. Er ontstonden wrede geruchten over haar vader en de moord op haar moeder, die al snel de ronde deden over het schoolterrein. Ze hield de bezorgde leraren op afstand. Ze verborg de ergste verwondingen – ze liep niet meer zo vaak een blauw oog op – en het overkwam haar nog maar zelden dat ze tijdens de lessen in slaap sukkelde. Maar de schooljaren trokken aan Billi voorbij alsof ze een geest was: overdag was ze nauwelijks wakker, zozeer werd ze in beslag genomen door haar andere verplichtingen. Had ze zich kunnen bedenken en zeggen dat ze eruit wilde stappen? Een normaal kind zijn? Vrienden hebben? Zonder blauwe plekken? Zonder nachtmerries? Nee. Ze had nooit een keus gehad.

Billi staarde naar de rij voor het buffet in de kantine. Haar maag kwam in opstand tegen de muffe, lauwe dampen die opstegen van de fletse gekookte worteltjes, de grauwe jus en de verzameling gefrituurde kadavers. De in krimpfolie verpakte sandwiches, waarvan de hoeken omkrulden en het beleg tegen het plastic zat geplakt, zagen er niet veel smakelijker uit. Het enige wat overbleef was het fruit: een paar rimpelige appels en bruine bananen.

Ik zou thuis moeten zitten. Ze voelde zich koortsig en zweterig, misschien lag er nog een restje ectoplasma in haar ingewanden te borrelen... De rij schoof een eindje op en Billi inspecteerde de sandwiches. Die met komkommer en wit brood zagen er het minst smerig uit. Ze nam een sandwich en de twee resterende bananen. Ze zette nog een flesje mineraalwater zonder prik op het dienblad, liet het op één hand balanceren en haalde met haar andere hand haar portemonnee uit de zak van haar blazer.

'O, kijk nou toch, daar hebben we ons asbakje,' zei iemand links van haar. Ze herkende de stem.

Ge-wél-dig. Alsof haar dag nog niet erg genoeg was. Billi keerde zich om.

'Nee maar, Jane, jij ook hier?' zei ze. 'En ik zie dat je je hyena's weer bij je hebt. Ik wist niet dat de dierentuin vandaag vrij wandelen had.'

Jane Mulville leunde tegen een van de tafels en haar magere benen versperden Billi de weg. Michelle Durant en Katie Smith, haar geblondeerde klonen, stonden aan weerszijden van haar.

'Jeetje, wat is er met je gezicht gebeurd?' vroeg Jane. De blauwe plek op Billi's wang scheen dwars door de laag make-up heen.

Ik kan dit er vandaag echt niet bij hebben, dacht Billi. Ze zou Jane's gezicht zonder enige moeite kunnen verbouwen en soms, zoals nu, was de verleiding om dat kleine, nuffige neusje plat te meppen onweerstaanbaar.

'Ik durf te wedden dat haar vader dat heeft gedaan,' zei Katie giechelend. 'Die heeft ze niet allemaal meer op een rijtje.'

Billi liet haar blik omlaag gaan naar Jane's benen die nog steeds in de weg stonden. 'Zou je zo vriendelijk willen zijn...?'

'Nee, SanGreal, dat wil ik niet. Ik snap niet waarom ze jou niet allang van school hebben gestuurd. Het zegt niet veel goeds over de kwaliteit van deze school dat ze jouw slag toelaten.' Ze nam Billi van top tot teen op. 'Kom op, zelfs de grootste weirdo wil niets met jou te maken hebben.'

'Heb je haar vader wel eens ontmoet? Niet te verwonderen dat ze zo is geworden,' zei Katie.

Jane glimlachte. 'Is het waar, SanGreal? Dat je vader je moeder heeft vermoord? Haar keel helemaal open...'

Billi's dienblad viel kletterend op de harde houten vloer. Het geroezemoes op de achtergrond verstomde en het werd doodstil in de kantine.

Ze geloofden nog steeds die oude leugen, dat haar vader haar moeder had vermoord. Maar zouden ze de waarheid ooit geloven? Dat ze door *ghouls* was gedood, door de Hongerige Doden? Dat ze was gestorven toen ze Billi wilde beschermen, dat er bloederige handafdrukken hadden gestaan boven de deur van haar slaapkamer waar ze zich had verscholen? Nee, die waarheid zouden ze nooit geloven.

'Wat zei je?' vroeg Billi. Haar stem was nauwelijks meer dan een fluistering. Nu ze haar handen vrij had, balden die zich tot stalen vuisten. Haar ademhaling klonk luid in de stilte en het bloed bulderde in haar oren. 'Sorry Jane, ik verstond je niet helemaal.' Ze sprak langzaam, elk woord articulerend. Ze nam Jane's gestalte op, niet als een naadloos geheel, maar als een verzameling losse, breekbare onderdelen. De neus, de tanden, de kaak. Het zou zo makkelijk zijn.

Katie en Michelle voelden de gewelddadige dreiging die Billi uitstraalde en deden een stap opzij. De hele kantine, die al stil was gevallen, hield nu de adem in. Jane's handen trilden, maar ze zette zich schrap tegen de tafel en haar donkerrood gelakte nagels boorden zich in het glimmend witte formicablad.

'Billi!'

Bij het horen van haar naam draaide Billi zich razendsnel om, maar ze werd al vastgegrepen door twee sterke armen en het enige wat ze zag was een dikke bos zilverkleurig haar. Ze worstelde om zich uit de omhelzing te bevrijden en uiteindelijk lukte het om hem van zich af te duwen.

'Heb je me gemist?' vroeg de jongen. Hij was lang, slank en albinowit. Nog iets bleker en ze had hem aan een spies moeten rijgen.

'Kay?'

Hij knipoogde.

Billi deed een stap achteruit. Ze geloofde haar ogen niet. Toen hij wegging was hij een schriel jongetje geweest. Op zijn kin zag ze het pluizige begin van een baard en vanachter zijn witte wimpers keek hij haar aan met heldere, hemelsblauwe ogen.

'Kijk eens wie er weer is, het dunne witte snotjoch,' zei Jane. Kay draaide zich naar haar om.

'Jane, wat een onaangename verrassing.' Hij fronste zijn wenkbrauwen. 'Ben je aangekomen?'

Jane trok wit weg. Het was waarschijnlijk het ergste wat je tegen haar kon zeggen.

De frons maakte plaats voor een wrede grijns. 'Een paar zwangerschapspondjes, rond de heupen.'

'Wat?' Naar adem happend voelde Jane aan haar buik. Katie en Michelle bogen zich iets voorover. Net zoals de zes andere leerlingen aan de dichtstbijzijnde tafel. Dit klonk goed.

'Van Dave Fletcher, hè?' vervolgde Kay.

Jane deinsde achteruit, waarbij ze tegen een bord met bonen en aardappelpuree stootte. De slijmerige oranje saus kledderde over haar rok en droop langzaam langs haar zwarte kousen omlaag, waar hij een vettig spoor achterliet. Kay stak zijn hand uit.

'Gefeliciteerd. Jullie zijn vast een prachtig stel.'

Jane slaakte een kreet en rende weg. Katie en Michelle staarden hem met open mond aan, draaiden zich toen om en renden haar achterna. Er viel een lange stilte en toen barstte de kantine los. Jane Mulville was zwanger!

Kay bukte zich om Billi's sandwich op te rapen.

'Krijgt ze echt een kind?' vroeg ze.

'Over een paar maanden.' Hij overhandigde haar het enigszins gebutste pakje. 'Zin om bij me te komen zitten?'

Hij doet alsof hij nooit is weggeweest.

Kay haalde zijn schouders op.

'Maar nu ben ik er weer.' Hij draaide zich om en liep naar een tafel in de hoek van de kantine.

Billi beet op haar lip. Stomme fout. Kay was geen gewone tempelier. Hij was een Orakel.

Paranormaal begaafd. Zo begaafd dat gedachten lezen hem geen enkele moeite kostte.

Billi legde het geld voor haar lunch neer en ging toen Kay achterna, zich pijnlijk bewust van alle ogen die op haar gericht waren. Ze zette het blad met een klap op tafel en trok de stoel tegenover Kay naar achteren. 'Hebben ze jou nooit verteld dat het onbeleefd is om te gluren?' zei ze.

'Je hebt mijn vraag nog niet beantwoord, Billi.'

'Welke vraag?'

'Of je me hebt gemist.'

'Een jaar, Kay.' Billi keek niet op van haar lunch; het was de enige manier om haar woede de baas te blijven. 'Heb je ook maar één keer geprobeerd iets van je te laten horen?'

'Billi, je weet waarom Arthur me naar Jeruzalem heeft gestuurd.' Zijn mond verstrakte. 'Ik moest mijn vermogens leren beheersen.'

'En dus had je geen seconde de tijd? Zat je soms in het kneuzenklasje?' Billi scheurde het plastic open. De sandwich zag er zo nog onsmakelijker uit. Ze zuchtte. 'Nee, ik heb je niet gemist. Het verbaast je misschien, maar om eerlijk te zijn ben jij niet het middelpunt van het universum.'

Billi nam een hap van het slappe brood. Jammie, kartonsmaak. 'Wanneer ben je teruggekomen?'

'Een paar dagen geleden.'

'En dat heb je me niet even laten weten?'

'Ik moest het een en ander doen, voor Arthur.'

Dus zelfs haar vader had het haar niet verteld.

'Ooit was onze vriendschap belangrijker dan dat we tempeliers waren, Kay.' Billi sloeg haar blik op en keek hem aan. Hij was veranderd, en niet ten goede.

Klote Kay, dacht ze.

Hij stond op.

'Goeie ouwe Billi,' zei Kay.

4

Die avond ging Billi de trap op naar Vader Balins huis. Dus Kay was terug. En dus hoefde ze niet meer in haar eentje in de klas te zitten. Het zou wat. Ze had het de afgelopen twaalf maanden prima zonder hem gered.

En dan te bedenken dat ze Kay via het maatschappelijk werk hadden gevonden. Ze herinnerde zich nog de dag dat hij bij hen kwam, vlak voordat haar training was begonnen. Een soort sprieterig insect van een jongen die op was van de zenuwen en schrok van elke schaduw, die 's nachts altijd nachtmerries had en praatte met dingen die er niet waren, of die normale mensen in ieder geval niet konden zien. En die aanvallen had die hij zich achteraf nooit herinnerde, waarin hij begon te raaskallen in god mocht weten wat voor talen. Hij maakte haar volkomen van slag door te vertellen dat hij met spoken had gepraat. In haar slaapkamer. Geen wonder dat hij van het ene naar het andere pleeggezin was gegaan. Maar dat was niet ongebruikelijk. Mensen met een grote paranormale begaafdheid hadden altijd een moeilijke jeugd. Visioenen, klopgeesten, vreemde verschijningen: welk gezin zou er niet door ontregeld raken? Als ze niet leerden hoe ze hun vermogens moesten beteugelen, zouden ze uiteindelijk gek worden. Hoeveel Orakels waren de tempeliers in de loop der jaren kwijtgeraakt? Hoeveel waren krijsend in het gesticht beland, terwijl de stemmen in hun hoofd hun eigen gedachten overschreeuwden?

Vader Balin woonde in de kapelaanswoning, een sierlijk gebouw uit de achttiende eeuw met wit gekalkte muren en een hoog, zwart hek met spijlen, direct naast de Tempelkerk. Billi liep tussen de rozenstruiken door over het tuinpad naar de zwart geverfde voordeur en klopte aan. Toen er werd opengedaan kwam de geur van knoflook en geroosterde paprika's haar tegemoet. Vader Balin glimlachte toen hij zag dat zij het was.

'Italiaans vanavond?' vroeg Billi. 'Is er iets te vieren?' Alsof ze dat niet wist. Ze had haar Oordeel overleefd en alleen maar een doos chocolaatjes gekregen. Kay was terug van een jaar vakantie en ze bouwden een feestje.

'Signora SanGreal. Ik vroeg me al af wanneer je zou komen opdagen.' De oude man deed een stap opzij. 'Kay is er.'

'Dat weet ik, ja.'

Balin zette zijn bril op zijn hoge, kale schedel. Hij was het gezicht naar buiten toe van de tempeliers. Als priester van de Tempelkerk verzorgde hij alle gewone diensten en wereldlijke activiteiten. Zijn officiële titel was de Zeer Eerwaarde meester van de Tempel, maar voor de ridders was hij hun kapelaan en belast met de religieuze taken.

'Ik had gedacht dat je enthousiaster zou zijn, Bilqis.' Alleen Balin noemde haar bij haar eigenlijke islamitische naam.

Uit de keuken klonk het gekletter van pannen, borden en bestek. Pars kwam met een dampende schaal spaghetti de gang in. Hij knipoogde naar haar voordat hij onder de kandelaar door dook en de eetkamer in ging, waaruit geroezemoes opklonk en nog meer gekletter. Billi liep hem achterna.

Door de ramen die op de tuin uitkeken scheen het maanlicht naar binnen, maar de ridders hadden het te druk met de warme maaltijd om oog te hebben voor de kleurige collage van planten, struiken en bloemen die het meesterwerk was van de priester. Billi wrong zich tussen Pars en Kay in op een stoel.

Afgezien van Vader Balin waren er slechts vier andere aanwezigen: Gwaine, Pars, Kay en haar vader, die elleboog aan elleboog aan de kleine eettafel zaten. Ze wist dat de rest in Dartmoor op een weerwolf aan het jagen was. Sinds het Bodmin Akkoord, dat was gesloten na Arthurs overwinning op het alfamannetje van de weerwolfroedel, hadden de wolven zich beperkt tot het doden van schapen en een enkele koe. Maar een van hen had zich van de roedel afgescheiden en viel als een dolle hond wandelaars aan. De tempeliers waren eropuit getrokken om hem te vangen.

Haar vader zat zwijgend aan tafel en bladerde door de stapel krantenknipsels aan zijn rechterkant, terwijl hij af en toe een blik wierp op de laptop links van hem. Gwaine keek op, maar schonk haar geen aandacht; hij liet zijn blik langs haar dwalen, alsof ze niet bestond. Gwaine, de seneschalk, de onderbevelhebber van de tempeliers. Hij was een oude strijder met gemillimeterd staalgrijs haar, een dun baardje en ogen die diep verscholen lagen tussen de rimpels. Eigenlijk had híj in plaats van haar vader tempelmeester moeten worden na Uriens' dood. Gwaine had Arthur ooit gerekruteerd en hij kon het niet verkroppen dat zijn schildknaap nu zijn meester was. Billi wist dat de oude man op de loer lag, dat hij zijn kans afwachtte om het commando over de tempeliers over te nemen. Arthur hoefde alleen maar als eerste te sterven.

Billi zag dat Kay haar betekenisvol aankeek; ook hij kon Gwaine niet luchten of zien. Volgens Gwaine was een Orakel slechts één stap verwijderd van een heks, en over dat soort mensen hield de seneschalk er een Bijbelse visie op na.

Een tovenares zult gij niet in leven laten.

'Nog nieuws van Pelleas?' vroeg Arthur, met zijn ogen nog op het scherm gericht. Pars zoog een sliert spaghetti naar binnen voordat hij antwoordde.

'Tot nog toe alleen een heleboel dode schapen. Hij en Bors gaan de boerderijen af, Berrant en Gareth doen de kampeerterreinen. Ik denk dat het een nomade is die de problemen veroorzaakt.'

Het Innerlijke Beest. Eén enkele weerwolf was al fataal; daarom had haar vader de halve Orde eropaf gestuurd. De helft! Ze keek de tafel rond. Balin niet meegerekend, hij maakte geen deel uit van de vechtende Orde, waren ze met z'n negenen. Niet meer dan negen tegen de goddelozen, tegen al het bovennatuurlijke kwaad dat in de schaduwen loerde. Ooit waren er duizenden tempeliers geweest. Eén slechte dag en ze waren er geweest. Weggevaagd. Tien jaar geleden was dat bijna gebeurd, tijdens de IJzeren Nachten.

Toen haar moeder was gestorven.

Waarom kon ze zich haar niet herinneren? Ze was vijf geweest, dus ze zou zich íéts moeten herinneren. Ze had niet meer dan schimmige beelden, vage emoties en het gevoel dat ze gelukkig was geweest. Niets tastbaarders. Maar Billi had van de anderen gehoord dat de IJzeren Nachten twaalf dagen van verschrikkingen waren geweest. De tempeliers waren door *ghouls* gevangengenomen, de oude meester als eerste, vervolgens de orakelgroep en een heleboel anderen, totdat alleen Arthur en een handjevol mannen over waren. Door zijn leiderschap werd Arthur van sergeant gepromoveerd tot tempelmeester, maar wel tegen een afschuwelijke prijs. Een paar *ghouls* die Arthurs zuivering hadden overleefd, waren erachter gekomen waar hij woonde en hadden zijn vrouw vermoord. Misschien had Billi het wel verdrongen omdat het zo vreselijk was geweest.

'Wat heb je, Art?' vroeg Pars. Arthur overhandigde hem een paar foto's en Billi ving er een glimp van op. Bijtwonden in iemands nek.

'Die zijn afgelopen nacht door onze hospitaalbroeders gemaakt. Er was een meisje voor een nachtclub flauwgevallen. Ze dachten dat het ons wel zou interesseren.' Arthur en de oudere ridders noemden hun contacten bij de ambulancedienst nog steeds hospitaalridders, ook al was hun orde niet meer actief bij de oorlog betrokken. Ze konden echter bruikbare informatie verzamelen over 'ongewone' aanvallen of verwondingen. Zoals vampierbeten.

Dat wordt weer een gezellig uitje, dacht Billi. Zolang zij maar niet mee hoefde. Een hele nacht op een verlaten kerkhof op Hongerige Doden jagen was wel het laatste waar ze zin in had. Ze had nog één kans om haar wiskunde in te leveren, anders zou ze tot aan de kerst mogen nablijven.

Pars bestudeerde de foto's. 'Heeft het meisje het overleefd?'

'Ja, maar amper.' Arthur keek de tafel rond. 'We moeten deze in de kiem smoren.'

Pars overhandigde de foto's aan Gwaine.

'Enig idee waar hij zijn hol heeft, Art?' vroeg Gwaine.

Arthur schudde zijn hoofd. 'Nee. Maar ik wil dat jij en Parsifal hem opsporen. Vannacht.' Hij wendde zich tot Billi.

'Nu Kay er weer is, kunnen we beginnen met de lessen mentale afweer.' Hij keek naar Kay. 'Wat dacht je van morgen?'

'Prima.'

'Mooi. Zeven uur in Finsbury Park. Je weet waar je met haar naartoe moet, Kay.'

Mentale afweer? Van Kay? Was hij echt zo goed geworden?

'Maar pap, we hadden afgesproken dat ik na het Oordeel drie avonden vrij zou hebben. Om mijn huiswerk in te halen,' zei Billi. Het ging er niet om dat ze tijd wilde om leuke dingen te doen. O nee, over plezier maken repte de Tempelregel met geen woord.

'Niet belangrijk. Jij gaat met Kay trainen.' Arthur raapte de knipsels bijeen en stopte ze in zijn map. 'Nog andere kwesties?' Gwaine gaf een kort rukje met zijn hoofd en Balin vormde een geluidloos 'nee' met zijn lippen, maar Pars stond op.

'Twee puntjes maar, Arthur.' Hij hief zijn mok. 'Ten eerste, welkom terug uit Jeruzalem, jongeheer Kay. Het leven was zonder jou uitermate saai. Ik verheug me op een uitvoerig verslag.' Het ontging Billi niet hoe de anderen naar Kay keken. Het wijze, almachtige Orakel. Het verbaasde haar dat ze niet allemaal in adoratie voor hem neerknielden. Pathetisch gedoe. Toen keek Pars Billi grijnzend aan. 'En ik wil een toost uitbrengen op het nieuwste lid van de Orde. Nog maar vijftien en, vergeef me mijn woordgebruik, nu al retegoed. Het zal niet lang meer duren of we noemen jou meester.' Er klonk luid gesnuif van Gwaine, maar Pars negeerde het. 'Op Bilqis SanGreal.'

Die goeie ouwe Pars. Altijd een vriendelijk woord. Hoe vaak had ze niet gewenst dat hij haar vader was in plaats van haar peetvader. De anderen stonden ook op, Gwaine als laatste. Zelfs Arthur tilde zijn mok op, een klein stukje.

'Op Billi!'

Toen deed Arthur zijn laptop met een klap dicht en legde zijn map met knipsels er bovenop.

'Als dat alles is, zal ik jullie niet langer van je werk afhouden.' Hij stak zijn spullen onder zijn arm en liep de kamer uit. Balin en Gwaine gingen met hem mee, terwijl Pars Billi en Kay hielp met afruimen. Hij tilde een stapel borden op en bleef toen staan. Hij liet zijn hoofd, dat bijna het plafond raakte, zakken totdat hij zich op ooghoogte met de twee schildknapen bevond.

'En jullie gedragen je,' zei hij. Hij keek Billi een hele tijd aan en liep toen weg.

Kay zette de porseleinen theekopjes op een dienblad. Billi hielp hem niet.

'Dus jij gaat me wat Jedi-trucjes leren,' zei ze.

'Je hebt gehoord wat je vader zei. Maak je geen zorgen, ik zal het rustig aan doen. Als je wil kan ik je daarna met je huiswerk helpen.'

'Nee, toevallig wil ik dat niet.' Zo makkelijk zou hij er niet mee weg komen.

Ze had hem gemist.

5

Het was acht uur toen Billi de volgende avond het metrostation van Finsbury Park uit kwam. Er viel een koude motregen en de putten zaten verstopt met grote hopen kledderige bladeren, waardoor er aan weerszijden van de weg diepe plassen waren ontstaan. Ze trok haar capuchon omlaag en zag toen Kay bij de bushalte staan. Zijn zwarte wollen muts was laag over zijn wenkbrauwen getrokken, maar zijn zilverachtige haar leek op te lichten onder het schelle tl-licht van het hokje.

'Je bent te laat,' zei hij.

'Ik moest nablijven. Alweer,' zei Billi. Ze haalde haar schouders op. 'Maar heb je mijn bericht dan niet ontvangen?' Ze tikte tegen de zijkant van haar hoofd. 'Ik heb het toch echt heel hard gedacht: Kay, ik kom wat later. Kay, ik kom wat later...'

'Denk je dat dit een grap is?' Hij stond op en trok de kraag van zijn jas omhoog. 'Laten we maar gaan. Ik heb al genoeg tijd verspild.'

Ze liepen de winkelstraat in, tussen de ijzeren traliehekken en de met graffiti volgespoten rolluiken door. De enige winkel die nog open was, was de drankenzaak. Bij de ingang stond een kale man met getatoeëerde armen, die hij over elkaar geslagen op zijn enorme buik liet rusten. Aan zijn voeten zat een grommende pitbull, die blafte toen ze voorbij liepen en aan de zware ketting om zijn nek rukte. Ze gingen de hoek om en daar zag Billi het pand liggen: Elaine's Bazaar, verlicht door een enkele lantaarnpaal.

Het was een lommerd, die er al sinds het begin van de negentiende eeuw had gezeten. De verf van de drie gouden bollen boven de deur bladderde, maar de bollen waren wel origineel. Voor de stoffige ramen zaten zware, metalen tralies en in de etalage lagen stereo-installaties, dvd-spelers, een set chromen gewichten en een kinderfietsje; de trieste restanten van honderden faillissementen en gedwongen verkopen.

Het was ook het relikwieënschrijn van de tempeliers.

Hier lag de laatste schat van koning Salomo verborgen. Billi kon nauwelijks geloven dat dit oude krot onderdak bood aan een van de belangrijkste magische voorwerpen uit de oudheid. Maar dat was precies de bedoeling: wie zou het ooit vermoeden?

Beneden brandde geen licht. Op de verdieping erboven was één enkel raam verlicht. Kay belde aan en even later werd het raam opengeschoven en stak een oude vrouw met een verwarde grijze haardos haar hoofd naar buiten.

'Oprotten!'

Kay deed een stap naar achteren zodat het licht van de lantaarn op zijn gezicht viel.

'Elaine, ik ben het. Kay!'

De vrouw staarde hem met open mond aan.

'Kay?' Toen grinnikte ze. 'Kay! Ik kom eraan!'

Billi bleef bij de deur staan wachten totdat Elaine beneden was en eerst de voordeur en vervolgens het stalen hek had opengemaakt.

'Mijn engeltje! Kom hier en laat me je omhelzen!' Ze sloeg haar knokige armen om hem heen en gaf hem een enorme, natte zoen op zijn wang. Billi zag Kay verstrakken toen haar lippen zich smakkend van zijn gezicht losmaakten.

'Hallo Elaine,' zei hij blozend. Ze stonden in het onverlichte halletje van de vervallen, oude winkel. Het verbleekte behang was losgekomen, de verf van het plafond schilferde omlaag en de vloerbedekking was tot op de draad versleten. Als een zeeroverkapitein met haar voeten een stukje uit elkaar en haar handen in haar zij nam Elaine Kay bewonderend op.

'Nog even knap als altijd. Ik durf te wedden dat alle meisjes als een blok voor je vallen.'

Billi duwde Kay opzij en ging de volgestouwde winkelruimte in.

'Inderdaad, morsdood,' zei ze. Het irriteerde haar mateloos dat Elaine, die zich tegenover iedereen gedroeg als een chagrijnige, oude toverkol, opeens klef ging lopen doen met Kay. Alleen maar omdat ze hem vroeger les had gegeven.

'Ik zie dat je hare majesteit hebt meegebracht,' zei Elaine chagrijnig. Ze had er het gezicht voor: verweerd, gerimpeld en verkleurd door vijftig jaar nicotine.

Billi deed het licht aan.

Het stond er vol met troep, die lukraak was opgestapeld: gehavende oude hutkoffers, kleerkasten zonder deuren, een ouderwetse hoge fiets en ontelbare andere waardeloze schatten die Elaine weigerde weg te gooien. Ze lagen er waarschijnlijk al generaties lang.

'Hoe was het in Jeruzalem?' vroeg Elaine. 'Met wie heb je gewerkt? Rabbi Levison?'

Billi moest glimlachen bij de gedachte hoe de oude tempeliers het hadden gevonden dat hun geheimen door een jodin werden bewaakt. Maar toen het vorige tempelorakel was gedood, was er in de Orde niemand meer die over de paranormale vermogens beschikte om het relikwieënschrijn te kunnen beschermen. Gwaine was door het lint gegaan toen Arthur Elaine had aangesteld, maar Arthur was de meester. De oude religieuze oorlog was niet langer de zorg van de tempeliers, had hij gezegd. Het enige wat nog telde was de *Bataille Ténébreuse*.

'Ja, en nog een paar anderen,' antwoordde Kay.

'Wie dan?' Elaines ogen vernauwden zich gretig.

'De soefi's van de West Bank. Ik heb een maand bij de nestoriaanse monniken in de Sinaï gezeten. Ik heb een hoop geleerd, Elaine.' Hij keek beschaamd weg. 'Hoe emoties mijn blik vertroebelen.'

'Meer dan ik je ooit had kunnen leren,' zei Elaine. Ze bezat enig bovennatuurlijk talent, maar ze was niet van hetzelfde kaliber als Kay. Dat was niemand. Haar kennis van de tarot, astrologie en het occulte had ze verworven door jaren keihard te werken. Kennis waarmee Kay was geboren. Ze zuchtte. 'Maar ik neem aan dat jullie niet voor de gezelligheid komen?' Ze viste een verfomfaaid pakje Benson & Hedges uit haar vaal geworden roze kamerjas.

'Dat heb je goed geraden,' zei Billi. Elaine stak een sigaret op en kneep haar ogen tot spleetjes terwijl ze de scherpe, bijtende rook inhaleerde.

'Kom dan maar mee. Ik heb niet de hele avond de tijd.' Ze schoof een stoffige, opgezette beer opzij, zodat een kleine, stevige deur zichtbaar werd, die diep in de muur verscholen zat. Ze viste een sleutel uit de bos die om haar nek hing en draaide hem met beide handen om in het slot.

De deur ging krakend open. Enkele treden leidden omlaag naar een koude, klamme kelderruimte, waar de muffe geur hing van eeuwenoud, traag verval. Elaine haalde de bruine bakelieten schakelaar over en na een langdurig, zwak gezoem kwam het lichtpeertje tot leven en werd de catacombe langzaam maar zeker in een zachte gouden gloed gehuld. Voor hen stond een grote, zwarte kast. Het zwakke schijnsel weerkaatste op het brons van de scharnieren en het flinterdunne bladgoud, het zilver en het parelmoer van de weelderige taferelen waarmee het houtwerk was versierd. De afbeeldingen waren vervaagd, maar Billi kon nog net de duiveltjes, demonen, monsters met dierenkoppen, gevleugelde nachtmerries en de hemelse horden onderscheiden die op het ebbenhouten veld ten strijde trokken. In het midden, waar de twee deuren elkaar raakten, bevond zich een grote, geoxideerde koperen schijf in twee stukken met een zespuntige ster.

Het Zegel van Salomo.

De geheime hoeder en de eerste verdediging tegen het bovennatuurlijke. Het was het symbool van het grondbeginsel van de Hoge Kunst, de magie van de hemelsfeer. Het Zegel was echter niet meer dan een bescherming. Een bescherming van hetgeen zich in de kast bevond.

Er ging een huivering door Billi heen. Ze had de oudste logboeken van de tempeliers gelezen, hoe Hugo van Payns niet lang na de eerste kruistocht de kast met daarin de schat had gevonden. Hoe hij ze had meegenomen en tempeliers tot de meest gevreesde organisatie van de middeleeuwse wereld had gemaakt. Ze had vaak gedacht hoe opwindend het zou zijn om de schat met haar eigen ogen te zien. Maar nu ze hem bijna kon aanraken, realiseerde ze zich dat het geen opwinding was die ze in haar hart voelde. Het was angst.

'Hij ligt daar, hè?' fluisterde ze. De zwarte kast leek te glinsteren, alsof hij van binnenuit licht uitstraalde. Billi beefde nu over haar hele lichaam en ze sloeg haar armen om zich heen. Wat zich achter die ebbenhouten deuren bevond was niet alleen de oorsprong geweest van de macht van de Orde, maar ook de reden dat ze bijna volledig door de inquisitie waren uitgeroeid.

'De Spiegel?' Elaine knikte. 'Logisch. Waar anders?' Ze wendde zich tot Kay. 'En, nog succes gehad met je weet wel, de trekking van de komende week? Wat wordt het winnende lot?'

Kay schudde zijn hoofd. 'Je weet dat ik dat niet kan. Voorspellingen zijn niet mijn ding.'

Ze nam hem even nieuwsgierig op. 'Nee, natuurlijk niet.'

Kay klopte het stof van een stoel en hing zijn jas eroverheen.

'Zo gaat het wel lukken.' Hij strekte zijn armen. 'Bedankt, Elaine. We geven wel een seintje wanneer we klaar zijn.' Elaine keek hen om de beurt aan, knikte en draaide zich om.

Billi wachtte totdat Elaine weg was. 'Waarom hier?'

'Om je te helpen.' Kay wees naar de hoeken van de kelder. Billi tuurde in de schemering en kon met moeite de tekens ontcijferen die rondom op de bovenste rij bakstenen waren aangebracht. Het was spijkerschrift, het oudste schrift ter wereld, net als de tekens op de zwarte kast. Talismannen die beschermden tegen *maleficia*: zwarte magie.

Kay doorzocht zijn zakken. 'Deze ruimte is energetisch verzegeld. Alles wat zich hier afspeelt blijft verborgen en daarnaast worden bovennatuurlijke en paranormale krachten hier enigszins afgezwakt. Dat vergroot jouw kans op succes.'

'Hoe bedoel je?'

Hij wierp haar een klein, rood pakje toe. Billi ving het op. Het waren speelkaarten.

'Schud ze,' beval hij.

'Ik wist niet dat je me ging leren goochelen.'

Billi haalde het plastic eraf en schudde de kaarten in haar hand.

'Niet zo. Goed schudden. Gebruik de tafel.'

Billi gehoorzaamde met tegenzin. Ze spreidde de kaarten uit over een klein koffietafeltje en schoof ermee rond totdat ze allemaal door elkaar lagen.

'Wat is het nut hiervan?' vroeg ze.

'Sommige goddelozen hebben de macht om... je gedachten te beïnvloeden. Ze maken zich meester van onze zintuigen, onze herinneringen. Herinner je je nog wat er met jou en de geest van Alex Weeks gebeurde?'

'Hoe weet jij dat?'

'Ik ben een Orakel, zoals je misschien nog weet?'

Billi werd nijdig. Blijkbaar kon ze niets meer voor zichzelf houden.

Kay gebaarde dat ze de kaarten moest oppakken en draaide zich om. 'Ik ga je leren hoe je je geest tegen ongewenste invloeden kunt wapenen.'

'Zoals de jouwe?'

Hij zuchtte. 'Haal nou maar gewoon een kaart uit de stapel. Hou hem voor je, maar probeer niet te denken aan welke kaart het is. Denk aan iets anders, voorkom dat ik de kaart via jouw geest kan zien.'

Billi nam een kaart van tafel. 'Zeg maar wanneer...'

'Schoppen drie. Volgende.'

'Ik was nog niet klaar!' Kwaad gooide ze de drie op de grond. Ze pakte een andere kaart en hield hem voor zich omhoog.

'Ruiten vijf. Volgende.'

'Wacht!'

'Ruiten vier. Heb je ze wel goed geschud, zoals ik had gezegd?'

Billi schudde ze opnieuw. *Oké, niet aan de kaart denken.*

'Hartenvrouw. Volgende.'

Verdomme, het gaat niet.

'Niet vloeken, concentreer je op de kaarten.'

Ze coupeerde de kaarten twee keer, trok er een tevoorschijn en...

'Schoppenaas. Volgende.'

'Je geeft me niet eens de kans!'

Kay draaide zich razendsnel om. 'Waarom zou ik? Dit is geen spelletje, Billi. Als dit een gevecht was, zou je dan ook terugkrabbelen? Het rustig aan doen? Nee, je zou over lijken gaan.' Hij keek haar aan en met half dichtgeknepen ogen zocht hij haar gezicht af. 'Zeker weten. We beginnen opnieuw.'

'Ik speel dit spelletje niet mee,' beet Billi hem toe. Wie dacht hij wel dat hij was? Haar vader? Ze smeet het tafeltje omver en schopte tegen de kaarten, die alle hoeken van de kelder in vlogen.

'Wat ben jij toch een kind,' zei hij. 'Je vindt het niet leuk en dus loop je weg. Heb ik gelijk?'

'Moet jij zeggen, Kay. Als er iemand goed is in weglopen...' Zo. Het was eruit.

'Dus daar gaat het allemaal om. Ja?'

Kay legde zijn hand op haar arm, maar Billi deed een stap achteruit.

'Als je dat nog één keer doet, breek ik je arm,' zei ze. 'Weet je hoe ik hier mijn tijd heb doorgebracht terwijl jij op vakantie was? Met in elkaar geslagen worden en blauwe plekken, bulten en snijwonden oplopen. Allemaal ter meerdere eer en glorie van die klotetempeliers. Herinner je je nog hoe gezellig het was met mijn vader? Nou, toen jij was vertrokken – de enige die ooit naar me omkeek – werd het duizend keer erger.'

'Ik weet zeker dat hij er zijn redenen voor had.'

Redenen? De reden was simpel: ze was een tempelier. En tempeliers vochten, worstelden, zagen af en bloedden. Maar zij kon nooit genoeg bloeden, niet in de ogen van haar vader. Hij zette haar onder steeds grotere druk en ze had geen keus gehad. Niet zoals de anderen, niet zoals Kay. Haar vader had dit leven voor haar uitgekozen. Niet zij. Bij haar was er geen sprake geweest van keus, van waardering, van liefde, en zeker niet van redelijkheid.

Billi ritste haar jas dicht. Ze was niet van plan hier nog langer haar tijd te verdoen.

'Waar ga je heen?'

Ze trok de capuchon over haar hoofd. Als ze snel was, kon ze nog voor middernacht thuis zijn. 'Zie je dat niet? Jij bent toch de helderziende?'

'Ho.' De deur sloeg voor haar neus dicht. De tafel naast haar begon te schudden en op en neer te stuiteren, en de oude zwaarden aan de muur kletterden tegen elkaar aan.

Zijn wilde talent. Telekinese. Hierdoor waren de tempeliers zich bewust geworden van Kays vermogens. Als hij als kind kwaad was, had er van alles door de kamer gevlogen.

'Hou op, Kay.'

De tafel en de zwaarden kwamen tot rust. Billi keek hem aan.

Zijn kaak stond strak en hij veegde langzaam het zweet van zijn voorhoofd. Hij had zichzelf niet meer in de hand gehad.

'Wat wil je van me, Billi?'

'Hoezo zou ik iets van jou willen? Ik ben geslaagd voor mijn Oordeel. En jij?'

Zijn gezicht werd vuurrood, alsof ze hem een klap had gegeven.

'Je weet dat Orakels dat niet hoeven. Wij zijn te...'

'Het woord dat je zoekt is "bang", nietwaar?'

'Ik ben niet bang.' Maar Kay zag er niet op zijn gemak uit.

Hij was gekwetst. Goed zo. Dan weet hij tenminste ook hoe ik me voel, dacht Billi.

Al die keren dat ze hem het afgelopen jaar nodig had gehad en hij er niet was geweest, was ze bang geweest. Nou, nu had zij hém niet meer nodig wanneer ze op zoek ging naar vampiergraven en weerwolfsporen volgde, en hij in zijn eentje thuis zat. Bang.

'Ik zei dat ik niet bang was!' De tafel kantelde en smeet zichzelf tegen de muur. Billi sloeg haar armen voor haar gezicht tegen de lawine van houtsplinters.

Toen ze haar armen liet zakken, stond Kay voor de zwarte kast. Hij liet zijn vingers over het Zegel glijden.

'Jij weet niet wat ik allemaal kan,' zei hij met zijn blik strak op de zespuntige ster gericht. 'Jij denkt dat met een stuk staal zwaaien en mensen in elkaar slaan het enige is wat telt.' Zijn vingers kromden zich om de rand van de deur. 'Je hebt geen idee.' Hij trok hem open.

Wat was hij in hemelsnaam aan het doen? Billi greep hem bij zijn arm.

'Dat is stom,' zei ze. 'Niet doen.'

Kay rukte zijn arm los.

'Deze ruimte is veilig, Billi. De hoeders zullen ons beschermen.' Hij wees naar de ingekerfde symbolen langs de wanden. 'Die zorgen ervoor dat alles binnen deze ruimte blijft.'

Hij haalde een platte, met donkerblauw fluweel beklede doos tevoorschijn, het soort doos waar een halsketting in zat. Hij maakte hem open.

Er lag een eenvoudige, koperen schijf van ongeveer twintig centimeter doorsnee in. Het Zegel was in tere lijnen in het glanzende oppervlak gegraveerd. Over de enigszins gecorrodeerde randen lag een groen zweem, maar verder lichtte de schijf helder op in het zwakke schijnsel. Kay staarde ernaar en liet zich langzaam met de doos op zijn handpalmen op een stoel zakken. Hij legde hem op zijn schoot en raakte met zijn vingertoppen het koper aan.

Er ging een rimpeling doorheen.

De Vervloekte Spiegel.

De laatste tempeliersschat. Volgens de overleveringen had koning Salomo hem gebruikt bij zijn grootse magische verrichtingen. Volgens de islamitische traditie was hij de meester van alle geesten en heerste hij over engelen en duivels. Allemaal met behulp van deze spiegel. John Dee, de tovenaar uit de tijd van koningin Elizabeth I en indertijd het Orakel van de tempeliers, had blijkbaar de hemelsfeer ermee weten te bereiken. De hemel en de hel hadden zich voor hem geopend. Tegenwoordig bezat niemand meer een dergelijke macht. Niemand. Kays poging zou op niets uitlopen. Maar toen ze naar de koude leegte in zijn ogen keek, ging er een kille tinteling door haar heen.

'Ik maak geen geintje, Kay. Leg hem terug... nu!'

'Ik kijk alleen maar,' fluisterde hij meer in zichzelf dan tegen haar. Terwijl zijn vingers over het metaal streken liet hij zijn hoofd achterover zakken en zijn ogen rolden weg, zodat alleen nog het wit zichtbaar was. Hij slaakte een lange, diepe zucht.

En hield op met ademen.

De Spiegel flakkerde en Kays vingertoppen trokken een zacht fonkelend spoor van kleurige lichtjes, als olie in het zonlicht. Het oppervlak begon te draaien en het was alsof Billi in een donkere, peilloze diepte staarde, een eindeloze draaikolk. De lichtsporen wierpen wervelende patronen op de muren en het plafond, die een tapijt waren geworden van chaotisch dansende kleuren. Er verscheen een flauwe glimlach rond Kays lippen. Billi staarde naar het caleidoscopische tafereel, gehypnotiseerd door de voortdurend wisselende mengeling van rood, oranje, groen, goud en talloze andere wervelende kleuren totdat ze er duizelig van werd. Maar ze kon haar ogen er niet van afhalen. Ze wilde lachen, ze wilde huilen; nog nooit had ze zoiets moois gezien. Het was alsof de muren, de wereld zelf, oploste in een oogverblindend, bont universum. Ze draaide zich om naar Kay om hem te zoenen, omdat hij haar zoiets ongelooflijks liet zien.

Kay schudde en er stond schuim op zijn lippen. Hij had zijn kaken zo hard op elkaar geklemd, dat zijn tandvlees bloedde en het schuim dat langs zijn kin omlaag droop roze kleurde. De lucht om hem heen trilde als een fata morgana en terwijl de kleuren steeds sneller door de ruimte schoten zag Billi uit de peilloze draaikolk van licht gedaanten verschijnen. Ze waren nog vaag, schimmige menselijke gestalten, maar ze werden met de seconde groter en duidelijker. Ze zag armen, benen en hoofden vastomlijnde menselijke vormen aannemen en er groeiden vingers uit de vlekken die handen waren geweest.

Wie heeft ons ontboden?

De stemmen echoden in haar hoofd en de gestalten keken haar met heldere, doordringende ogen aan.

We komen, verwelkom ons.

'Stop,' fluisterde Billi. Ze keek met ontzag vervuld om zich heen.

Maar Kay hoorde haar niet. Hij had zijn ogen dichtgeknepen en zijn geest en zijn ziel leken zich in een volkomen andere sfeer te bevinden. Er vormden zich nog meer gestalten, die zich uitkristalliseerden tot menselijke vorm.

Roep ons en wij komen.

Plotseling kwam er met bulderend geraas een zinderende hitte uit de schijf. De hoeders langs de muren straalden een ondraaglijk schel wit licht uit en de vormen kwamen tot leven. Ze zag dat de zwarte silhouetten gezichten kregen, ogen, neuzen, monden die lachten met een verrukte gretigheid en stemmen die aanzwollen en zich vermenigvuldigden tot een ondraaglijke kakofonie.

De deur knalde open en Elaine stormde de kamer in. Billi zag aan haar opengesperde mond dat ze schreeuwde, maar het gekrijs in haar hoofd overstemde al het andere. Elaine schopte de schijf uit Kays handen. Kay klapte achterover, terwijl de schijf door de lucht vloog, tegen de muur sloeg en kletterend op de grond viel, waar hij uiteindelijk tot stilstand kwam.

Al het licht was verdwenen, op de zwakke gloed van het peertje boven hun hoofd na. Kay lag op zijn rug en staarde hijgend alsof hij de marathon had gelopen met grote ogen naar het plafond. Het zweet droop van hem af en zijn witte haar zat tegen zijn schedel geplakt. Met moeite kwam hij overeind en zijn benen leken het elk moment te kunnen begeven. Volkomen verdwaasd keek hij om zich heen. Elaine keek hem diep geschokt aan. Ze raakte Kays gezicht aan om te voelen of hij in orde was en gaf hem toen een klap. Er verscheen een rijtje dunne, rode striemen op zijn wang, maar Kay leek het nauwelijks te merken.

De gegraveerde hoeders op de muren om hen heen straalden een dieprode gloed uit, als bakstenen die net uit de oven kwamen. Toen nam de gloed af en met een scherp gesis koelden ze weer af tot hun gewone bruine kleur. Billi's oren tuitten in de plotselinge stilte.

Ze had het bij het verkeerde eind gehad. Ze had gedacht dat die kracht niet meer bestond. Billi keek naar Kay, die met zijn hand door zijn plakkerige haar ging. Hun ogen kruisten elkaar en in de zijne lag een koortsige opwinding. In die vier eeuwen had niemand nog het kleinste signaal met de Spiegel kunnen opvangen. De laatste was Dee geweest, het grootste Orakel van de tempeliers.

Dat wil zeggen, het grootste Orakel tot nu toe.

6

'Ik kan er met mijn verstand niet bij,' zei Elaine. Haar handen trilden nog terwijl ze de thee inschonk. 'Die hoeders hadden het moeten houden.'

Ze waren naar boven gegaan. Haar woonkamer was compleet het tegenovergestelde van de bouwvallige winkel beneden. De meubels waren modern, van blank hout zonder frutsels, alsof ze zo van Habitat kwamen. De ruimte werd verlicht door een rij fonkelende spots die in het strakke, witte plafond waren aangebracht. De enige versiering was een zevenarmige kandelaar op de vensterbank en twee grote reproducties. Een ervan was een Caravaggio, van Abraham die op het punt stond zijn zoon Isaac te offeren, met links van hem een engel die zijn hand met het mes tegenhoudt. Billi werd geraakt door de mengeling van afschuw en vastberadenheid die op Abrahams gezicht lag. Wat zou er door hem heen zijn gegaan, toen God hem vroeg om degene van wie hij het meest hield te doden? De andere reproductie was een islamitische kalligrafie van de naam van Allah in een cirkel.

'Mijn moeder had er ook zo een,' zei Billi.

'Het ís die van je moeder,' zei Elaine. Ze ving Billi's verbaasde blik op. 'Wat nou? We waren vriendinnen, hoor.'

Elaine gaf hun beiden een beker thee en trok een rechte eetstoel naar achteren.

'Wat gebeurde er?' vroeg Billi. Ze pakte de beker aan en realiseerde zich dat Elaine niet de enige was die trilde.

'Kay heeft de poort naar de hemelsfeer geopend,' antwoordde Elaine. 'En er bijna iets doorheen laten glippen.'

'Maar wat dan?' vroeg Kay.

'Weten jullie wat de grigori zijn?' vroeg Elaine. Billi had niet gedacht dat Kay nog witter kon worden, maar ze had zich vergist. Hij werd lijkbleek.

'De Duistere Engelen,' zei hij. 'De Wachters.'

'Ze worden genoemd in het boek van Henoch.' Elaine keek hen om beurten aan. 'Hebben jullie ervan gehoord?'

Kay knikte bedachtzaam.

'Het is een van de apocriefe teksten,' zei hij. 'Volgens de vroege christelijke traditie te gevaarlijk om in de Bijbel te worden opgenomen.'

'Nog niet zo lang geleden hoefde je het alleen maar te lezen om op de brandstapel terecht te komen,' zei Elaine.

'Waarom?' vroeg Billi.

'Omdat het over de ware natuur van engelen gaat. Engelen worden verdeeld in drie soorten.' Ze wees naar de Caravaggio. 'De malachim, de Boodschappers. Dat zijn de meest voorkomende etherische wezens en ze worden aangevoerd door Gabriël. Maar er zijn nog twee soorten, die elk op hun eigen manier de mensheid beproeven.' Elaine keek naar Billi. 'Heeft je moeder je ooit het islamitische verhaal over Satan verteld? Over Iblis?'

Billi fronste haar voorhoofd. Ze had zich er de afgelopen tien jaar op toegelegd een christen te worden en nu begon Elaine over haar moslimverleden. Er waren honderden verhalen geweest, waarvan ze zich de meeste niet meer herinnerde. Maar sommige zaten in haar geheugen gegrift.

'Toen God Adam had geschapen, beval God alle engelen voor Adam te buigen. Satan, of Iblis in de Koran, weigerde. Hij zei dat hij alleen voor God boog.'

'Heel goed. Satan toonde hiermee zowel zijn ongehoorzaamheid als zijn loyaliteit jegens God. Zodoende werd het zijn rol om stervelingen te verleiden als beproeving.' Elaine hief haar hoofd op. 'Hij nam de engelen met zich mee die het ook niet zagen zitten dat de mens een speciale status kreeg, als de nummer één van Gods schepselen. Die engelen werden de duivels.'

'En de derde soort engelen? De grigori?' vroeg Kay.

'De Wachters.' Elaine wierp een blik op de deur, alsof ze bijna verwachtte dat er bij het uitspreken van hun naam iemand of iets zou komen binnenstormen. 'Zij waren de rechters. Zij waren naar de aarde gestuurd om de mens rechtschapenheid bij te brengen en hem te straffen als hij zondigde. Ze stonden onder leiding van... de Doodsengel in eigen persoon.' Ze stond op en liep naar de Caravaggio. Ze ging met haar vinger langs het gezicht van de jongen. Zijn armen waren op zijn rug vastgebonden en terwijl zijn vader zijn mes hief om hem de keel door te snijden stond de doodsangst op zijn gezicht te lezen. 'De grigori zijn het angstaanjagendst van al Gods engelen. Er zijn er tweehonderd op aarde neergedaald. Om Sodom en Gomorra te vernietigen waren er maar drie nodig. Zij hebben de zondvloed ontketend. En het was de Doodsengel die naar Egypte ging om Gods meest gevreesde oordeel uit te spreken: de tiende plaag. De dood van elke eerstgeborene.'

Billi huiverde. 'Wat is er met ze gebeurd?'

'Ze werden teruggeroepen naar de hemel,' antwoordde Kay. 'Maar ze hebben niet allemaal gehoorzaamd. Zeventig van hen zijn in opstand gekomen. Ze hebben zich tegen de hemel gekeerd en hun vleugels afgesneden.'

Elaine glimlachte geïmponeerd. 'Ze waren te verzot geraakt op de aardse sfeer. En geef ze eens ongelijk. Ze waren mooi, machtig, onsterfelijk; in elk opzicht superieur aan de mens. Ze vonden dat ze op aarde moesten blijven om over de mensheid te heersen. Het werden monsters, tirannen. Gevreesd. Geliefd. Aanbeden.'

'Lieve hemel,' zei Billi.

'Lieve aarde, zul je bedoelen. De Wachters gingen als bezetenen tekeer. Gewettigde gerechtigheid werd gewettigde moord en doodslag. Ze dreigden de aarde te veranderen in een knekelhuis.' Elaine kwam bij het schilderij vandaan en hurkte voor Kay neer. 'Koning Salomo heeft ze uiteindelijk verslagen. Hij had de volmaakte wijsheid van God gekregen en was de enige die sterk genoeg was om de grigori te vangen.' Ze tekende een cirkel in de lucht. 'In de Vervloekte Spiegel.' Ze schudde haar hoofd. 'En tot op de dag van vandaag zitten ze daar nog steeds. Op één na.'

'De Doodsengel,' zei Kay. 'De rechterhand van God.'

Elaine knikte. 'Die was zelfs voor koning Salomo te machtig om aan banden te leggen en dus is hij als enige ontsnapt. Ernstig verzwakt, dat wel. Maar hij zit niet in de Spiegel, zoals de rest van zijn familie.'

'Dus die hebben we gezien? De verbannen Wachters?' vroeg Kay. Hij liet zijn hoofd op zijn handen zakken. 'Mijn hemel. Ik wilde alleen maar kijken of ik contact kon maken met het hemelrijk. Of we iets konden horen.'

'Dat konden we zeker,' zei Billi en haar woede nam het over van haar angst. 'Ik zei nog dat je het niet moest doen, maar je luisterde niet. Jij dacht even indruk te maken. Jezus, Kay, ze hadden zich kunnen bevrijden.'

Hij keek op met een bedrukt gezicht. 'Maar dat is niet gebeurd, toch? Er is niets ontsnapt. De hoeders...'

'Zijn blijkbaar waardeloos,' onderbrak Elaine hem kortaf. 'Ik had ze moeten controleren, maar ik had nooit gedacht dat je zo sterk zou zijn.' Ze legde een hand op Kays schouder en Billi zag een mengeling van ontzag en angst op het gezicht van de oude vrouw. Zelfs zij bekeek hem met nieuwe ogen. Kay, die vroeger altijd bang was geweest voor schaduwen, was nu in staat afgezanten van God op te roepen. Hij beschikte over vermogens waar zij niet aan konden tippen, waar ze zich zelfs geen voorstelling van konden maken. Ze snapte best dat Elaine bang was. Ze zouden allemaal bang moeten zijn.

'Lot, het laatste Orakel, heeft die hoeders aangebracht en ik had al zo'n vermoeden dat hij half werk had geleverd.' Ze keek met toegeknepen ogen uit het raam, alsof ze iets in de duisternis zocht. 'Maar er is niemand ontsnapt. Dat weet ik zeker.'

'Wat is er dan gebeurd? Is het dan niet allemaal weer in orde?' vroeg Billi en ongewild klonk de wanhoop door in haar stem.

Elaines ogen lieten het raam niet los. 'Hun stem is ontsnapt, Billi. Degenen die in de Spiegel gevangenzitten hebben al zo lang moeten zwijgen. En nu hebben ze dankzij Kay de kans gekregen hun stem te laten horen.' Ze draaide zich om en Billi zag dat ze niet gewoon bang was; ze was doodsbenauwd. 'En ik vrees dat iemand het heeft gehoord.'

Wie had het gehoord? Een van de goddelozen? Een andere hemelbewoner? Arthur zou razend zijn als hij erachter kwam. Alsof ze hun handen niet vol hadden aan alle weerwolfaanvallen en vampierbeten. Maar voor de verandering was het nu eens niet haar schuld.

De avond was volkomen uit de hand gelopen. Ze moest als de sodemieter maken dat ze hier weg kwam. Billi liet het aan Kay en Elaine over om de hoeders te herstellen, zij ging naar huis. Ze had nog vijf minuten om haar trein te halen en ze wilde geen seconde meer verliezen.

Op het station haalde ze haar kaart door het leesapparaat en holde door de witbetegelde tunnel naar het perron. Met een beetje geluk kon ze voor elven thuis zijn, een vroegertje voor haar doen. De tunnel vulde zich met het geratel van de naderende trein en met twee treden tegelijk rende ze de trap op.

Die stomme zak van een Kay! Was hij maar in Jeruzalem gebleven. Dat zou veel veiliger zijn geweest. Wat had hij trouwens willen bewijzen? Hoe machtig hij was? Die gozer leed aan grootheidswanen. Billi zag de deuren van de trein al opengaan en ze versnelde haar pas.

Vlak voordat de deuren dichtgleden, glipte ze naar binnen en buiten adem liet ze zich op een lege stoel vallen. Ze sloot haar ogen, maar in plaats van duisternis zag ze nog steeds de chaotische patronen en dansende lichten van de Spiegel. Billi legde haar trillende vingers op haar schedel om de duizelingwekkende beelden te verdrijven. Het duurde een paar minuten voordat de kleuren vervaagden en de tollende bewegingen in haar hoofd tot rust kwamen, en ze alleen nog het geschommel van de trein voelde. Ze leunde naar achteren en zuchtte. Ze zou even een dutje doen en erop vertrouwen dat haar innerlijke klok haar bij Holborn zou wekken. Vanaf daar was het tien minuten lopen naar huis.

Maar de slaap wilde niet komen. Voortdurend moest ze denken aan wat Kay had gedaan.

Wie dacht hij wel dat hij was? Obi-Wan Kenobi? Oké, hij was niet meer de schriele sukkel van vroeger, maar hij was nog steeds Kay. Oftewel anders. En dat betekende in dit geval gestoord. Hoe had ze dat kunnen vergeten?

Billi viste de iPod uit haar zak en deed de kleine witte dopjes in haar oren. Ze zette Nirwana op volle sterkte en liet de muziek al het andere overstemmen. Een paar minuutjes bevrijd zijn van haar tempeliersplichten... en Kay. Meer vroeg ze niet.

De nummers volgden elkaar op en langzaam maar zeker ontspande ze zich op het ritme van de heen en weer schommelende wagon, toen er plotseling een deur dichtsloeg. Haar ogen schoten open en ze verstrakte.

Ze waren door de verbindingsdeur de wagon in gekomen en liepen nu zelfverzekerd op haar af, alsof de trein van hen was. Ze waren met z'n drieën. Twee van hen gingen aan weerszijden van haar zitten en de derde tegenover haar, wijdbeens en met een brede grijns op zijn gezicht. Billi liet haar blik door de wagon dwalen. Op hen na was hij verlaten.

'Waar luister je naar?' vroeg de jongen tegenover haar, terwijl hij zijn vingers over haar handrug liet glijden. Billi verstijfde.

Wat was dit voor een dag? Waren het soms de kampioenschappen Billirammen? Misschien zouden ze weggaan als ze zich van de domme hield. Drie tegen één was zelfs voor een tempelier iets te veel van het goede. Ze zei niets en liet haar oogleden een fractie zakken. De jongen links van haar sloeg zijn arm om haar schouder.

'Kom op, jongens, het is laat. Ik wil gewoon naar huis.' Ze wist dat het zinloos was om een beroep te doen op hun redelijkheid. Ze zagen er niet uit alsof ze wisten wat dat was, ook al zou je ze er met hun neus in duwen.

'Tuurlijk, maar eerst geef je ons je iPod.' De jongens links van haar probeerde hem uit haar hand te grissen.

Billi draaide haar pols om en stootte de muis van haar rechterhand in zijn gezicht, waardoor zijn neus een bevredigend gekraak liet horen. Een tel later plantte ze haar voet in de maag van de jongen tegenover haar. Hij hapte naar adem en kromp ineen van de pijn. Billi dook opzij, maar nummer drie had haar al beet en samen stortten ze op de grond neer. Billi snakte naar adem toen de jongen boven op haar landde. Er was geen tijd voor een subtiele aanpak. Ze had geen ruimte om te manoeuvreren en dus boog ze haar handen als klauwen en haalde met haar nagels uit naar zijn gezicht. Met moeite wist hij haar bij zijn ogen vandaan te houden en onhandig probeerde hij haar met zijn vuisten te raken. Toen ging zijn hand naar zijn broekriem en kwam weer tevoorschijn met een mes.

Een golf kille angst ging door haar heen. Het was geen lang mes, maar plotseling was doodgaan een reële optie geworden. Ze wilde zijn pols beetpakken, maar liep in plaats daarvan een snee in haar hand op. Doordat ze was afgeleid door het glimmende, stalen lemmet weerde ze de volgende vuistslag niet af. Hij raakte haar vol op haar kaak, waardoor er een explosie van licht voor haar ogen verscheen. Het mes kwam eraan en ze kon het niet tegenhouden. Er klonk gegil.

Maar niet uit haar mond.

Billi knipperde toen het plafondlicht recht in haar ogen scheen. Haar belager was verdwenen. De rand van een donkere jas streek langs haar gezicht toen er iemand over haar heen stapte.

'Hij heeft een mes,' zei ze schor en nog steeds duizelig van de vuistslag. Ze draaide zich om en zag dat haar belager met zijn mes naar zijn nieuwe tegenstander uithaalde. De jongen ontweek het mes, pakte de pols beet en draaide hem in een snelle beweging om. Het mes vloog de lucht in. Toen schopte hij de voeten van de aanvaller onder hem vandaan, waardoor die met een dreun op de grond viel.

De jongen bleef even staan. Vervolgens draaide hij zich om naar Billi en stak zijn hand uit.

'Ik help je wel overeind,' zei hij.

'Ik red me wel.' Ze had zijn hulp niet nodig. Nu niet, in ieder geval. De trein minderde vaart en Billi pakte de rugleuning van de bank beet voor evenwicht.

'Ik heb nog nooit iemand zo snel zien bewegen,' zei ze.

De jongen haalde zijn schouders op. 'Jij was ook niet slecht.'

De trein stopte. Holborn.

'Ik moet eruit,' zei Billi. Ze strompelde naar de deur. De vloer zwaaide onder haar voeten, ondanks dat de trein stilstond. Ze was er slechter aan toe dan ze had gedacht. De jongen pakte haar armen beet.

'Ik help je alleen even met uitstappen, oké?' zei hij.

Billi knikte met tegenzin. Ze moest eruit.

Hij hielp haar het perron op. De deuren sloten zich achter hen en ratelend zette de trein zich weer in beweging. Billi bleef staan kijken totdat de lichten in de duisternis waren verdwenen. Ze draaide zich om en keek haar redder aan.

Hij was lang en had roofvogelachtige ogen, schuin en bijna amberkleurig, die half verscholen gingen achter zijn warrige, zwarte haar. Zijn T-shirt spande over zijn gespierde lichaam en vanaf zijn rechterhand kronkelde er een getatoeëerde doornentak omhoog naar zijn keel. De doorn bij zijn kaak werd langer wanneer hij glimlachte. Billi dacht dat hij niet veel ouder was dan zij.

'Zullen we de politie bellen?' Zijn vraag doorbrak de stilte.

Ze had hem staan aangapen. *Wat gênant.* Ze schudde haar hoofd en probeerde haar ogen los te maken van de zijne. 'De moeite niet waard.'

Het laatste wat zij, en de tempeliers, konden gebruiken was dat de politie kwam rondneuzen. 'Trouwens...' Ze kon een lachje niet onderdrukken toen ze het gezicht van haar belager weer voor zich zag toen hij de vloer raakte. 'Je hebt ze denk ik wel hun dwaling laten inzien.'

'Niet geheel en al mijn verdienste, eh...?'

Billi stak haar hand uit. 'Billi SanGreal.'

Hij keek naar haar hand en beantwoordde toen het gebaar. Billi voelde een huivering toen hun handen elkaar raakten. Het wordt steeds vreemder, dacht ze. Maar niet verkeerd.

Zijn vingers sloten zich om haar hand.

'Mike Gezant.'

7

'Ik kan wel alleen naar huis lopen, hoor. Ik ben geen jonkvrouw in nood,' zei Billi toen zij en Mike door de brede winkelstraat liepen. Behalve de vuilnismannen die het afval dat voor de winkels lag opgestapeld in de vuilniswagen laadden, was er niemand op straat.

'En ik ben geen ridder op het witte paard,' antwoordde Mike. 'Maar het is toch op mijn route.'

Billi bleef staan bij de poort die onder een van de huizen door liep. Er zat een zwarte deur in die naar Middle Temple Lane leidde, naar huis.

'Woon jij hier? Ik dacht dat hier alleen maar juristen en dat soort mensen woonden,' merkte Mike op.

'Misschien is mijn vader wel jurist.'

Mike lachte. 'Een dochter van een jurist kan niet zo vechten.'

Billi haalde de sleutel uit haar zak.

'Hij is portier. En als portier krijg je altijd ook een woning aangeboden. Zodat er altijd iemand is als de juristen door hun gin en zo heen zijn.' Ze draaide zich om en stak haar hand uit. 'Nog bedankt.'

Mike negeerde de hand. 'Billi. Waar is dat de afkorting van?'

'Bilqis. Mijn moeder was een moslima.'

'Was?'

'Ze is gestorven toen ik vijf was.' Ze bewoog met haar hoofd om de herinnering van zich af te schudden, voordat die zich aan haar zou vastklampen. 'Ik kan me haar niet echt meer herinneren.' Ze draaide de sleutel om in het slot. 'Hoor eens, ik vind het echt te gek wat je voor me hebt gedaan, maar ik red het nu verder wel. Ik woon hierachter.'

Mike wierp een blik op de deur. 'Dan nemen we hier afscheid.' Er gleed een glimlach over zijn gezicht. 'Tot ziens.' Hij draaide zich om en liep weg.

Billi keek hem na, vertwijfeld, niet wetend wat ze moest doen. Hij had wel haar leven gered.

Ze vroeg nooit iemand binnen te komen. Dat had ze in geen jaren meer gedaan. Er waren te veel geheimen, ze moest te veel leugentjes vertellen om te doen alsof ze 'normaal' was. Dat had haar vader haar geleerd. Ze was een tempelier. Vriendschappen waren een gevaarlijke luxe.

'Mike!' Billi rende hem achterna en had hem vlak voordat hij de hoek om ging en voorgoed verdwenen zou zijn ingehaald. 'Wacht.'

Hij bleef staan en Billi kwam half struikelend voor hem tot stilstand. 'Het spijt me,' zei ze. En wat nu? *Jezus, Billi, zég iets. Blijf daar niet als een zoutzak staan.* 'Het spijt me. Het regent.'

'Daar kun jij niet echt iets aan doen.'

'Wat?' O, dat was een grapje geweest. Shit. Ze had moeten lachen. Billi haalde diep adem. 'Kom even binnen. Ik zou je op z'n minst iets te drinken kunnen aanbieden.'

Zie je wel, het viel reuze mee. Mikes goudkleurige ogen vernauwden zich en zijn mondhoeken krulden omhoog. Lachte hij haar uit?

Toen knikte hij. 'Dank je. Dat is goed.'

Billi ging hem voor door het donkere, tunnelachtige steegje. Het was altijd alsof je de ene wereld achter je liet en een andere wereld binnenging. Ze staken het binnenterrein van Middle Temple Hall over naar hun voordeur. Met bonkend hart deed ze hem open. Binnen was het donker en Arthurs zware jas hing niet aan de kapstok: hij was weg. Billi haalde opgelucht adem.

'De keuken is boven,' zei ze.

Mike inspecteerde de schilderijen van eeuwenoude veldslagen en krijgsmannen die aan de muur hingen. Voor een van de taferelen bleef hij staan.

'Wat is dit?'

'Waterloo. Een van mijn voorouders heeft daar gevochten.' Ze wees naar een groepje belegerde soldaten in het blauw. 'Voor Napoleon.'

'Familie van helden, hè?'

'Meer van roemrijke verliezers.'

Toen ze boven waren, zette Billi water op. Er zaten nog een paar theezakjes in het doosje en er was nog net genoeg melk. Ze moest de suiker met een mes uit de pot losbikken, maar uiteindelijk stonden er twee koppen dampende thee op tafel.

Billi trok een stoel bij en ging tegenover hem zitten. Ze was zich opeens pijnlijk bewust van het verschoten tafelkleed, de vettige vlekken op de tegels en de scheve kastjes. Het zeil op de grond was gescheurd, zodat de oude, kromgetrokken planken zichtbaar waren. Zelfs de kop in haar hand was gebarsten.

'Sorry voor de zooi,' mompelde ze gegeneerd.

'Het heeft gewoon een likje verf nodig,' zei Mike grootmoedig. 'Je vader is blijkbaar geen echte doe-het-zelver.'

Een lik verf zou niet veel uithalen. In dit huis woonde niemand. Het was een plek waar tempelierszaken werden geregeld en toevallig sliep ze hier. Ze liet haar blik over de muren dwalen. Wat was er met de foto's gebeurd? Ze kon zich zelfs niet meer herinneren wanneer ze weg waren gehaald. Er hadden er heel veel gehangen: van haarzelf, van haar vader. En van haar moeder. Allemaal verdwenen.

'Mijn vader is niet zo handig met dat soort dingen.'

'Klinkt niet leuk.' Hij zuchtte. 'Ik snap hoe je je voelt.' Billi keek hem aan. Mike staarde in de verte. 'Mijn vader is... nogal afwezig. Ik ben al tijden het huis uit.'

'Mis je je ouderlijk huis?'

'Elke dag.'

De dreun deed Billi bijna van haar stoel vallen van schrik. De thee spetterde over de tafel en toen ze opkeek stond Arthur in de deuropening. Aan zijn voeten lag een zware schoudertas.

'Wie is dat?' Zijn ogen waren vurige sintels.

Hij heeft gevochten. Ze huiverde bij de gedachte aan wat er in de tas zou zitten. Ze moest Mike de deur uit zien te krijgen.

Maar Mike stond al naast zijn stoel. Hij liep op Arthur af en stak zijn hand uit. 'Mike Gezant.'

Arthur negeerde hem. Hij ging naar het aanrecht om zijn handen te wassen.

'Het is al laat,' zei hij. 'Billi, ik moet met je praten.'

Billi voelde zich diep vernederd. Ze had geweten dat haar vader zo zou doen.

'Bedankt voor de thee,' zei Mike glimlachend en ogenschijnlijk onaangedaan door de botheid van haar vader. Billi sprong op van haar stoel.

'Ik laat je even uit.'

Ze liep voor hem uit de trap af en naar de voordeur. Ze keek achterom om te zien of ze zich buiten gehoorafstand van haar vader bevonden.

'Het spijt me. Mijn vader doet altijd nogal raar tegen vreemde mensen.' Mike trok een wenkbrauw op en Billi realiseerde zich wat ze had gezegd. 'Niet dat jij vreemd bent. Integendeel.' *Mijn hemel, wat héb ik?* Lichte hersenschudding door het gevecht. Dat moest het zijn.

'Je bent zelf een beetje vreemd, Billi,' zei Mike. 'De meeste meisjes zouden behoorlijk van slag zijn na zo'n avond. Weet je zeker dat je het verder redt?'

Het was harder gaan regenen. Billi zag een glinsterende druppel langs Mikes nek omlaag glijden en verstrikt raken in de getatoeëerde doornen.

'Ja. Heus. Je zou ervan versteld staan als je wist hoe die juristen hier af en toe tekeergaan.' Ze ging ongemakkelijk op haar andere been staan. 'Nou, bedankt voor alles. Je weet wel, dat je m'n leven hebt gered en zo.'

Hè ja, wat een ongelooflijk coole opmerking. Hou je mond. Nu.

Mike grinnikte. 'Jammer dat ik mijn thee niet heb kunnen opdrinken.' Hij keek omhoog naar het keukenraam op de eerste verdieping. 'Waarom proberen we het niet nog eens, misschien ergens anders?'

Hij vraagt me mee uit. Dat was tenminste wat ze dacht dat hij aan het doen was. Het was niet verwonderlijk dat geen van de jongens ooit toenadering zocht tot Billi, laat staan dat ze haar mee uit vroegen. Daar zorgde haar vaders reputatie wel voor.

Ze wist niet hoe ze moest reageren en knikte alleen maar. Mike gaf haar zijn mobiele telefoon zodat ze haar nummer kon invoeren en even voelde ze zijn hand tegen de hare, verbazend warm ondanks de koude regen.

Billi's vingers gingen onhandig over de kleine toetsen en ze moest diep en geconcentreerd ademhalen om zichzelf zodanig te kalmeren dat ze de cijfers er goed in kreeg. Mike inspecteerde het scherm en borg zijn mobieltje weer op.

'Dan zie ik je misschien binnenkort?'

'Ja, misschien.' Met veel moeite kreeg ze de woorden over haar lippen.

Mike zwaaide en stapte de donkere nacht in. Zijn gestalte vervaagde in het nevelige halfduister tussen de oranje lichtvlekken onder de lantaarnpalen. Toen was hij verdwenen.

Billi bleef nog even staan en keek naar de glinsterende regen, die in het licht van de lantaarns als druppels goud op de keien viel.

Toen ze de keuken in kwam, had haar vader zijn tas leeggemaakt. Er lag krantenpapier op tafel en hij was een gevaarlijk uitziende klewang met een doek en wat olie aan het schoonmaken. Naast hem stond een dampende mok.

Met diepe weerzin keek Billi naar haar vader. 'Hij is weg, dankzij jou.'

'Dat soort mensen maken de zaken alleen maar ingewikkeld.'

'Wat voor soort mensen?'

'Zoals hij. Vriendjes.'

Billi draaide zich abrupt om naar het aanrecht, in de hoop dat haar vader haar plotseling vuurrode gezicht niet had gezien.

'Hij is gewoon een vriend.'

Arthur keek haar aan. 'Elaine heeft me verteld wat er is gebeurd.' Hij legde het mes neer. 'Alles in orde met jou?'

Billi viel bijna flauw van schrik. Was haar vader bezorgd? Ze kon even geen woord uitbrengen. Ze knikte.

'Mooi zo. Ik wil dat je gefocust bent. Er is werk aan de winkel.'

Hoe kon ze zo stom zijn? Hij was helemaal niet bezorgd. Hij was gewoon bang dat ze niet kon vechten.

'Het enige waar jij om geeft is die achterlijke Orde.' Billi pakte het aanrecht beet, zette haar nagels diep in het oude hout en probeerde niet te ontploffen. 'Jij wil gewoon niet dat ik nog iets anders heb, hè?'

Arthur keek haar onbewogen aan. Hij knipperde zelfs niet met zijn ogen.

Billi werd overvallen door moeheid en ze besloot naar haar slaapkamer te gaan.

'Ik heb niet voor dit leven gekozen,' zei ze, maar voordat ze de keuken uit was hoorde ze zijn antwoord.

'Dat hebben we geen van allen,' zei hij.

8

Er gingen een paar dagen voorbij zonder dat ze iets van Mike hoorde. Haar vader had gewonnen, voor de zoveelste keer. Hij ging altijd tegen iedereen tekeer en nu had hij ook Mike afgeschrokken, en daarmee Billi's kans op een leven buiten de Orde. Ze zou het moeten accepteren, net als alle anderen.

Maar ze kon het niet. Dit was niet het leven dat ze wilde. Ze trapte het dekbed van zich af.

Ze boog zich opzij naar het nachtkastje en keek voor de miljoenste keer op haar mobieltje, in de hoop dat hij had gebeld of dat er een sms'je was gekomen terwijl ze sliep. Niets. Verdomme! Eigenlijk verbaasde het haar ook niets: als je een beetje goed bij je hoofd was wilde je toch niet uit met iemand die een psychopaat als vader had?

Ze deed haar pyjama uit en trok haar trainingspak aan. Het was zes uur, de vogels waren zelfs nog niet wakker en zij was te kwaad om nog te kunnen slapen. Er was maar één oplossing.

De catacomben liepen onder het hele Tempeldistrict door. De tempeliers hadden vroeger een wirwar van geheime gangen en kamers uitgegraven. In de loop der eeuwen waren ze gemakshalve vergeten, zodat alleen de ridders nog op de hoogte waren van het bestaan ervan. Er liep zelfs een geheime gang naar de ondergrondse rivier de Fleet, waar niemand vanaf wist. Slechts weinigen realiseerden zich dat onder de torens van staal en glas van het moderne Londen de oude fundamenten van de stad schuilgingen. Billi ging de ondergrondse wapenzaal in en deed het licht aan. Het kille, witte licht van de tl-balken langs de muren viel op de oude bakstenen, het lage gewelfde plafond, de koude plavuizen vloer en de wapens. Ooit was dit het knekelhuis van de tempeliers geweest. Ook nu nog rustten de botten van de oude ridders in de ruw uitgehakte alkoven in de muur. Na al die jaren bekroop Billi nog steeds een lichte huivering wanneer ze de schemerige ruimte betrad en ze die oude botten zag.

Over honderd jaar zou haar eigen schedel hier liggen en zou ze met haar lege oogkassen toekijken hoe een nieuwe schildknaap werd getraind, misschien wel met dezelfde wapens als zij. Ze rilde en dat kwam niet door de kou.

Het rook er naar een stoffig mengsel van optrekkend vocht, olie en poetsmiddel. Hoeveel duizenden uren had ze niet hier beneden doorgebracht? Afgelopen augustus had ze nauwelijks de zon gezien. Ze was in september als een wit spook weer naar school gegaan. De hele vakantie was ze met een wetsteen en een doek met de wapens in de weer geweest. Al die krassen en sneeën, kneuzingen en blauwe ogen. Al die vreemde blikken in de klas, al die uitvluchten.

O, ik ben gestruikeld.

Ik ben tegen de deur op gelopen.

Ben van de trap gevallen.

Er is een vaas op mijn hoofd gevallen.

De hond/kat/geit heeft me gebeten/gekrabd/geschopt.

Ze liep langs de zwaarden, die netjes in houten rekken stonden opgesteld. Er waren Schotse slagzwaarden bij, Duitse bastaardzwaarden, Franse rapieren, Indiase *patas*: dodelijk staal van over de hele wereld. Ze moest met allemaal overweg kunnen. Arthur had haar geleerd dat er niets romantisch was aan wapens: het waren gebruiksvoorwerpen, niets meer en niets minder. Naast het grove, gehavende brons van de *khopesh* lagen zelfs *katana's*, de ziel van de samoerai. Billi pakte een *bokken* op, een Japans houten oefenzwaard. Tempeliers oefenden niet met het moderne kendomateriaal, met harnassen en holle bamboestokken. Volgens Pars werden je reflexen door niets zo goed getraind als een ernstige verwonding. Het zware cederhout van de bokken was dodelijk. Ze draaide het wapen langzaam rond om haar polsen los te maken en het bloed te laten stromen. Terwijl ze de snelheid opvoerde, begon ze met de stoten, de houwen, de kapbewegingen en de afweermanoeuvres tegenover een denkbeeldige tegenstander. Ze sprong, ze draaide, ze dook naar voren en weer terug, haar voeten razendsnel over de koude stenen vloer bewegend. Terwijl ze armen en hoofden afhakte, slagaders openlegde en harten uiteen reet, joeg het vuur door haar aderen. De bokken reageerde nog voordat ze dacht, alsof hij zelf leefde. De dans was zuiver instinct, volledig vormloos. Zonder enig gevoel van tijd bewoog Billi zich over de lege vloer, gehypnotiseerd door de eindeloze dans van het houten lemmet. Net toen ze er helemaal in opging, voelde ze een zachte luchtstroom, een verkeerde luchtstroom. Ze bleef staan.

Ze draaide zich om naar de trap en zag een schaduw omlaag komen. Haar vader bleef voor de oefenruimte staan. Hij droeg een zwart T-shirt en een vale, grijze trainingsbroek.

Kon hij haar dan geen moment met rust laten?

'Ga door,' zei hij.

'Ik ben klaar. Ga je gang.' Ze verdroeg het niet om samen met hem in één ruimte te zijn.

Arthur nam een bokken uit het rek. Zijn pols klikte toen hij dezelfde opwarmingsoefeningen deed als Billi.

'Parsifal zei dat je dit jaar veel vooruitgang hebt geboekt.' Hij liep naar het midden van de wapenkamer. 'Laat maar eens zien.'

Tegen haar vader vechten?

Natuurlijk had hij haar wel eens lesgegeven, wanneer Pars andere dingen te doen had. Ze hadden zelfs oefengevechten gehouden, maar om de een of andere reden was dit... anders.

Arthur ging met zijn voeten uit elkaar, zijn benen enigszins gebogen en veerkrachtig, klaarstaan in een lage wering: het gevest ter hoogte van zijn middel en de punt van het zwaard schuin omhoog op de keel van de tegenstander gericht.

Goed, als hij dat wil. Billi kwam naar voren, nam een hoge wering in, als reactie op haar vaders houding, en maakte zich klaar om zijn onbeschermde hoofd de belangrijkste slagen toe te brengen. Snelheid en controle. De essentie van een oefenduel was om snel te bewegen en de slag op het allerlaatste moment toe te brengen. Misschien kon ze hem nog een fractie van een seconde uitstellen? Het beeld van haar vader met een grote paarse bult op zijn voorhoofd deed haar glimlachen. Ze haalde langzaam en diep adem om haar snel kloppende hart tot bedaren te brengen. De adrenaline kolkte door haar aderen. Ze stonden een meter van elkaar af.

'Haat je me, Billi?'

De vraag kwam zo onverwacht, dat ze even van haar stuk werd gebracht en in die seconde viel haar vader haar zonder aarzeling aan. Hij maakte een schijnbeweging waardoor Billi haar zwaard liet zakken en sloeg toen hard zijn lemmet tegen het hare. Ze herkende de slag: Vuur en Stenen. Hij dreunde door haar armen en Billi verslapte haar greep iets om de energie te laten doorstromen. Maar Arthur voelde het. De punt van zijn zwaard schoot omhoog en met een snelle polsbeweging vloog Billi's bokken uit haar handen. Hij tolde door de lucht en kwam kletterend neer op de grond.

'Nou?' vroeg Arthur.

'Nou wat?'

'Ik vroeg je iets. Een eenvoudige vraag.'

Eenvoudig. Was hij gek geworden? Billi keek haar vader aan, recht in zijn felle, helderblauwe ogen, en ze vroeg zich opnieuw af of hij wel haar vader was. De overeenkomsten beperkten zich tot hun zwarte haar. Ze zeiden dat ze meer op haar moeder leek. Alleen was zij niet zo mooi, dat kwam door haar vaders genen. Hij was nooit erg knap geweest maar zijn gebroken neus en het netwerk van littekens dat in de loop der jaren was ontstaan, hadden het er niet beter op gemaakt.

Maar wel makkelijker om hem te haten.

'Waarom zou ik je haten?' Ze liep weg, zodat hij de uitdrukking op haar gezicht niet kon zien. Billi raapte haar zwaard op. Toen ze zich omdraaide stond hij haar op te wachten, weer in de lage dekking.

'Omdat ik je leven heb verpest.' Hij haalde zijn schouders op. 'Dat denk jij toch?'

'Ik ben een tempelier, dat is het enige leven dat ik verlang,' dreunde ze op.

'Sarcasme is de laagste vorm van humor.'

'En stel dat ik je haat?'

Nu was het Arthurs beurt om te weifelen. Pak aan, dacht Billi en ze grijnsde zelfgenoegzaam. Maar haar grijns vervaagde snel. Haatte ze hem? Haatte ze hem echt of was ze alleen maar dit leven gaan haten? Ze schudde haar hoofd en nam weer de hoge dekking in.

'Waarom doen we dit allemaal?' vroeg ze.

'We zijn tempeliers. We hebben een plicht te vervullen.' Hij keek haar langs zijn zwaard strak aan.

'Om de massa te beschermen tegen de goddelozen.' Ze greep het gevest steviger beet; hij zou haar niet twee keer hetzelfde kunstje flikken. 'Maar we brengen het er niet al te best vanaf, nietwaar? We kunnen toch ook niet winnen als we maar met z'n negenen zijn?'

'De Orde is ooit met negen man begonnen.'

Billi stootte haar zwaard omlaag. Arthur hief zijn zwaard en pareerde de aanval, ternauwernood, maar goed genoeg. Billi viel weer aan en liet zich leiden door het gevecht. Geen gedachten of strategie meer, geen plan, alleen nog de subtiele opeenvolging van slagen, posities, aanval en afweer. Hij was sterker, zij was sneller. De aanvallen waren dodelijk en volgden elkaar in razend tempo op, maar in fracties van seconden weerde Billi de slagen af of bracht er zelf een toe. Ze gingen de hele vloer van de wapenkamer over, naar voren en weer terug, naar voren en weer terug. Geen van beiden gunde ze de ander ook maar enige speelruimte. Billi won terrein, hun zwaarden blokkeerden en haar vader glimlachte.

En gaf haar een kopstoot.

Billi zag sterretjes en ze kon niet meer overeind blijven staan. De vloer kantelde en ze struikelde achterover.

Haar vader ving haar op.

'Klootzak,' fluisterde ze, terwijl ze haar hoofd schudde om weer helder te kunnen zien. Ze betastte haar neus. Als die gebroken was... nee, hij bloedde niet eens. Maar haar ogen traanden hevig. 'Klootzak.'

Als ze hem daarnet niet had gehaat, deed ze het nu wel. Hij vocht niet eens eerlijk!

Haar vader liet haar op de grond zakken en hurkte naast haar neer. 'Wees eerlijk, je haat dit leven.'

'Ja! Natuurlijk haat ik het!'

Arthur knikte. Hij staarde naar de bokken in zijn hand. 'Goed. Dat moet ook.'

Billi schudde opnieuw haar hoofd. Ze had het niet goed gehoord. 'Wat?'

'Je hebt gelijk, Billi. We zijn nog maar met weinig, maar we houden nog steeds de duisternis op afstand. Waarom? Omdat we meedogenloos zijn. We zijn de nachtmerrie van de monsters.' Hij boog zich naar haar over en fluisterde: 'Angst is een machtig wapen.'

Billi bevroor. Nog nooit had ze het zo koud gehad. Haar hart moest in ijs zijn veranderd. Arthur kwam overeind. Hij keek haar niet aan.

'Jij zult ook meedogenloos moeten zijn. Niets mag je ervan weerhouden je plicht te doen. Op een dag zul je een vreselijke keus moeten maken. Je hart zal zich vullen met medelijden en je zult aarzelen. Je zult denken dat er een andere manier moet zijn.' Hij zuchtte. 'Maar soms is die er niet. Er zal een moment komen dat je vlak bij iemand staat, dat je de warmte van die ander op je gezicht voelt, het leven in de ogen van die persoon ziet gloeien en dat je weet dat je het moet beëindigen. Zoals je tijdens het Oordeel hebt gedaan.' Hij trok Billi overeind. 'Je haat wat we doen. Je hebt gelijk. Wie wil er nu zo'n leven? Soms moeten we vreselijke dingen doen, enorme offers brengen. Maar we ontkomen er niet aan, omdat het alternatief veel erger is.' Hij nam haar hoofd in zijn handen en boog zich naar haar toe. Billi verstrakte en dacht dat hij haar een zoen op haar voorhoofd ging geven, zoals hij vroeger, heel lang geleden altijd had gedaan.

Of misschien ging hij haar nog een kopstoot geven.

Maar Arthur liet haar hoofd los en draaide zich om. 'Ruim het hier op. Als je klaar bent heb ik een opdracht voor je.'

9

Na school stond Kay haar op te wachten. Ze baande zich een weg tussen de menigte door die de poort uit zwermde en slingerde haar rugzak over haar schouder. Kay zat boven op de hoge buitenmuur.

'Wat is er?' vroeg Billi.

'Lees maar,' zei Kay en hij overhandigde Billi een vel papier. Het was een e-mail van het hoofd van de kinderafdeling van een van de ziekenhuizen. Ze las het vluchtig door. In de afgelopen twee dagen waren er vier kinderen overleden. Hun hart was er gewoon mee gestopt. De autopsie had niets ongewoons aan het licht gebracht. De kinderen waren voor een kleine ingreep het ziekenhuis in gegaan: amandelen knippen, buisjes plaatsen, en één jongen, Rupresh Patel, alleen maar voor een ingegroeide nagel. Niets wat hun dood kon verklaren.

'Denkt mijn vader dat het iets bovennatuurlijks is?'

'Dat moeten wij zien uit te vinden.'

Het hoofdgebouw van het China Havenziekenhuis, een groot victoriaans gebouw met vijf verdiepingen, rook naar verval. De muren ademden een muffe geur uit, de regenpijpen waren bedekt met groene schimmel en de houten kozijnen waren verrot en gebarsten. Het zonlicht bereikte het ziekenhuis nooit. Het ging volledig schuil in de schaduwen van de reusachtige torens van de nabijgelegen Canary Wharf. Een paar grauw uitziende patiënten zaten in een rolstoel verdoofd voor zich uit te staren naar de glazen bastions van de weelde. Naast hen hielden drie vermoeide verpleegsters een rookpauze onder het afdakje van de ingang.

'Aan de slag,' zei Billi en ze ging door de deuren het ziekenhuis in.

Binnen was het druk en met moeite bereikten ze de wachtruimte voor de poliklinieken. Alle stoelen waren bezet en ook bijna elk stukje vloer. Er waren een heleboel kinderen, sommige in buggy's, andere in de armen van hun ouders, terwijl een ernstig afgematte receptionist zich een weg door de dichte massa probeerde te banen om er de ergste gevallen uit te pikken. Het deed denken aan een nieuwsbericht over de derde wereld. Billi worstelde tussen de mensen door naar de liften. Halverwege bleef Kay roerloos met toegeknepen ogen staan.

'Is er iets?' vroeg ze.

Kay fronste zijn voorhoofd. 'Hoor jij iets?'

Billi concentreerde zich. 'Een stel krijsende kinderen. Hoezo?'

Hij haalde zijn schouders op. 'Dat weet ik eigenlijk niet. Misschien is het niets.'

'Mooi. Laten we doorlopen.'

Kay had op internet de plattegrond bestudeerd: de kinderafdeling bevond zich op de bovenste verdieping. Samen met een aantal bezoekers stapten ze de lift in. Kay haalde een doos toffees met een strik tevoorschijn. Stel dat iemand hen aansprak, dan moesten ze doen alsof ze op bezoek gingen bij een vriend.

Uiteindelijk waren ze boven. Ze gingen twee grote, houten deuren door en kwamen in een naargeestige gang met kamers. Ooit, lang geleden, had iemand de muren versierd met stripfiguren, kleurige regenbogen en portretten van blije patiënten. Maar in de loop der jaren, en door achterstallig onderhoud, waren de plafondtegels aangetast door het vocht. De verf op de muren was van ouderdom verkleurd en gebladderd, zodat de glimlachende gezichten een ziekelijke, kankerachtige huid hadden gekregen. Aan weerszijden bevonden zich vier zalen, met daarachter de neonatologie met een batterij bezette couveuses en de kraamafdeling.

'Controleer jij die kant...' Kay wees naar de westelijke vleugel, 'dan kijk ik hier. Geef maar een gil als je iets raars ziet.'

Billi had verwacht meer leven aan te treffen, geroezemoes, gelach en opgewonden kinderstemmen. Maar ze hoorde niets. Er zat één enkele verpleegster voor een beeldscherm, bijna volledig verscholen achter de vestingwal van haar bureau. In de personeelsruimte iets verderop schalde *Eastenders* uit de luidspreker van een oude televisie. Twee verpleegsters lagen bijna in coma in een leunstoel met doffe ogen naar het flakkerende scherm te kijken.

Billi liep de gang in en onderdrukte het kille, onbehaaglijke gevoel dat zich van haar meester maakte.

De kinderen in de bedden keken haar aan, sommige lusteloos, andere met een blik vol ijzig wantrouwen.

Wat zocht ze? Ze zag bedden, ze zag zieke kinderen. Wat had ze dan verwacht? Het was een ziekenhuis. De zoveelste paranoïde fantasie van haar vader. Ze had Kay uit het oog verloren, waar was hij naartoe? Ze had het hier wel gezien en wilde naar huis.

'Jongedame, kom je op bezoek?' Vanuit het niets was er een verpleegster opgedoken. 'Deze kinderen hebben rust nodig en als je niet speciaal voor iemand komt, moet je hier weg.' Ze sprak met vermoeide vastberadenheid, niet onaardig, maar gedecideerd.

Billi wees naar een deur en liep ernaartoe. 'Ik kom voor' – ze was nu dicht genoeg bij de deur om het bordje te kunnen lezen: REBECCA WILLIAMSON – 'mijn vriendin Becky. Eventjes maar.' En ze ging naar binnen.

De lichten waren uit en de gordijnen gesloten, maar in het fletse schijnsel van de monitors kon ze nog net het meisje onderscheiden dat in het bed lag te slapen. Ze was nog jong, een jaar of zeven. Er was een infuus aangesloten op haar arm, aan haar vinger zat een hartslagmeter en er liep een zuurstofslangetje haar neus in. Door het dunne haar zag Billi haar schedel, waarvan de perkamentachtige huid blauw dooraderd was. Billi besloot hier even te blijven wachten en dan op zoek te gaan naar Kay.

Het meisje opende haar ogen. Haar ademhaling klonk alsof ze de lucht tegen de wil van haar lichaam in naar binnen zoog.

'Dag,' zei het meisje. Haar zwakke stem klonk breekbaar.

Billi wilde weglopen, maar toen ze in de ogen van het meisje keek, zag ze het leven er vurig in branden. Het meisje wilde iets anders dan liggen wachten in de duisternis.

'Hoi... Rebecca.'

Rebecca ademde diep uit en zoog toen weer met grote inspanning haar longen vol. Haar magere lichaampje trilde onder het laken.

'Zijn papa en mama er?'

'Nee, maar ze komen er vast zo aan.'

Het meisje begon te huilen. Haar hoofd schokte zachtjes en de opwellende tranen biggelden over haar wangen. Er klonk nauwelijks gesnik, alleen maar een zwak hijgend geluid. Billi keek om zich heen en zag een doos tissues. Ze gaf er een paar aan Rebecca en keek toe hoe het meisje ze krachteloos naar haar gezicht bracht en haar tranen droogde, waarna ze uitgeput de natte tissues op de grond liet vallen.

'Sorry,' zei Rebecca. 'Ik ben zo bang.'

Billi wist niet wat ze moest zeggen. Het troosten van de zieken was het werk van de hospitaalbroeders, niet van de tempeliers. Ze zag Rebecca's knokige borstkas rijzen en dalen. De ribben staken scherp af onder haar witte nachtjapon.

Rebecca draaide zich naar haar om. Haar ogen bleven rusten op het zilveren crucifix om Billi's nek. 'Geloof jij in God?'

Geloofde ze? Uit gewoonte ging Billi met haar hand naar het kruisje. Een tijd lang had ze tot Allah gebeden, vervolgens tot Jezus. Als kind had ze haar vader gevraagd hoe ze moest bidden. Voor een tempeliersmeester was Arthurs antwoord nogal ketters geweest. Hij wist het niet en hij dacht dat het God, wie dat ook mocht wezen, waarschijnlijk ook niet uitmaakte.

'Ik... denk van wel.'

'Waarom?'

Billi keek naar het stervende kind, naar de breekbare vingers die het laken vastklemden. 'Omdat ik denk dat... er een reden moet zijn waarom de wereld is zoals hij is. Een reden waarom...' Ze luisterde naar het afschuwelijke zuigende geluid van Rebecca die om zuurstof vocht. 'Een reden waarom er slechte dingen gebeuren.'

Rebecca sloot haar ogen. 'Mijn mama bad vroeger nooit...' Haar ademhaling werd een nauwelijks merkbare rimpeling. 'Maar nu bidt ze de hele tijd.'

'Billi?' Kay stak zijn hoofd om de deur. 'Ik heb overal gezocht...' Hij zag Rebecca liggen en zijn ogen sperden zich open. Hij liep de kamer in en greep Billi bij haar arm.

'Wegwezen. Nu.'

'Wat is er?'

'We moeten Arthur op de hoogte brengen,' zei Kay. Hij was al op weg naar de deur en trok Billi met zich mee. Hij was doodsbenauwd. Zijn ogen schoten de kamer door, de schemerige hoeken in.

Billi rukte haar arm los. 'Doe eens even normaal. Wat is er?'

Kay leek er als een haas vandoor te willen gaan. Maar hij pakte Billi bij haar schouders beet en draaide haar om, zodat ze naar het zieke meisje keek. Hij ging achter haar staan en bedekte haar ogen. Billi voelde de kou van zijn handen op haar oogleden.

'Wat ben je aan het...'

'Kijk.' Hij spreidde voorzichtig zijn vingers, zodat het beeld traag naar binnen sijpelde. Billi knipperde met haar ogen toen de spinnenwebben van de werkelijkheid langzaam maar zeker uiteen werden gereten.

Het eenzame meisje lag ineengekrompen, in een doodskleed van witte lakens in bed en staarde haar aan met oogkassen die krioelden van de maden. Onder haar ragdunne huid bewoog van alles. Enorme vliegen deden zich te goed aan het zompige vlees waar het vocht uit droop en uit de longen van het meisje steeg de smerige stank van rottingsdampen op. Ze ademde door een geopende mond waarin de gele tanden los in het zwarte, vergane tandvlees stonden en haar met slijm bedekte tong bungelde slap over haar witte lippen.

'Nee,' fluisterde Billi. Ze maakte zich los van Kay en schudde haar hoofd om het afgrijselijke beeld kwijt te raken. Struikelend ging ze de gang op en ze probeerde de bittere, metaalachtige gal die in haar keel omhoogkroop te bedwingen. Kay kwam haar achterna en trok haar mee de deur door naar het trappenhuis. Met opeengeklemde kaken leunde Billi tegen de muur en wachtte totdat de misselijkheid over was.

'Wat was dat? Wat gebeurt er met haar?' Het was de eerste keer dat ze zoiets had gezien. Ze kon zich niet herinneren iets dergelijks gelezen te hebben in de oude manuscripten, de oude logboeken van de tempeliers. Kay pakte haar beet en ze voelde zijn borst tegen haar rug.

'Ik weet het niet.' Hij draaide zich om naar de deur. 'Maar ik denk dat dit nog maar het begin is.'

Terwijl Kay thee haalde, belde Billi haar vader. Ze hadden in een zijstraat een snackbar ontdekt waar niemand zat, op één oude, bebaarde man na die eindeloos in zijn koffie zat te roeren en mompelend tegen een leeg stuk muur praatte. Er hingen verbleekte posters van Caribische stranden en besneeuwde bergtoppen. De omgekrulde hoeken waren bruin van de nicotine. Ze kon hem niet bereiken; de telefoon schakelde onmiddellijk door naar de voicemail. Uiteindelijk kreeg ze Pars aan de lijn. Hij zei dat ze moesten blijven zitten waar ze zaten; hij kwam er direct aan.

Toen ze bij het tafeltje terugkwam, stond haar thee op tafel met ernaast een broodje. Kay hield zijn kop stevig in zijn handen geklemd, maar zijn vingers trilden.

'Gaat het?'

Hij glimlachte flauwtjes. 'Ik heb me wel eens beter gevoeld.'

'Wat gebeurde er met haar?'

'Het is een ziekte, een aandoening, ze wordt aangevallen vanuit de hemelsfeer. Die... vliegen vreten langzaam maar zeker haar ziel op. Ik zag haar aura, maar er was niet veel meer van over. Als ze zijn uitgegeten, sterft haar lichaam gewoon.'

'Kun je niets doen?' vroeg Billi. Haar maag draaide zich om bij de herinnering aan de vliegen. Kay keek zelfs niet op.

Dus dat meisje ging dood en zij konden niets doen. Billi dacht aan haar, hoe ze daar had gelegen en wezenloos naar het plafond had gestaard. Zo zou het gaan: een kleine, zinloze dood en het laatste beeld, de herinnering die ze met zich mee zou nemen het graf in, was dat van een plafondlamp. Misschien wist Arthur een manier om haar te redden. Wacht eens even, had ze niet ergens gelezen dat mensen zelfs zonder hun ziel in leven konden blijven?

Kay voelde wat ze dacht en zijn wenkbrauwen gingen omhoog. 'Zonder ziel kan ze maar beter sterven, Billi.'

Ze probeerde niet aan Alex Weeks te denken, het jongetje van haar Oordeel.

Kay boog zich naar voren en tilde haar kin voorzichtig op, zodat ze hem wel moest aankijken. 'Billi, zonder ziel zijn we ons goddelijke deel kwijt, Gods Adem. Het pad der ziellozen leidt alleen maar naar verdoemenis. Alleen heel verachtelijke, heel slechte mensen overwegen een dergelijk pad.'

'Of heel wanhopige.' Billi kon Rebecca niet uit haar gedachten zetten.

'Als de ziel is verdwenen, blijft er een leegte achter die een vreselijke, onstilbare honger creëert. Een honger die ze wanhopig zullen proberen te stillen...'

'Met bloed,' vulde Billi hem aan.

Kay knikte. 'De smaak van iemands ziel zit in zijn levenssappen, zijn vlees en bloed. Daar voeden de Hongerige Doden zich mee. Het houdt hen een tijdje op de been, maar het is nooit genoeg. Dan doden ze weer. En weer. De bevrediging die ze uit een ziel halen, is telkens van kortere duur. De ergste van hen worden gereduceerd tot etende lijken.'

Vampiers. *Nosferatu. Lamiae.* Elke cultuur had zo zijn eigen naam voor de Hongerige Doden. De tempeliers gebruikten het oude Arabische woord.

'*Ghouls*,' zei Billi. 'Denk jij dat Rebecca een van de Hongerige Doden wordt?'

Kay schudde zijn hoofd. 'Nee. Om een ghoul te worden moet je je ziel willen overgeven en dat is Rebecca duidelijk niet aan het doen.' Hij fronste en keek haar quasi bestraffend aan. 'Heb je dan niets opgestoken van je lessen occulte kennis? Balin moet behoorlijk teleurgesteld zijn.

Je moet je ziel offeren, vrijwillig, aan een schepsel dat haar kan opnemen, een etherisch wezen. Meestal is het een duivel, die dan een deel van zijn eigen essentie overdraagt op het dan zielloze lichaam. Het is geen makkelijke overdracht. Het vergt heel wat van dat etherische wezen. Het kan hem jaren verzwakken. Daarom komen dit soort transacties niet vaak voor. Anders zouden de duivels al talloze *ghouls* hebben gecreëerd.'

'Je verkoopt dus je ziel. Waarvoor?'

'Voor rijkdom. Macht. Onsterfelijkheid.' Kay staarde uit het raam. 'Allerlei onbelangrijke zaken.'

Billi keek naar zijn weerspiegeling in de ruit, die half werd opgeslokt door de duisternis erachter.

'Hoe hou je het vol?' vroeg ze. 'Om zulk soort dingen te zien?' Ze was behoorlijk geschokt geweest, maar Billi wist dat het gruwelijks dat zij zojuist had aanschouwd niet meer dan een slap aftreksel was van wat er werkelijk met het meisje gebeurde. Kay moest het tien keer zo scherp hebben gezien. Als dat door zijn gave kwam, was ze blij dat zij geen Orakel was.

'Alles heeft zijn goede en zijn slechte kanten.' Hij glimlachte, maar het was een vertrokken, wanhopige glimlach.

'En dus?'

Kay keek naar de kop in zijn handen. De bruine vloeistof rimpelde op het ritme van zijn trillende handen. Hij blies zacht over de thee om hem te laten afkoelen en de rimpeling verdween.

'Je weet niet...' Hij keek op, alsof hij haar iets wilde vertellen, maar liet toen zijn hoofd weer zakken. 'Niet alles wat ik zie is weerzinwekkend.'

'Wat zie je nog meer?'

Kay strekte zijn armen en spreidde zijn vingers zo wijd mogelijk. 'Verbijsterende dingen, Billi.' Hij glimlachte naar iets en Billi kon nauwelijks geloven dat het Kay was die zo keek. De glimlach was zo oprecht, zo vervuld, dat ze zich bijna schaamde dat ze er getuige van was geweest. Iemands geheime glimlach. 'Soms, Billi, soms stralen we zo helder.' Hij sloeg zijn armen om zijn bovenlichaam. 'Dat geeft je weer wat vertrouwen in de dingen, snap je?'

'Kay, je bent *très* vreemd.'

'Maar op een goede manier, toch?'

Billi lachte. Misschien was de oude Kay toch niet helemaal verdwenen. Ze keek in zijn ogen en werd getroffen door de intensiteit van het blauw. Ze hield abrupt op met lachen en viel stil.

Billi's mobieltje begon te rinkelen. *Gered!* Ze maakte haar blik los van Kays ogen. Ze herkende het nummer niet.

'Hallo?'

'Billi? Met Mike.'

Niet te geloven. De hele week liet hij niets van zich horen en dan belde hij uitgerekend nu?

Ze keek ongemakkelijk naar Kay. 'Het... komt nu niet echt gelegen, Mike.' Pars kon elk moment komen binnenstormen, hoogstwaarschijnlijk met de halve Orde op zijn hielen. Kays ogen rustten ook nog op haar. Ze wierp hem een frons toe en liep van het tafeltje weg.

'Ben je bezig?' vroeg Mike. 'Ik dacht dat we misschien ergens die kop thee konden gaan drinken. Bij jou om de hoek zit een prima tent. Wat denk je?'

Billi aarzelde. Na wat ze in het ziekenhuis had gezien, wist ze dat het er straks in de commanderij van de tempeliers heet aan toe zou gaan. Ze moest haar avonden vrij houden. Toen herinnerde ze zich weer hoe haar vader tegen Mike had gedaan – en tegen haar – en ze nam plotseling een besluit.

'Ja, leuk.'

Ze maakten een afspraak voor de volgende dag na school, niet ver van de Tempel. Billi klapte haar mobieltje dicht en wachtte totdat haar hart tot bedaren was gekomen.

Ze had een date gemaakt. Er was niets aan geweest.

Waarom was ze dan zo gespannen? Ze borg haar mobieltje op en vroeg zich af of dit het begin was van iets nieuws: iets van haarzelf buiten de tempeliers om, iets waar haar vader niets over te zeggen had.

'Wie was dat?' vroeg Kay. Hij stond achter haar in plaats van dat hij aan het tafeltje zat, zoals de bedoeling was.

'Gewoon een vriend.'

'Wie dan?'

'Alsjeblieft, Kay, je bent mijn chaperon niet!' Ze had direct spijt van haar woorden. Ze zag de schaduw die over zijn gezicht gleed. Maar ze had geen tijd om rekening te houden met zijn gevoelige ego. Hij had haar een heel jaar alleen gelaten en nu moest hij er maar tegen kunnen dat ze een eigen leven had.

'Je hoeft helemaal nergens rekening mee te houden,' beet Kay haar toe.

'Lul!' Ze kon haar oren niet geloven. Hoe waagde hij het haar gedachten te lezen! Net nu ze hem weer wat aardiger ging vinden. Ze was niet wijs ook.

Kay stond op en hief zijn handen. 'Ho, stop. Ik kon het niet helpen. Het is niet iets wat ik zomaar aan of uit kan zetten. Ik bedoelde er niets mee.'

'Rot toch op.' Ze wikkelde de sjaal twee keer om haar nek en ging aan een ander tafeltje zitten. Daar zou ze op Pars wachten.

Toen Pars hen kwam ophalen zorgde Billi ervoor dat ze voorin kon zitten, zodat ze zo ver mogelijk bij Kay uit de buurt kon blijven en hem niet hoefde aan te kijken. Ze had geen paranormale gave nodig om te voelen dat zijn ogen zich in haar achterhoofd boorden, maar ze weigerde haar zwijgen te verbreken, ook toen hij per ongeluk expres een duw gaf tegen haar stoel.

Mijn hemel, wat was hij irritant! Als hij elk moment haar hoofd in kon sneaken, hoe kon ze hem dan ooit iets toevertrouwen? Of iets voor zichzelf houden?

Billi probeerde uit alle macht nergens aan te denken, en zeker niet aan Kay.

Ze hoorde hem gefrustreerd snuiven. Misschien maakte haar woede het lastig om haar gedachten te lezen. Uitstekend. Ze zou kwaad blijven, héél lang.

Ze parkeerden bij King's Bench Walk en liepen naar de kapelaanswoning, waar ze Pars en Balin vertelden wat ze hadden gezien. Billi was verbaasd dat haar vader er niet was, maar zei niets. Kay bleef bij Vader Balin en dus liep Billi samen met Pars naar huis.

'Waar is mijn vader?' vroeg Billi toen ze bij de voordeur waren. Pars fronste zijn voorhoofd en keek haar aan.

'Kan ik niet zeggen, liefje. Maar morgenochtend is hij er weer.'

'Wat is er aan de hand, Pars?'

Hij haalde zijn schouders op. 'Ik weet het niet zeker, maar we zoeken het tot op de bodem uit. Ga nu maar slapen.' Hij duwde de deur voor haar open en ging weg.

De muren van de gang leken op haar af te komen, alsof ze haar wilden opsluiten. Terwijl ze langs de schilderijen liep, keken de oude gezichten van de vroegere tempeliers misprijzend op haar neer. Ze hing haar jas naast het portret van Jacques de Molay op en keek de laatste grootmeester van de Orde kwaad aan. De Molay werd door de tempeliers als een held beschouwd. Een martelaar. Hij was levend verbrand, hij had zich bereidwillig op de brandstapel laten zetten, omdat hij in de Orde geloofde en weigerde de tempeliers in de steek te laten. Maar Billi wilde geen held zijn. En ze wilde sowieso geen martelaar zijn. Ze wilde normaal zijn. Ze wilde naar de film, uitgaan, daten...

En morgen zóú ze Mike zien. Al negen eeuwen hadden de tempeliers het zonder haar gered, dus ze zouden er tegen moeten kunnen dat ze er nog één avond bij nam, minstens. Ze keerde de oude grootmeester de rug toe.

De keuken was leeg, op de kop met koude thee na die Arthur had laten staan. Ze trok de koelkast open, maar er lag niet meer in dan een pakje worstjes en een halve liter magere melk. Zelfs nu kon ze het niet opbrengen om varkensvlees te eten. Misschien had Gwaine wel gelijk: eens een moslim, altijd een moslim. En dus schonk Billi voor zichzelf een glas melk in en ging naar bed.

10

'Billi, wakker worden.'

Billi bewoog onder haar dekbed. Klopte er iemand op de deur?

'Wakker worden, meisje.'

Ze streek het haar uit haar gezicht en keek op de klok.

4.15 uur. Ze wreef in haar ogen. Inderdaad. Kwart over vier 's ochtends.

Het geklop op de deur werd dringender.

'Kom je bed uit, luie schildknaap. Onmiddellijk.'

'Pars?'

De deur ging open en Pars knipte het licht aan. Billi trok een gezicht vanwege het schelle licht.

'Ah, de prinses is eindelijk wakker. Kleed je aan. Art wil dat je naar de kerk komt. Nu meteen.'

'Wat is er aan de hand?'

'Iets belangrijks.'

Ze waren er allemaal. Arthur had een bericht doen uitgaan en ze waren allemaal die nacht teruggekeerd. Hij had een krijgsraad bijeengeroepen.

In de ronde Tempelkerk stonden negen stoelen met hoge, rechte ruggen, waarvan het hout was ingegraveerd met eeuwenoude taferelen van oorlog en trouw. Ze stonden in een grote cirkel, slechts verlicht door het kaarslicht dat flakkerend op het barse gezicht viel van de mannen die erop zaten. IJle rookslierten kronkelden van de kaarsen naar het hoge, donkere plafond. Buiten de kring heerste duisternis.

Billi nam plaats op haar stoel. Naast haar zat Kay met een uitdrukkingsloos gezicht, maar zijn ogen waren roodomrand. Hij had blijkbaar niet geslapen. Rechts van haar zat Bors, Gwaines neef en ook een schildknaap. Hij keek Billi met halfgeloken ogen en gekrulde mondhoeken enigszins minachtend aan. Hij was twintig en de op een na grootste krijger van de Orde. Volgend jaar zou hij tot ridder worden geslagen en hij vond het overduidelijk een belediging dat hij nog tussen de schildknapen moest zitten.

Arthur greep zijn armleuningen beet. Achter zijn stoel stond Vader Balin, bleek als een middernachtelijk spook. Hij maakte geen deel uit van de vechtende orde en had dus ook geen stoel. Maar als kapelaan had hij wel het recht aanwezig te zijn, zelfs bij een krijgsraad. Rechts van Arthur zat Gwaine. Als seneschalk had hij de op een na belangrijkste positie, na de meester. Links van Arthur zat Pars, de tempelmaarschalk, de wapenmeester. Billi keek de cirkel rond.

Pelleas zag er moe uit. Zijn rechterhand zat in het verband en hij moest moeite doen om rechtop te blijven zitten. De weerwolfjacht moest niet best zijn verlopen. Ze zou er weldra alles over horen. Maar dat kon niet de reden zijn waarom de raad bijeen was geroepen; ze waren gewend tegen weerwolven te vechten. Naast Pelleas zat Gareth, klein, maar met enorme schouders. Hij knikte kort naar Billi. Hij leek ontspannen, maar zijn vingers speelden rusteloos met een zwarte veer van zijn boog, zijn favoriete wapen.

Tegenover hem, tussen Gwaine en Kay in, zat Berrant, de jongste van de ridders. Hij was zijn bril aan het poetsen met zijn mouw en zette hem vervolgens weer op zijn smalle, rechte neus. Hij was de computerexpert en hacker van de Orde. Hij was ook een van de dodelijkste nog in leven zijnde duellisten. Met zijn hoge jukbeenderen zag zijn gezicht er in het schemerige licht uit als een doodskop.

'Waar is Elaine?' vroeg Pelleas. Billi keek over haar schouder naar de kerkbanken waar Elaine gewoonlijk zat, maar ze waren leeg. Als jodin kon ze geen lid zijn van de Orde, maar aangezien Arthur hen allemaal had ontboden, was het vreemd dat ze er niet was.

'Ze is bezig,' zei Arthur. Hij keek Kay aan. 'Het Orakel heeft ons iets te vertellen.'

Geen schildknaap Kay meer. Orakel. De stoelen kraakten terwijl iedereen zich naar Kay draaide. Billi zag dat hij diep ademhaalde voordat hij het woord nam. Hij was even oud als zij, maar zijn verantwoordelijkheden waren honderd keer groter. De tempeliers rekenden op hem en dit was zijn kans om zijn waarde te bewijzen.

'Billi en ik hebben een meisje gezien, Rebecca Williamson, van wie de ziel werd verzwolgen.'

Er viel een lange stilte na Kays woorden. Vader Balin sloeg een kruis en Pars en Arthur wisselden een bezorgde blik. Billi vroeg zich af waarom. Wisten zij meer?

'Hoe?' vroeg Gwaine. 'Wat gaat er met haar gebeuren?'

Kay schudde zijn hoofd. 'Ze zal niet een van de Hongerige Doden worden, als je dat bedoelt.'

'Weet je dat zeker, knul?'

Kays ogen boorden zich in die van de seneschalk en zijn blik was hard als staal. De oudere man weerstond hem, maar niet lang. Arthur keek een tijdje toe en leunde toen achteruit in zijn stoel.

'Verklaar je nader,' zei hij.

'Een ghoul kan alleen vrijwillig ontstaan. Om een dergelijk monster te worden moet je alles wat heilig is afzweren en uit eigen beweging je ziel opgeven.' Hij zuchtte en Billi wilde iets zeggen. Hij zag er zo moe uit. 'Dat is bij Rebecca zeker niet het geval. Ze verzet zich uit alle macht.'

'Het is dus mogelijk dat ze het overleeft?' vroeg Balin.

'Nee.'

Gareth stak de veer achter zijn oor. 'En hoe zit het met de andere kinderen?'

Billi verstijfde. Die was ze helemaal vergeten. Er waren er nóg vier geweest.

'Die zijn gecremeerd. Over hen hoeven we ons geen zorgen meer te maken,' zei Arthur angstaanjagend nuchter.

'We draaien om de hete brij heen,' merkte Berrant op, terwijl hij zijn bril recht zette. 'Wie zit hierachter?' Hij stak drie vingers op. 'De enigen die een ziel kunnen nemen zijn etherische wezens, engelen. Dat weten we allemaal.' Hij telde ze op zijn vingers af. 'Het is dus een *malach*, een duivel of een Wachter.'

'Een duivel, toch?' opperde Gwaine.

Wat had dit met de Spiegel te maken? Billi wierp even een blik op haar vader. Hij zat er met een stalen gezicht bij.

'Maar het is een directe aanval. Daarmee zou de duivel zijn convenant schenden.' Balin deed een stap naar voren. 'Duivels zijn verleiders. Het enige wat zij kunnen is de mens van het rechte pad af brengen opdat hij kwaad doet. Zelf kunnen ze geen kwaad aanrichten.' Hij gebaarde naar Kay. 'Wat het Orakel beschrijft is een gewelddadige aanval.'

'Een convenant?' mompelde Billi verward.

Balin hoorde haar. Het liefst was ze door haar stoel gezakt om zijn frons te ontwijken. Misschien had ze inderdaad beter moeten opletten bij occulte kennis.

'Elke klasse van engelen, Bilqis,' sprak Balin, 'is gebonden door een onveranderlijke wet, een convenant.' Op belerende toon, knikkend tegen zichzelf, somde hij de feiten op: 'De Wachter moet heengaan wanneer er een offer is gebracht; malachim kunnen slechts Gods woord overbrengen. Het veranderen van een enkele lettergreep volstaat om hun volledige ondergang te bewerkstelligen. En duivels kunnen op hun beurt, hoe machtig ze ook zijn, geen directe schade berokkenen. Ze zullen je verleiden, overhalen, om je broeder te doden, maar ze kunnen niet zelf het mes ter hand nemen.'

'Het is niet het werk van een duivel,' zei Kay. 'We hebben hier met een Wachter te maken.'

'Hoe weet je dat?' vroeg Gwaine wantrouwend.

'Omdat ik de Vervloekte Spiegel heb gebruikt.'

Gwaine sprong overeind en wees beschuldigend naar Kay, maar Billi kon niet horen wat hij zei, omdat plotseling iedereen door elkaar aan het schreeuwen was. Balin stond met open mond in het midden. Gwaine stampte langs hem heen en Pars sprong op om Kay te beschermen.

'STILTE!'

Arthurs stem deed iedereen bevriezen. Niemand bewoog nog, behalve om Arthur aan te kijken. Hij zat nog steeds op zijn stoel, maar zijn ogen lieten er geen twijfel over bestaan dat iedereen, inclusief Gwaine, weer moest gaan zitten. Balin leek uit een droom te ontwaken en nadat hij zijn soutane had rechtgetrokken, nam hij weer plaats achter de stoel van de meester der tempeliers.

Arthur stond op en liep naar Kay. Hij legde zijn hand op de schouder van de jongen. Er ging een steek door Billi's hart.

'Het kwaad is al geschied,' zei Arthur en hij leek zich al bijna te hebben neergelegd bij de mogelijke gevolgen. 'Eén ding is zeker: er is niets ontsnapt. Toch is het geen toeval dat een dag nadat de Spiegel is gebruikt er een Wachter opduikt die zielen vernietigt. Blijkbaar is hij niet sterk genoeg om in het wilde weg aan te vallen. We vermoeden dat hij het alleen op gevoel kan.'

'Wacht eens even... een Wachter?' onderbrak Balin hem. 'Dan weten we wie het is, Arthur.'

Natuurlijk wisten ze dat. Er was maar één Wachter die vrij rondliep.

'De Doodsengel,' fluisterde Parsifal.

'Mijn hemel, dit wordt steeds gezelliger,' zei Gwaine. 'De Wreker Gods in eigen persoon.'

Arthur negeerde hem en praatte verder. 'Hij zal de Spiegel willen bemachtigen. Hij is zwak. Zijn krachten zitten nog grotendeels in de Spiegel gevangen, al sinds de tijd van Salomo.'

'En waar is de Spiegel nu?' Er klonk een bijtend sarcasme in Gwaines stem door.

'Veilig opgeborgen. We hebben de hoeders rond het relikwieënschrijn versterkt. Hij is onzichtbaar voor een bovennatuurlijk oog.'

'Wat ben je toch stom, Arthur. Eerst laat je die kluns eraan zitten en nu vertrouw je iets wat zo belangrijk is toe aan Elaine?'

'Inderdaad. Ik wil wachtposten bij het China Havenziekenhuis, vierentwintig uur per dag. Dat meisje is niet dood. We moeten haar beschermen.'

'En haar als lokaas gebruiken?' zei Billi. Als Rebecca nog leefde, zou de Wachter misschien terugkomen om het werk af te maken: om haar jonge ziel weg te nemen. Ze keek in haar vaders ogen. Er lag geen greintje mededogen in. Volstrekt gevoelloos. Was er íémand die hij niet zou opofferen?

'Ja, als lokaas. Berrant heeft de computer van het ziekenhuis gehackt. Alle kinderen die zijn gestorven waren oudste kinderen. Eerstgeborenen.'

'Christene zielen,' mompelde Pelleas.

Billi verstijfde. Zij was een eerstgeborene. 'Dus die ziekte...'

Ze durfde niet eens haar zin af te maken. Arthur deed het voor haar.

'Is de tiende plaag.'

11

De volgende dag kon Billi zich niet concentreren. Ze probeerde haar aandacht bij de les te houden en zo min mogelijk uit de toon te vallen bij de rest van de klas, maar zij kreeg tegen wil en dank met zulke vreselijke dingen te maken, dat de kans op een normaal leven – een leven buiten de Orde – steeds kleiner werd.

Er waren talloze vragen geweest, maar Arthur had niet de tijd gehad om ze allemaal te beantwoorden. Ze moesten een wachtrooster opstellen om Rebecca te bewaken en de rest aan hem overlaten. Billi kon zich echter niet aan de indruk onttrekken dat er van alles achter haar rug om gebeurde. Arthur was iets van plan, hij hield dingen voor haar achter.

Hij deed zijn best maar. Ze wilde het niet eens weten. Ze keek op haar horloge. Over drie uur begon haar ziekenhuiswacht. Voor die tijd ging Billi haar eigen leven leiden.

Toen ze bij het café was gearriveerd en naar binnen ging, zag ze niet al te veel bekenden. Ze herkende een paar leerlingen van haar jaar, maar gelukkig was er niemand uit haar klas. Ze liet haar blik over de schemerig verlichte tafeltjes dwalen. Geen Mike.

Billi bestelde een latte en een bosbesmuffin en kroop diep weg in de donkerrode leunstoel in een hoekje tegenover de deur.

Zenuwachtig klapte ze haar mobieltje open en dicht. Was dit een echte date? Ze wist het niet. Het leek erop, maar Mike had er zo gewoon over gedaan. Vreemd; ze was haar hele leven omringd geweest door mannen, maar wat dit soort dingen betreft had ze ze nooit hoeven – of zelfs willen – begrijpen.

Ze keek het café rond. Dit was de stamkroeg van de populairste leerlingen van school. Pete Olson, het sportieve talent met zijn wasbord en zijn haar strak in de gel, stond met Tracy Hindes te praten. Ze droeg een weinig verhullend rood jurkje dat Arthur, als Billi het had gedragen, een hartaanval zou hebben bezorgd en ze stond te giechelen als een imbeciel.

Billi vroeg zich af of je je als meisje zo moest gedragen op een date. Verwachtte Mike dat van haar? Ze begon zich steeds ongemakkelijker te voelen. Misschien had ze toch niet moeten komen. Ze griste haar telefoon van tafel en wilde opstaan, toen er een meisje struikelend de wc uit kwam. Ze had een lange sliert wc-papier in haar hand waarmee ze haar opgezwollen, betraande ogen droogde en de mascara in dikke, zwarte strepen over haar gezicht uitsmeerde. Toen Billi haar herkende, zonk het hart haar in de schoenen.

O, nee.

Vol afschuw staarde Jane Mulville haar aan. Toen stormde ze op Billi af.

'Heb ik iets van je aan, soms?' snauwde Jane. Ze wreef in haar roodomrande ogen, waardoor ze de mascara nog verder uitsmeerde en haar ogen op die van een panda leken. 'Jij vindt het zeker wel grappig, hè, bitch?'

Ooit zou Billi zijn opgesprongen om haar in het gezicht te slaan, maar nu verroerde ze zich niet. Vreemd genoeg had ze met haar te doen. Jane was vijftien en zwanger en iedereen wist het.

'Moet je horen, Jane, ik vind het heel naar voor je, maar...' Wat kon ze in hemelsnaam zeggen om het minder erg te maken? 'Ik vind het gewoon heel naar voor je.'

Jezus, wat een slap gelul.

'Dat zal best,' beet Jane haar toe.

'Alles kits hier?'

Het was Mike. Ze kon nu niet meer weg.

Hij schudde de ergste regen uit zijn donkere krullen.

'Hoi, Billi. Sorry dat ik te laat ben.'

Mike gooide zijn jas over de bank tegenover haar. Ze was vergeten hoe knap hij was. Het woud van zwarte, getatoeëerde bladeren en puntige doornen kroop vanonder zijn T-shirt naar het kuiltje in zijn hals, waar de huid nog glinsterde van de regen.

'Geeft niet,' mompelde ze verward, nu Mike glimlachend naar haar keek en Jane woedend. Misschien was dit een goed moment om door de aarde te worden verzwolgen.

Mike stak zijn hand uit naar Jane. 'Sorry... ik heb je naam niet goed verstaan.' Zijn glimlach richtte zich nu op Jane. Billi wist hoe ze zich moest voelen.

'Jane,' fluisterde ze.

'Hallo, Jane.' Hij knikte naar de deur. 'Ik geloof dat je vriend staat te wachten.'

Bij de deur stond Dave Fletcher met Jane's witte jas over zijn arm. Hij wierp Mike een kwade, jaloerse blik toe.

Het drong tot Jane door dat Mike voor Billi was gekomen en niet in haar was geïnteresseerd. Ze draaide zich om naar Billi. 'Blijf uit mijn buurt, freak.' Ze glimlachte boosaardig naar Mike. 'En jij kunt maar beter uitkijken voor haar vader, want anders snijdt hij dat knappe gezicht van je nog aan repen.' Met grote passen liep ze naar Dave en ging samen met hem het café uit, waarna ze de deur met een oorverdovende knal dichtsloeg.

'Stom van me,' zei Mike, die het stel nakeek. 'Geen vriendin.'

'Dat kun je wel zeggen.' Het was het understatement van het jaar. 'Bedankt dat je tussenbeide bent gekomen, ik eh... ben blij dat je er bent.'
O, nee. Heb ik dat echt hardop gezegd?

Mike wierp haar een trage glimlach toe en zijn goudkleurige ogen glinsterden geamuseerd.

'Ik ook.'

En plotseling wist Billi dat ze het meende.

Gewoon. Het was een gewoon gesprek. Geen woord over tempeliers, plagen en Wachters. Alleen maar het soort gesprek dat gewone mensen hebben. Mike vertelde Billi iets meer over zijn vader en hij leek nogal op de hare. Streng, veeleisend en autoritair. Ze vroeg hem naar zijn tatoeages en hij antwoordde lachend dat hij ermee geboren was.

'Toen ik binnenkwam zag je eruit alsof je het gezicht van dat meisje volledig ging verbouwen.' Mike maakte grappend een vuist. 'Wie heeft je toch zo leren vechten?'

'Mijn vader.'

Hij trok zijn wenkbrauwen op. 'Wauw. Ik dacht dat de meeste vaders wilden dat hun dochter ballerina werd en geen uitsmijter. Gewoon, saai.' Hij boog zich naar voren over het tafeltje zodat zijn heldere ogen vlakbij kwamen. 'Maar jij bent niet erg gewoon, hè?'

'Ik neem aan dat dat een compliment is?'

'Ik zou jou nooit beledigen. Veel te gevaarlijk.'

Zijn handen lagen op het rookglazen tafelblad, zijn vingers een centimeter van de hare verwijderd. *Een heel klein stukje naar voren...* Billi aarzelde en probeerde dezelfde brutale doortastendheid op te brengen als waar de andere meisjes in het café zo weinig moeite mee leken te hebben.

Te laat. Mike leunde achteruit in zijn stoel en legde zijn handen op de leuningen.

Billi wist niet waar ze moest kijken.

Mike doorbrak de ongemakkelijke stilte. 'Wat bedoelde Jane toen ze het over je vader had?' vroeg hij. 'Is hij een beetje erg beschermend?' Er speelde een flauwe glimlach rond zijn lippen, maar Billi zonk de moed in de schoenen.

Hij wist nergens van. Niet van haar moeder, niet van haar vaders veroordeling. Wat moest ze hem vertellen? Billi staarde in het donkere glas naar haar schemerige weerspiegeling. Als ze het Mike niet vertelde, zou hij de boosaardige geruchten toch wel te horen krijgen.

'Weet je nog dat ik zei dat mijn moeder is overleden?' Ze keek Mike aan en zag dat de uitdrukking op zijn gezicht een subtiele verandering had ondergaan. De lach was verdwenen. 'Ik heb je niet verteld hoe. Ze is vermoord.'

'Jezus, Billi. Wat erg.'

Billi sloot haar ogen. Ze kon niet nadenken als hij haar zo aankeek. 'Er werd bij ons ingebroken. Mijn moeder werd neergestoken. Ze overleed.'

Ze loog. Ze moest wel. Dit was het officiële verhaal.

'Zijn ze er ooit achter gekomen wie het heeft gedaan?'

Ze schudde haar hoofd. 'Het zit nog iets ingewikkelder. De politie heeft mijn vader gearresteerd. Hij heeft terechtgestaan voor de moord op haar.'

Mike boog zich naar voren en legde zijn hand op die van Billi. Het lukte haar niet om op te kijken, maar ze voelde zijn zachte hand teder op de hare rusten.

'Waarom verdachten ze hem?'

Er waren zo veel redenen genoemd, maar de waarheid was nooit onthuld. Niemand zou geloven dat het het werk was van de goddelozen. Het was veel makkelijker te geloven dat iemand als haar vader, een soldaat die voor de krijgsraad was gebracht, een man die een jaar in een psychiatrische inrichting had gezeten vanwege een posttraumatische stressstoornis, zich als moordenaar had ontpopt.

'De politie wilde gewoon de zaak oplossen. Mijn vader was een voor de hand liggende verdachte.' Ze keek hem aan. Geloofde hij haar?

Mike glimlachte vriendelijk, maar ze voelde zijn terughoudendheid.

'Hij heeft het niet gedaan, Mike.'

'Natuurlijk niet. Ik geloof je.' Maar ze zag dat hij haar niet echt aankeek, niet recht in haar ogen. Hij keek naar haar blauwe plekken: die op haar wang van het Oordeel, die op haar voorhoofd van haar vaders kopstoot.

Geloofde hij haar leugens? Ze wist het niet.

'Mijn vader is een harde man. En hij wilde dat ik ook zo zou worden,' zei Mike, terwijl hij onbewust met zijn vinger langs een doorn in zijn nek ging. 'Hij had plannen met me, hij wilde elke seconde van mijn leven beheersen. Dat is het probleem met ouders, toch? Ze willen helemaal niet dat je je eigen leven leidt; ze willen dat jij hun fouten goedmaakt.'

'Wat gebeurde er?'

Mike lachte verbitterd. 'Wat ik ook deed, het was nooit goed genoeg. Hij wilde steeds meer.' Hij zweeg even en vervolgde toen zo zacht dat het een biecht leek. 'En dus ben ik ervandoor gegaan.'

Hij keek haar weer aan en de opgekropte frustratie laaide op in zijn amberkleurige ogen. Billi kon haar ogen niet van de zijne losmaken. Het was alsof ze er al haar eigen gevoelens in weerspiegeld zag.

De bel boven de cafédeur klingelde en Billi ving een glimp op van het haar zo bekende witte haar onder een zwarte wollen muts.

Kay.

Hij kwam direct op haar af lopen.

'Billi, je moet meekomen.' Hij keek naar Mike en het wantrouwen stond op zijn gezicht te lezen.

'Kay, ik ben bezig. Kan het niet even wachten?' Ze voelde zich vreemd schuldig. *Maar ik doe helemaal niets verkeerds!*

Mike stond op. Hij was een paar centimeter kleiner dan Kay, maar door zijn gespierde uiterlijk leek hij groter. Billi hoopte dat Kay niets stoms zou doen. Voor zover ze wist kon hij nog geen deuk in een pakje boter slaan.

'Nog een van je vrienden?' vroeg Mike.

'Ja,' snauwde Kay hem toe.

'Ik ook.'

Kay deed een stap naar voren. 'Vreemd. Ik heb haar nooit over jou gehoord.'

Billi pakte Kay bij zijn elleboog beet. 'Mee naar buiten, jij.' Ze keek Mike aan. 'Ik ben zo terug.'

Billi moest Kay mee naar buiten slepen. Hij ging met zijn handen in zijn zakken staan en keek af en toe over zijn schouder naar Mike.

'Wat kom je hier doen?' vroeg Billi.

'Weet je hoe laat het is?'

Waar had Kay het over? Ze had nog zeeën van tijd. Ze hadden niet langer dan een uur zitten praten. Ze keek op haar horloge.

Dat kan niet!

'Jawel,' zei Kay, 'Je had al uren geleden op je post moeten staan.'

'Waarom heb je niet even gebeld?'

Kay wiebelde ongemakkelijk van zijn ene op zijn andere been. 'Ik dacht dat ik beter zelf even langs kon komen.'

'Nee, je dacht dat je beter even kon komen spionneren. Om te kijken met wie ik was.'

Hij deed gefrustreerd een stap achteruit. 'We letten toch altijd een beetje op elkaar?'

'Vroeger, ja. Nu niet meer. Ik kan wel op mezelf passen. Wat denk je dat ik het afgelopen jaar heb gedaan?'

Kay bewoog zijn hoofd in de richting van Mike. 'Hij is niet een van ons, Billi. Jij bent een tempelier en je hebt belangrijkere dingen te doen dan in een café rondhangen.'

'Jezus, Kay, moet je jezelf horen. Je lijkt mijn vader wel.'

'En wat is daar mis mee?' vroeg hij fel.

Billi klemde haar kaken op elkaar. Kay was het soort tempelier dat Arthur wilde. Toegewijd en stekeblind. Daarom deed haar vader zo hardvochtig tegen haar: zij zou nooit zo worden.

Het enige wat ze op dat moment wilde was zich omdraaien, teruggaan naar Mike en de rest van de avond niet meer aan die stompzinnige tempeliers hoeven denken. Ze schudde haar hoofd. Blijkbaar was dat al te veel gevraagd.

'Geef me één minuut.'

'Nu.'

'Eén minuut!' schreeuwde Billi. Kay leek iets te willen zeggen, maar draaide zich toen om.

Billi ging het café weer in.

'Ik moet gaan, Mike.'

'Heb je problemen met je vriendje? Sorry, dat wist ik niet.'

Vriendje? Kay? 'Nee! Er is... mijn vader wil dat ik naar huis kom.'

Mike legde zijn hand op haar schouder, maar ze duwde hem zacht weg. Ze zou nooit met rust worden gelaten en het was niet eerlijk om hem daarmee op te zadelen.

'Dag, Mike. Het spijt me.' *Ja, het spijt me echt.* Ze keek over haar schouder naar Kay, die kwaad bij de deur stond. Ze haatte wat hij geworden was: een tempelier in hart en nieren.

'Hoor eens, Billi. Ik snap het als het thuis moeilijk is, met je vader en zo.' Hij glimlachte. 'Ik ken het, als je begrijpt wat ik bedoel.' Hij pakte haar jas en hielp haar erin. Het was een merkwaardig ouderwets gebaar, dat haar verraste. Zelfs op deze afstand kon Billi Kays bloed voelen koken.

Mooi zo.

'Geef maar een gil als je er even tussenuit moet. Even weg van... wat dan ook,' voegde Mike eraan toe.

Hij boog zich naar voren en hun gezichten waren niet meer dan een paar centimeter van elkaar verwijderd. Ze zag haar spiegelbeeld in zijn goudkleurige ogen. De spieren in zijn nek spanden zich en ze staarde naar zijn lange hals die uit zijn T-shirt stak. Verward stapte ze achteruit. Het was plotseling heel warm en benauwd in het café.

'Ik zie je, Mike.'

Hij wilde steeds meer. Billi moest voortdurend aan Mikes woorden denken. Ze zat achter in het busje van Berrant over een klein beeldscherm gebogen en keek naar het spookachtige zwart-witbeeld van de gang op de kinderafdeling.

Gareth zat onder een deken achter het stuur met zijn ogen half gesloten. Om de paar minuten bewoog hij zich, nam een slok van zijn pikzwarte koffie en dommelde weer weg.

Steeds meer. Hoeveel tijd ze ook aan de tempeliers had gewijd, voor haar vader was het nooit genoeg geweest. Deed hij tegen de anderen ook zo? Zij kon niet eens een paar uur iets voor zichzelf doen of de Orde kwam al roet in het eten gooien.

En Mike begreep het. Het enige positieve van op wacht staan was dat ze nog eens goed over haar ontmoeting met Mike kon nadenken. Ze wilde hem heel graag weer zien. Maar hoe? Haar vader zou haar nooit laten gaan. Hoe meer ze haar best deed, met hoe meer dingen hij haar opzadelde. Ze zat gevangen.

En dus ben ik ervandoor gegaan.

12

Na haar wacht ging Billi naar huis en zodra ze haar hoofd op het kussen legde, was ze vertrokken. Ze overleefde de volgende dag alleen maar omdat het zaterdag was. Ze overwoog Mike te bellen, maar kwam tot de ontdekking dat ze haar mobieltje in Berrants busje had laten liggen. Wat had het trouwens voor zin? Maar naarmate het tot haar doordrong dat haar vader haar leven tot in de kleinste details beheerste, moest ze vaker terugdenken aan Mikes woorden.

Het was veel te snel avond. Billi stak het donkere, lege binnenterrein over en daalde af naar de catacomben.

Vanuit de wapenkamer klonk het gekletter van wapens en het doffe gedreun van stoten en schoppen. Billi gooide haar tas in een hoek en zocht een plekje voor haar warming-up. Zelfs Kay was er, dat was een primeur. Met een vuurrood gezicht en doorweekt van het zweet was hij in een ongewapend gevecht gewikkeld met de kolos Bors. In een echt gevecht waren er ook geen gewichtsklassen, dus liet Arthur iedereen tegen elkaar vechten. Billi kromp ineen toen Bors zijn schouder tegen Kays borstkas ramde en Kay over de mat vloog.

'Als je ons Orakel tot moes slaat, zullen we er niet zo veel meer aan hebben,' zei Billi. Bors gromde; wat Orakels betrof, was hij het helemaal met Gwaine eens. Kay krabbelde overeind en zwaaide naar haar. Ze negeerde hem.

Ze keek om zich heen. Arthur was er nog niet, en Pars was met Pelleas aan het vechten. Pars zwaaide met een enorme bijl alsof die van balsahout was gemaakt. Pelleas, nu zonder verband, dook onder en tussen de slagen door weg en weefde een web van staal met zijn rapier en pareerdolk. Gareth zat op een stoel en bevestigde zorgvuldig nieuwe veren aan zijn pijlen. Op de tafel lagen pijlpunten uitgestald. Puntige, die regelrecht door een wapenrusting gingen, met weerhaken, en zelfs de gevorkte om touwen mee door te snijden. Allemaal blinkend gepoetst en vlijmscherp.

Pelleas beëindigde het gevecht en verliet de mat, en Billi haalde een gevechtsstok uit het rek. De rechte, twee meter lange stok was ongeveer even dik als haar pols en gemaakt van zwaar eikenhout. Door het jarenlange gebruik was hij glad geworden. Billi hief hem boven haar hoofd en hoorde haar schouderbladen klikken.

'Als jij zover bent,' zei Billi. Ze liet de stok door haar handen glijden en wachtte. Pars liet zijn bijl vallen en pakte een bokken. In zijn handen leek die half zo groot.

Ze nam haar positie in, met het wapen ter hoogte van haar middel en de punt op Pars' borst gericht.

'Waar is mijn vader?'

Pars draaide om haar heen. Hij hield zijn zwaard in één hand en tikte ermee tegen haar stok. 'Op stap. Waar anders?'

'Fijn dat hij het even heeft gemeld.'

Pars snoof. 'Waarom zou hij? Je kent Art.'

Ja, waarom? Zij kon vanwege dit soort oefengevechten en wachtdiensten een eigen leven wel vergeten, maar haar vader deed verdomme waar hij zin in had.

'Is hij altijd al zo geweest, Pars?'

Pars kende haar vader van toen ze samen bij de marine zaten. Hij was getuige geweest bij het huwelijk van haar ouders en ze hadden hem gevraagd haar peetvader te zijn. Als haar vader al een vriend had, was het deze man die nu voor haar stond. Pars nam zijn zwaard langzaam in beide handen. Billi volgde zijn vingers die hij om het gevest sloeg.

'Hoe, meisje?'

'Egocentrisch en hardvochtig.'

Pars verstijfde. Zijn knokkels werden wit en Billi zag de spieren in zijn kaken verstrakken. Toen haalde hij diep adem, deed een stap achteruit en concentreerde zich op zijn wapen.

'We beginnen met een beetje sparren. Eerst de slagen op het bovenlichaam.' Hij ging klaarstaan in een hoge wering.

'Pars, ik vroeg je wat.'

'Eerst een linkse naar het hoofd. *KIAI!*'

Zijn strijdkreet deed de stenen vloer trillen. Billi zwaaide haar stok omhoog en weerde de slag af, maar de kracht ervan deed haar tegen de grond gaan. Haar handen gloeiden. Pars stond over haar heen gebogen met de punt van zijn zwaard op haar keel gericht.

'Wat losser in de schouders; dat absorbeert de schok beter,' zei hij.

Billi stond niet op.

Pars ging rechtop staan. Hij stak de bokken onder zijn arm en trok Billi overeind. Hij ging voor haar staan en zijn bruine ogen werden zacht.

'Billi, ik zou willen dat het anders was, maar Art heeft geen keus.' Hij keek om zich heen om te zien of iemand hen kon horen en boog zich naar haar toe om iets in haar oor te fluisteren. 'Hij houdt van je, daar moet je niet aan twijfelen. Je bent alles voor hem.'

Toen borg hij zijn houten zwaard op en ging weg.

Twee uur later stond Billi in de keuken af te wassen, toen Arthur thuiskwam. Hij liet zijn tas voor de wasmachine vallen en liep naar de koelkast.

'Je was te laat voor je wachtdienst,' zei hij.

Ook leuk om jou weer te zien, pap.

'Ja, sorry.'

'Ik dacht dat ik de vorige keer heel duidelijk was geweest' – hij wees naar de plek voor hem op de grond – 'over je tijd verdoen in cafés... met jongens.'

Dus Kay had geklikt. Wat een fijne vriend. 'Ik was mijn tijd niet aan het verdoen.'

Zijn ogen vernauwden zich en zijn vingers verstrakten om het handvat van de koelkast. Arthur keek haar streng aan en het viel Billi op hoe bleek hij was.

'Wat denk jij eigenlijk dat dit is?' vroeg hij. 'Een spelletje? Dat je er naar believen tussenuit kunt knijpen om handjes vast te houden met een jongen?' Hij sloeg de deur van de koelkast dicht en de tafel maakte een sprongetje. 'Ja, je training is zwaar, maar dat is voor je eigen bestwil.'

'Mijn eigen bestwil? Dit heeft niets met mij te maken! Die hele tempelorde draait alleen maar om jou. Alles draait hier alleen maar om jou en je tempelridders. Je geeft helemaal niets om mij.'

Arthur keek haar onbewogen aan, maar hij ontkende het niet.

'Jij bent een tempelier, Billi. Vergeet dat nooit. Wij hebben geen keus en jij evenmin. Accepteer dat.'

En vervolgens keerde hij haar zijn rug toe.

Pars had het helemaal mis gehad. Billi sloeg de voordeur achter zich dicht en droogde haar tranen. Ze moest hier weg. Het maakte haar niet uit waarheen, ze moest gewoon weg.

'Hé, SanGreal.'

Geschrokken draaide Billi zich om. Achter haar, in de schaduw van de poort, stond Mike. Zijn ogen straalden warm in het rossige licht van de lantaarnpaal.

'Jezus, Mike, je bezorgt me bijna een hartaanval.' Wat deed hij hier op dit tijdstip?

Hij hield zijn mobieltje omhoog. 'Ik heb geprobeerd je te bellen.'

'Sorry, ik ben de mijne kwijt.'

Mike deed een stap dichterbij. 'Dus het kwam niet door ons gesprek? Door wat ik over je vader zei? Het spijt me als ik te ver ben gegaan. Het zijn mijn zaken niet.'

'Nee, je hebt gelijk. Het is niet altijd even leuk met mijn vader.' Dat was wel erg zacht uitgedrukt.

Mike keek naar haar betraande gezicht. Hij beet op zijn lip en Billi zag dat hij moeite moest doen om niets te zeggen. Ten slotte knikte hij. 'Gaat het?'

Billi staarde naar de deur waar de oude verf vanaf bladderde. Ze draaide zich weer om naar Mike. Mijn hemel, wat wilde ze hier graag weg.

'Laten we hier wegwezen,' zei hij, alsof hij haar gedachten had gelezen. 'Ik wil je iets laten zien. Iets heel moois.'

13

Ze liepen door de donkere straten van de City. Op dit tijdstip was het er uitgestorven. Hoewel dit het oudste deel van Londen was, was het een doolhof van nauwe steegjes en glazen torens, als oude botten die waren bekleed met nieuw, vers vlees. De onverlichte bodega's en de saaie kroegen, de banken in de kolossale victoriaanse gebouwen en de uit glas en staal opgetrokken wolkenkrabbers verdrongen dicht opeengepakt elkaar en reikten tevergeefs naar de kleine stukjes hemel die zichtbaar waren.

Mike nam Billi mee naar een bouwterrein. Op de witgeverfde schutting zat prikkeldraad en de schijnwerpers zetten het zwarte geraamte van de gedeeltelijk opgetrokken torenflat in een fel wit licht. Billi bleef voor het grote bord staan.

'*HET ELYSISCHE VELD*,' las ze hardop. Met haar ogen volgde ze de ruggengraat van het gebouw omhoog. Het zag eruit als het skelet van een eeuwenoude reus die uit zijn graf was opgestaan en zich uitstrekte naar de hemel. De lucht leek zich dreigend over het gebouw heen te buigen, als een kwade gedachte. 'Wie wil er nou daarboven wonen?'

'Het is er prachtig,' zei Mike. 'Op die hoogte zie je niets meer van alle viezigheid.'

Billi schudde haar hoofd. 'Het is onwerkelijk. Als je zo hoog woont ben je van alles afgesneden. Maar misschien willen sommige mensen dat juist.'

'Wat?'

'Zich boven de rest verheffen.'

Mike glimlachte. 'Misschien denk je er anders over als je het met eigen ogen hebt gezien.' Hij liep naar de ingang. 'Kom maar mee.'

Binnen een paar tellen was Mike over het stalen hek bij de ingang geklommen. Hij liet zich aan de andere kant op de grond vallen. 'Nou jij.'

Het was verboden terrein. Dit was een overtreding.

'Nee. Dit is niet slim, Mike. Kom terug.'

Haar vader zou haar levend villen als hij erachter kwam.

Mike keek naar de toren. 'We zijn zo weer weg. Ik heb het eerder gedaan, Billi. Daarboven kijk je heel anders tegen de dingen aan. Je problemen lijken er opeens niet meer zo groot.'

Ze zou het niet moeten doen. Ze zou een braaf meisje moeten zijn en haar vader gehoorzamen.

Billi greep zich vast aan het kettingslot en klom het hek over. Ze wankelde toen ze aan de andere kant neerkwam, maar Mike ving haar op. Zijn armen pakten haar beet en ze voelde zijn nog maar net in toom gehouden kracht.

Toen zette hij haar op haar benen en liep de duisternis in.

Het modderige terrein was ongeveer zo groot als een voetbalveld. Hier en daar was er een bouwkeet, een opslagplaats en een barak neergezet en er stonden tractors, bulldozers en een geelgeverfde vrachtwagen, dreigend als slapende monsters. Het harde licht van de schijnwerpers wierp diepe schaduwen en weldra was Billi volkomen verdwaald in de doolhof van bergen cement en staal.

'We zijn er.' Mike bleef naast de goederenlift staan. De stalen kooi, die de mannen en de materialen omhoog en omlaag bracht, was door middel van een gammel uitziende stellage aan de zijkant van het gebouw bevestigd.

Vol ontzag staarde Billi naar het immense bouwwerk dat oprees uit de metersbrede, betonnen kolommen. Een ingewikkeld netwerk van stalen binten verdween in het nachtelijk duister boven haar hoofd. Ze zag lampen op de platforms die bovenin waren aangebracht: kleine eilandjes binnen de zich naar de hemel uitstrekkende toren.

Mike wees omhoog. 'Het uitzicht is er prachtig.'

'Ben jij zo hoog geweest?'

Hij keek naar de hemel. 'O, veel hoger.' Hij schoof de stalen deur van de kooi omhoog.

Billi liep met hem de lift in en liet de deur dichtvallen. Mike pakte de rode hendel en trok eraan. Met een schok maakte de lift zich los van de aarde en klom omhoog.

Weldra lag de stad onder haar. De wegen waren gouden linten die door de fonkelende duisternis kronkelden, de gebouwen gloeiden op in het licht van de schijnwerpers en de Theems meanderde er als zwart marmer doorheen. De door de wind aangevoerde regendruppels beten in haar wangen en de koude lucht bevroor haar huid. De ratelende en schokkende lift bracht hen steeds hoger en het lawaai van de takel was oorverdovend. De stad en al haar problemen lagen nu zo ver weg. Mike had gelijk: het was prachtig.

Met een schok kwam de lift tot stilstand.

Mike trok het hek omhoog. 'Kom maar mee.'

'Ben je gek geworden? Ik ga daar niet op!'

'Kom op, Billi. Ik zorg dat je niets overkomt.'

Billi aarzelde. Dat had nog nooit iemand haar beloofd.

Ze liep naar de rand van de lift. De vloer was nog niet helemaal gestort. Het was niet meer dan een matrix van stalen binten waarbinnen sommige delen met beton waren gevuld, als een levensgrote kruiswoordpuzzel. Ze keek omlaag en moest zich vastgrijpen toen ze duizelig werd vanwege de hoogtevrees. Er bevond zich niet veel tussen haar en de grond, tweehonderd meter onder haar. Langzaam liep ze over het betonnen stukje vloer, waarbij ze zo ver mogelijk bij de rand vandaan bleef.

Maar Mike was al een stuk verder gelopen. Hij stond haar op te wachten op een I-bint van misschien nog geen tien centimeter breed. De wind gierde door het stalen bouwwerk, zodat het klonk alsof er stemmen krijsten in de duisternis.

Mike liep naar een ladder en klom erop. 'Het uitzicht is adembenemend.'

'Ik geloof je meteen,' zei Billi, maar Mike hoorde haar niet.

Ze zette een voet op de stalen bint. Hij was niet breed, maar tijdens haar training had ze wel eens over smallere richels gelopen. Stapje voor stapje kwam ze vooruit. Goed concentreren, niet haasten, geen zorgen maken over de regen. Of de zachtjes deinende toren. Of de zwaartekracht.

Eerst haar ene, dan haar andere voet naar voren schuivend bereikte ze uiteindelijk de ladder. Hij stond verder bij het liftplatform vandaan dan ze had gedacht, zo leek het althans, maar ze had het gehaald. Haar handen pakten de zijkanten stevig beet. Ze zag dat hij goed was vastgemaakt aan de verticale kolom. Misschien moest ze hier even blijven staan. Totdat de toren af was.

'Als je bang bent kunnen we ook teruggaan. Het maakt mij niet uit.' Mike, die nu boven haar op de ladder stond, keek achterom.

Bang? Billi keek hem kwaad aan. Hij moest eens weten wat zij 's nachts deed. Ze begon omhoog te klimmen. Haar vingers waren bevroren en slechts met moeite kon ze zich aan de sporten vastgrijpen. Maar ze klom.

Mike stond aan het eind van een bint, alsof hij in de lucht zweefde, en zijn jaspanden klapperden woest als de vleugels van een reuzenvleermuis. Hij ging op in het uitzicht op de stad onder hem. Billi zag de bleekwitte koepel van St. Paul's Cathedral, de glinsterende lichten, de zwarte met sterren bezaaide hemel. En boven dat alles uit Mike.

'Voorzichtig,' zei ze. *Hè ja, wat een geweldig advies.* Ze hield zich vast aan de kolom; het was nu heel duidelijk voelbaar dat de toren heen en weer ging.

'Kom maar hierheen, naar de rand.'

'Nee dank je, het uitzicht is hier ook heel mooi. Het is nogal diep. Zorg dat je niet valt.' *Weer zo'n zinvolle opmerking.*

Mike schudde zijn hoofd. 'Ik kan niet vallen. Ik ben nog nooit gevallen.'

'Het hoeft niet je eigen schuld te zijn. Er gebeuren nu eenmaal ongelukken. Aardbevingen, plotselinge windstoten.' Haar woorden waren niet erg behulpzaam, maar ze vond het stom van hem om hierheen te willen. 'Dingen die je niet in de hand hebt. Force majeure. De straffe Gods.'

Mike verstijfde. 'Waarom noemen ze die dingen zo? De straffe Gods?'

'Welke dingen?'

'Onheil. Een ramp. Als er iets vreselijks gebeurt is het altijd de straffe Gods. Weet jij waarom dat is?'

Billi werd zenuwachtig. Het was duidelijk dat Mike het momenteel minstens zo moeilijk had als zij. Maar dit was nou niet de plek om het erover te hebben. 'Kom mee terug, Mike. Laten we beneden op de grond praten.' Maar hij luisterde niet. Hij boog zich naar voren, alsof hij zich klaar maakte om te springen. Of weg te vliegen.

'Ik zal het je vertellen. Omdat wanneer mensen bang worden ze zich tot Hem wenden. Ze herinneren zich dat ze volkomen zijn overgeleverd aan Zijn grillen.' Hij knipte met zijn vingers. Het geluid klonk als een geweerschot. 'Dat het zó afgelopen kan zijn.'

Hij is aan het doordraaien. Billi boog zich naar voren, met één hand aan de pilaar en de andere naar zijn rug uitgestrekt. 'Mike...'

'Er is iets vreselijks voor nodig om mensen aan hun verplichting jegens God te herinneren. Hoe vreselijker, hoe beter. Stel dat dat ook echt gebeurde?'

'Wat?'

'Iets zo vreselijks dat iedereen zich weer tot Hem wendde. Zodat zondags niet Ikea, maar de kerken weer vol zaten. De moskeeën, de synagogen.' Hij spreidde zijn armen. 'Door de straffe Gods zouden mensen weer gaan geloven.'

Billi hield zich vast aan de ladder. Het was niet de nachtelijke kou die haar deed huiveren.

'Mike...'

'Je vader zal je laten lijden, en dat weet je.'

Billi zei niets. Nu ging Mike te ver, dat waren zijn zaken niet. Ze wilde naar beneden. Het ging harder waaien. Het was alsof er door onzichtbare klauwen aan haar werd getrokken. Ze drukte zich dichter tegen de kolom aan.

'Je bent hem niets verschuldigd, Billi.' Mike streek over de lange doorn in zijn nek. 'Help me, Billi en ik bevrijd je.' Mike keerde zich naar haar om en zijn goudkleurige ogen boorden zich in de hare. De ogen van een roofzuchtig en oppermachtig wezen. 'Waar is de Spiegel, Billi?'

Het bloed stolde in Billi's aderen. Dit kon niet waar zijn.

Mike richtte zich op en zijn zwarte jaspanden bolden op, niet als de vleugels van een vleermuis, maar als die van een engel. Een Duistere Engel.

'Verraad hem, Billi. Voor wat hij je heeft aangedaan. Voor wat hij je moeder heeft aangedaan.'

'Dat had ik je toch al gezegd: het is niet waar. Mijn vader heeft mijn moeder niet gedood.'

'Dat weet ik.'

'Wat?'

Mike sprong.

Hij wierp zichzelf omhoog en leek, tegen alle natuurwetten in, halverwege de sprong in de lucht te blijven hangen. Toen dook hij weer omlaag en kwam met een dreun naast Billi op de stalen bint terecht. De ladder wankelde en viel omlaag. Billi zwaaide op de smalle rand heen en weer, en viel. Ze voelde nog slechts leegte onder zich. Haar hart bevroor en wild zwaaiend met haar armen zag ze vol afschuw de ladder in de peilloze duisternis verdwijnen. Van angst kon ze geen geluid meer uitbrengen; ze kon alleen nog maar stom voor zich uit staren, terwijl de lichten vage vlekken werden, de lucht begon te tollen en de wind in haar oren gierde.

Nee-ee-ee-ee!

Mikes hand sloot zich om haar linkerpols en ze kwam zo plotseling tot stilstand, dat haar arm bijna uit de kom schoot. Hij hield haar moeiteloos met één hand vast. Hun blikken kruisten elkaar en even dacht Billi dat hij haar zou loslaten. In plaats daarvan liet hij haar in de lucht bungelen. Billi voelde dat haar linkerschoen van haar voet gleed en in de diepte verdween. De koude lucht kietelde aan haar voet.

'Ik weet dat hij haar niet heeft gedood.' Zijn ogen lichtten op. Er lag niets menselijks meer in. 'Ik heb haar gedood.'

14

Het was alsof Billi op de pijnbank lag en haar arm uit zijn kom werd getrokken. Terwijl ze hoog boven de stad aan Mikes hand bungelde, kon ze door de folterende pijn nauwelijks nog denken.

'De Spiegel, Billi. Dat is het enige wat ik wil. Vertel me waar hij is en ik laat je gaan.' Hij lachte om zijn flauwe grap.

Billi kreunde. Er gingen hete pijnscheuten door haar arm en langs haar rug.

'Mijn broeders en zusters hebben lang genoeg opgesloten gezeten.' Hij greep haar steviger beet en Billi schreeuwde het uit.

'Nee,' was het enige wat ze kon uitbrengen. De grond, in de diepte onder haar, draaide langzaam, misselijkmakend rond.

Mikes gezicht was verwrongen van demonische woede en zijn huid was wasachtig en bleek geworden. Hij merkte dat ze naar hem keek, dat ze hem zag, en toen was het moment voorbij. Plotseling was hij weer de vriendelijke, menselijke Mike. Maar ze had even door zijn masker heen kunnen kijken en zijn ware ik gezien.

De goddelozen.

Hoe had ze zo stom kunnen zijn?

'Ik had hem bijna, tien jaar geleden.' Hij trok Billi omhoog, zodat ze op ooghoogte waren. 'Als je moeder er niet was geweest, had ik hem nu gehad.'

De IJzeren Nachten. Ondanks de pijn kon Billi niet anders dan vol ontzag luisteren.

'Maar dat waren ghouls. De tempeliers werden aangevallen door ghouls.'

Mike wees op zichzelf. 'Door mij geschapen. Je zou er versteld van staan als je wist hoeveel mensen hun ziel willen verkopen voor een beetje onsterfelijkheid.' Mike zuchtte. 'Twaalf nachten lang oorlog en bloedvergieten. Wat een zaligheid. Ik heb Uriens gedood. Zijn schedel tussen mijn handen verbrijzeld, maar hij gaf niets prijs. Bij leven stelde hij als grootmeester der tempeliers weinig voor, maar hij is als een echte grootmeester gestorven.'

Billi klemde haar kaken op elkaar en dwong zichzelf om om haar heen te kijken. Misschien kon ze bij een bint komen of zich op een lager gelegen verdieping laten vallen. Een meter of twee van haar af zag ze een richel. Maar al snel begreep ze dat het hopeloos was. De enige vaste grond onder haar voeten lag in de duizelingwekkende diepte, tweehonderd meter lager.

Mike knipoogde. 'En toen ik hoorde dat Arthur Uriens had opgevolgd, ging ik naar jullie huis. Met de bedoeling jullie tweetjes te gijzelen om Arthur te dwingen mij de Spiegel te geven in ruil voor zijn dierbare echtgenote en schattige dochtertje.'

Het vuur laaide op in Billi's ogen. Ze keek naar de moordenaar van haar moeder. De haat brandde in al haar cellen. Het leek Mike koud te laten.

'Je moeder keek me met precies dezelfde ogen aan. Pikzwart en vol haat. Mocht het een troost zijn, ze heeft tot het eind toe gevochten. Ze wilde niet meespelen en zich koest houden. Het speet me bijna dat ik haar had gedood. Vooral omdat het me al snel duidelijk werd dat jij in je eentje niet genoeg was om te zorgen dat Arthur me de Spiegel gaf. Toen ik je moeder had gedood, viel het me op dat jullie zonder enige bescherming waren achtergelaten en dat er nog steeds geen teken van Arthur was... Blijkbaar bekommerde hij zich niet om jou. En nog steeds niet. Dus heb ik je maar snotterend onder het bed laten liggen.'

'Dat is niet waar,' fluisterde Billi. Hoe haar vader ook tegen haar deed, het was niet mogelijk dat hij niet van haar hield. Ze was zijn dochter, hij móést van haar houden! Maar terwijl ze zo in de ijzige wind hing, voelde Billi de kou haar hart in sijpelen. Mike bracht zijn gezicht dichter bij het hare.

'Zie je wel? Je gelooft me, hè? En díé man wil jij beschermen? Je bent hem niets verschuldigd, Billi.' Mike's vingers sloten zich strakker om haar pols. 'Toen ik erachter kwam dat hij al mijn ghouls had gedood, heb ik hem laten gaan. Ik besloot te wachten en mijn krachten te sparen voor dit speciale moment. Nu is het jouw beurt, Billi. Vertel me waar de Spiegel is en je bent vrij. Ik bevrijd je van je vader. Van de tempeliers. Vertel het me.'

'Ik zal je iets anders vertellen. Jij bent uitschot. Moordenaarsuitschot,' siste Billi. Mikes ogen werden donker en even voelde Billi zijn greep verslappen, en haar hart sloeg over. Maar toen keek hij haar kwaad aan en greep haar pols zo hard vast, dat ze de botten bijna voelde kraken.

'Ik ben Michaël, de Engel des Doods. Ik was degene die het vuur deed regenen op Gomorra. Ik was degene die door de straten van Egypte sloop en alle eerstgeborenen vermoordde. Ik heb Satan verslagen. Ik en niemand anders.' Hij keek haar aan met een mengeling van trots en woede. 'Ik zal de mensen terugvoeren naar het licht. Ik ben de Wreker Gods en ik laat mij niet de maat nemen door de kinderen van leem.' Hij schudde haar woest door elkaar. 'Waar is de Spiegel?'

'Dus jij en je vleugelloze broeders en zusters kunnen de tiende plaag ontketenen? Ik dacht het niet. Ik zou ook niet weten waarom.' Ze dacht terug aan Rebecca en de kinderen die hij in het ziekenhuis met zijn aanraking had besmet. Als hij de hand wist te leggen op de Spiegel, zou het aantal doden niet te overzien zijn. Het land zou in één nacht in een mausoleum veranderen. 'Het zijn onschuldige kinderen.'

'Verheug je dan, want weldra zullen ze in Zijn Koninkrijk zijn. Weet je dat Rebecca's moeder tegenwoordig de hele dag bidt?'

Hoe wist hij dat? Wist hij dat ze naar het China Havenziekenhuis waren geweest? Mijn hemel, wat was ze stom geweest.

Michaël boog zich naar voren. 'Bedenk eens hoeveel harder ze zal bidden wanneer Rebecca eenmaal dood is. Denk eens aan de duizenden, de miljoenen gebeden en zielen die ik Hem schenk als ik de tiende plaag heb verspreid.' Hij keek omhoog naar de dikke wolken boven hun hoofd. 'Dan kan God me niet meer negeren.' Hij stak zijn vrije hand in de lucht en staarde in gedachten verzonken in de duisternis. 'Dan zal hij me terugnemen. Dan moet hij wel.'

Billi spuugde hem in het gezicht. Haar lichaam was gevoelloos geworden; het enige wat ze nog voelde was een doffe pijn in haar arm. Haar voeten bungelden boven de leegte en ze wist dat ze ging sterven. Michaël had haar moeder gedood en de haat verdreef haar angst. Hij veegde haar spuug van zijn kin en lachte.

'Een vechtersbaas, net als Jamila. Ik hou daar wel van.' Hij zwaaide haar heen en weer alsof ze een lappenpop was. Billi had gedacht dat de pijn weg was, maar opnieuw ging er zo'n folterende pijnscheut door haar schouder en langs haar rug, dat ze het uitschreeuwde. 'Om je de waarheid te zeggen,' vervolgde Michaël, 'ik wist dat je het me niet zou vertellen. Met zulke stijfkoppen als ouders is het geen wonder dat jij zo eigenwijs bent geworden.' Hij lachte zelfgenoegzaam en draaide zijn hoofd opzij, zonder zijn blik van Billi af te wenden. 'Heb ik gelijk, Kay?'

Door de tranen heen zag Billi Kay in de lift staan. Vol afschuw keek hij hen aan.

'Ga weg!' schreeuwde Billi. Wat deed hij hier? O, jezus, hij zou eraan gaan.

'Tut tut, Billi,' zei Michaël afkeurend. 'Dat is nou niet aardig. Kay wil je redden. Wat... heldhaftig.' Michaël haalde iets tevoorschijn en hield het voor haar omhoog: haar mobieltje. 'Je had hem in het café laten liggen. Ik heb hem net een sms'je gestuurd. Hij dacht dat het van jou afkomstig was en daar is-ie. Lief hè, vind je niet?'

'Laat haar los!' Kay liep behoedzaam over de binten naar een vierkant stuk gestort beton. Hij trilde, maar op zijn gezicht lag een grimmige uitdrukking.

'Ik wil de Spiegel, Kay. Zeg me waar hij is, of je kunt Billi zo meteen opdweilen.'

Wat voelde ze zich machteloos! Ze wás ook machteloos. Ze schopte met haar voet, maar hij schoot alleen maar wild de lucht in en raakte niets. Hoe had ze zich zo door Michaël kunnen laten misleiden? Hoe had ze zo voor hem kunnen vallen? Het was van het begin af aan doorgestoken kaart geweest.

'Oké, oké,' zei Kay. Hij stond aan de rand van de richel. 'Ik breng je er wel naartoe.'

Mike gooide Billi naar de richel en terwijl ze door de lucht vloog, draaide haar maag zich om. Toen botste ze tegen Kay op en samen buitelden ze, hun hoofden, ellebogen en knieën stotend, over de vloer.

Billi kon haar linkerarm niet bewegen. Het was alsof er tienduizend naalden in haar spieren staken en haar arm in brand stond. De hemel boven haar tolde en ze kon nauwelijks adem krijgen, maar ze moest overeind komen. Ze zou zich niet laten verslaan door de man die haar moeder had vermoord. Ze draaide zich om en lag toen naast een kreunende Kay.

'Jezus, Kay. Hoe heb je zo stom kunnen zijn?'

'Ik dacht dat je me had ge-sms't. Je wilde me zien.'

'Hier? Heb je dat bord niet gezien met VALSTRIK?'

‘Ik hing tenminste niet ondersteboven aan een wolkenkrabber.’

Billi zag een gereedschapskist tegen de muur staan. ‘Zeg,’ fluisterde ze, ‘wanneer ik uitval, wil ik dat jij een schijnbeweging naar links maakt. Laat Michaël maar aan mij over.’

‘Ik kan heus wel vechten, hoor.’

‘Geloof me, dat kun je niet. Gewoon een schijnbeweging naar links, oké?’ Maar Kay keek haar onverzettelijk aan. Hij wilde vechten. Billi had zin om hem een klap te verkopen. ‘Schijnbeweging naar links.’

‘Oké,’ zei hij uiteindelijk.

Billi kroop naar de gereedschapskist en haalde er een grote moersleutel uit. Haar linkerarm hing slap langs haar zij, maar ze tilde de sleutel hoog op met haar rechterarm. Ze moest hem hoe dan ook tegenhouden.

Michaël keek toe hoe ze haar kaken op elkaar klemde en naar voren liep. Kay stormde vanaf de linkerkant op hem af, maar Michaël reageerde niet. Billi liet de sleutel met al haar kracht omlaag komen. Michaël reageerde nog steeds niet. De kop van de moersleutel verbrijzelde de zijkant van zijn schedel.

Michaël struikelde achteruit. Billi keek met open mond naar de diepe krater waaruit dik bloed opwelde. Er hingen kleverige klodders in zijn haar en de bovenkant van zijn jas zat vol rode spetters.

Maar toen stopte het bloeden. De gebroken botten begonnen aan te groeien en de diepe deuk herstelde zich. Binnen enkele seconden was het bot weer intact en bedekt met nieuwe huid, waar alleen nog een roze litteken op te zien was.

‘Dump je je vriendjes altijd op deze manier?’ vroeg Michaël. Toen viel hij aan. Billi probeerde zijn aanval op te vangen, maar haar linkerarm reageerde niet. Ze dook weg voor de hamerslag van zijn vuist, maar hij trof haar midden op haar voorhoofd. Er volgde een explosie van sterretjes en ze voelde dat ze viel. Ze klapte tegen de grond. De duisternis kroop haar gezichtsveld binnen en langzaam maar zeker werd alles zwart.

Ze werd half opgetild en half meegesleept door een stel armen en ze voelde een zachte, warme stof tegen haar gezicht. Billi schommelde op het randje van bewustzijn en diep vanbinnen schreeuwde er iets dat ze moest ontwaken, maar het lukte haar niet. Ze zat gevangen in deze nachtmerrie en kon zichzelf er niet uit bevrijden. Ze kreunde wanhopig.

'Hé, je vriendinnetje gaat toch niet over mijn bekleding kotsen?' Er dreef een stem haar bewustzijn binnen, een die ze niet herkende.

'Wees maar niet bang. Ze heeft gewoon een paar gemberbiertjes teveel op,' antwoordde Michaël. 'Ja toch, Kay?'

Er klonk een gespannen gemompel. Kay was tenminste bij haar. Ze liet zich weer wegzakken in de duisternis.

Billi...

15

Billi kwam struikelend de taxi uit. Kay greep haar beet voordat ze kon vallen. Ze probeerde te gaan staan, maar haar evenwichtsgevoel was nog niet hersteld en de grond rolde en stampte.

'Is dit het?' vroeg Michaël. Hij klonk niet erg onder de indruk. 'Het relikwieënschrijn van de tempeliers?'

Billi keek op. O, nee. Elaine's Bazaar. Kay had hen er echt naartoe gebracht. Haar vingers groeven zich dieper in zijn schouders. Wat was hij aan het doen? Het licht op de eerste verdieping was uit. Was Elaine er? Zou ze iemand kunnen waarschuwen?

Nee, het was te laat.

Met z'n drieën stonden ze voor de deur. Michaël pakte de deurknop beet, gaf een korte ruk en de knop kwam met slot en al uit de deur zetten.

'Na jullie,' zei hij.

Kay ging als eerste naar binnen, gevolgd door Billi. Michaël hield zijn hand op haar nek en spoorde haar met een kneepje aan om de duisternis in te gaan.

'De deur naar de kelder is achterin,' zei Kay.

Was hij helemaal gek geworden? Besefte hij niet wat er zou gebeuren als Michaël de Spiegel in handen kreeg? *O, nee. Deed hij dit voor haar?* Ze wierp een zijdelingse blik op Kay. Hij keek strak voor zich uit, emotieloos. Ze moest iets bedenken. Billi balde haar vuisten. Maar ze werd verder de gang in geduwd.

Michaël verbrijzelde het slot van de kleine deur. Kay knipte het licht aan en ging de trap af.

Michaëls vingers sloten zich om haar keel. 'En geen stommiteiten uithalen, jij,' fluisterde hij. Maar zijn stem was gespannen, opgewonden. De Spiegel was bijna binnen handbereik.

In het relikwieënschrijn stond het nog net zo vol als eerst, maar er was wel het een en ander veranderd. De hoeders langs de muren waren schoongemaakt, bijgewerkt en aangevuld met hele ritsen gekalligrafeerde tekens en repen perkament. Er was nauwelijks nog een vierkante meter muur zonder een geverfd symbool of stuk papier met gebeden. Het was zoals haar vader had gezegd. Ze hadden de magische beveiliging aangepast.

En hoe.

Michaël keek niet naar de muren; hij had alleen maar oog voor de grote, zwarte kast. Hij bestudeerde het verbroken Zegel van Salomo. In zijn ogen, zijn schitterende amberkleurige ogen, brandde een demonische honger. Hij duwde Billi van zich af, zodat ze tegen de muur aan viel.

Wat had ze zich vergist. Ongelooflijk. Ze was er van het begin af aan in geluisd. Hij had haar met zijn charmes verleid en zij had aan die verleiding toegegeven. Met als gevolg dat ze nu hier stonden. Dat er een Wachter het relikwieënschrijn van de Tempelorde was binnengedrongen.

Michaël ging voorzichtig met zijn vingertoppen over de bronzen cirkel, alsof hij verwachtte dat die gloeiend heet zou zijn. Maar het koele metaal weigerde hem niet de toegang en hij glimlachte.

'Salomo, jij ouwe dwaas,' zei hij tegen zichzelf. Toen pakte hij de twee bronzen grepen beet en trok de deuren open. 'Eindelijk.'

Hij boog zich naar voren, reikte in de kast en toen zijn handen weer tevoorschijn kwamen, hielden ze de donkerblauwe, fluwelen doos vast. Michaëls ogen waren strak op de doos gericht en hij hield hem omhoog naar het licht. 'Weldra, broeders, zusters.' Hij knipte het deksel open en keek erin. Roerloos bleef hij staan kijken en Billi zag de uitdrukking op zijn gezicht veranderen. Zijn knappe, zelfverzekerde uitstraling maakte plaats voor een groteske, monsterlijke tronie.

'Ik hou niet van spelletjes, SanGreal,' snauwde hij, terwijl hij de doos ondersteboven hield.

Hij was leeg.

Michaël griste een oud zwaard van de muur, liep ermee naar Billi en drukte de punt tegen haar keel. 'Waar is de Spiegel?'

'Hier heel ver vandaan, Gezant.' Uit de schaduw van de trap doemde een gestalte op die de zwak verlichte kelder in kwam. Het was Arthur. 'Ik heb hem hier weggehaald zodra ik hoorde dat het meelijkwekkende geschreeuw van je broeders en zusters had geklonken.' Hij wierp een blik op Kay. 'We wisten dat je vroeg of laat zou opdagen.'

Billi staarde naar Kay. Hij had het geweten?

In zijn rechterhand hield Arthur het tempelierszwaard en in zijn linkervuist bungelde een klein, zilveren crucifix. Hij bleef bij de trap staan, maar zijn zwaard zou de afstand makkelijk kunnen overbruggen. Mike gooide de lege doos op de grond.

'Kom niet dichterbij, tempelier.' Hij duwde de punt van het zwaard zo hard tegen Billi's nek dat er een druppel bloed verscheen. 'Arthur SanGreal. Wist jij, Billi, dat ze zeggen dat er maar twee dingen zijn die Satan vreest? Het Oordeel van God en Arthur SanGreal. Vertel op, Arthur...' Hij deed een stap bij Billi vandaan en zorgde daarbij dat hij op veilige afstand bleef van de grootmeester der tempeliers. 'Wat heb je gedaan dat zelfs de duivel bang voor je is?'

'Kom hier en ik laat het je zien,' zei Arthur, terwijl hij behoedzaam de kelder in kwam.

Billi pakte Kays hand beet en drukte hem tegen de muur.

Ze had er een ongelooflijke puinhoop van gemaakt door Michaël te vertrouwen. Misschien was het maar goed dat Kay het haar niet had verteld.

'Hij heeft mam gedood,' zei ze. Arthur negeerde haar, maar zijn ogen vernauwden zich en zijn vuist om het gevest verstrakte.

'Mis je haar nog steeds, Arthur?' Michaëls grijns was verwrongen van duivels genot. 'Ze wacht op je. In de hel.'

Arthur viel aan. Zijn zwaard bewoog als een bliksemschicht, zo snel dat haar ogen het niet konden volgen. Michaël weerde de slag af. Het gedreun van het beukende staal echode luid tussen de massieve muren. In het zwakke licht werden hun bewegingen een schimmenspel en Billi kon alleen nog maar geschokt toekijken hoe ze met elkaar vochten. Het gezicht van haar vader was koud en onbeweeglijk, en zijn ogen waren strak op die van Michaël gericht. Op zijn instinct en op de aanraking van het staal reageerde hij op de aanvallen, de tegenaanvallen en de blokkeringen. De Duistere Engel was niet minder geconcentreerd, maar de arrogante glimlach verdween geen moment van zijn gezicht, tot op het laatst toe. Toen haakten hun gevesten in elkaar, even maar. Arthur gaf een felle ruk met zijn pols en Michaëls zwaard brak af. Ze keken elkaar aan. Het gevecht was voorbij. Het zweet liep in kleine stroompjes van hun lichamen. Arthur deed een stap naar achteren, liet zijn zwaard omlaag suizen en raakte Michaël in zijn nek. Zijn hoofd vloog van zijn romp, tolde een paar keer om zijn as en kwam toen stuiterend op de grond neer. Het lichaam zwaaide heen en weer, zakte toen door zijn knieën en viel uiteindelijk voorover op de grond.

Billi staarde naar het bloed dat een poel vormde rond de afgehouwen nek. Het lichaam lag op zijn buik met de armen langs de zijden. Michaëls huid werd al bleek vanwege het bloedverlies. Arthur trok het stoffige tafellaken van de tafel en gooide het over het lijk. 'Bel Parsifal. Er moet hier opgeruimd worden.'

'Wacht even,' zei Billi. Ze kon haar blik niet losmaken van het hoofd. De ogen staarden nietszeggend omhoog. 'Weet je zeker dat hij dood is? Ik heb zijn hoofd een uur geleden gekliefd, maar de wond groeide gewoon weer dicht.'

Kay kwam naast haar staan. 'Hij is echt dood. We hebben de hoeders hier versterkt. Michaëls macht zou worden tenietgedaan op het moment dat hij het relikwieënschrijn betrad.'

'Hadden jullie dit gepland?'

Kay keek haar ongemakkelijk aan. 'Ik wilde het je wel vertellen, Billi, maar het leek Arthur beter...'

'Parsifal en ik hebben deze plek de afgelopen week om beurten in de gaten gehouden, ook al wisten we niet zeker of er iemand zou komen.' Arthur klonk vreemd schor. 'Maar ik moet bekennen dat ik nogal verbaasd was dat jouw vriendje de Engel des Doods bleek te zijn.'

Billi stoof op Arthur af en stompte hem op zijn borst. 'Jij hebt Kay wel op de hoogte gebracht van je plannetjes en mij niet? En dan vraag je je nog af waarom ik dit hele gebeuren zo haat...'

Arthur liet zijn zwaard vallen en sloeg dubbel. Zo hard had ze hem niet gestompt! Hij hoestte en spuugde een bloederige klodder uit.

'Pap?'

Zijn gezicht was lijkbleek en hij hapte naar adem. Billi rukte zijn jas open.

En zag de donkerrode vlekken op zijn borst.

'Billi,' zei hij, terwijl het roze schuim uit zijn mond droop. Zijn buik was nat van het bloed en nu pas zag ze de scheur in zijn jas. Hij glimlachte zwak. En stortte neer.

Billi greep hem beet, maar hij was te zwaar en ze tuimelde achterover toen zijn benen het begaven. Kay kwam op haar af gesneld en samen legden ze hem voorzichtig op zijn rug. Arthur schokte toen hij werd overvallen door een hoestbui. De bloederige klodders spuug waren al donkerder van kleur.

'Bel een ambulance, schiet op!' schreeuwde ze.

De wond zat net onder zijn ribben, aan de rechterkant. Zijn hart was niet geraakt, maar te oordelen naar het schuim zijn long wel. Hij verdronk in zijn eigen bloed.

Het leek zo'n kleine wond! Ze probeerde hem met haar handen te bedekken, maar door het bloed glibberde ze alle kanten uit. Er biggelden tranen omlaag en haar vader pakte haar hand beet. Bij elke ademhaling kwam er een weerzinwekkend, zuigend geluid uit de wond. Haar vingers gingen trillend over zijn koude buik. Het bloed zag er zo zwart uit in het gedempte licht en er was zo veel. Ze kon het bloeden niet stoppen. Hij zou sterven. O god, wat had ze gedaan?

'Dicht de wond, Billi,' fluisterde haar vader. Met moeite hield hij zijn ogen open; zijn pupillen waren verwijd en zijn oogleden trilden. Billi keek wanhopig om zich heen, op zoek naar iets om de long mee af te dichten. Ze liep naar de tafel, rommelde in de la en vond wat ze zocht: een rolletje plakband en een stuk plastic. Toen ze bij haar vader terugkwam was hij bewusteloos. Ze kon nog net het plakkerige gesuis horen van de lucht die uit zijn longen stroomde. Verblind door de tranen scheurde ze repen plakband met haar tanden af, vouwde het plastic tot een vierkant en bedekte het gat ermee. Ze had bijna de hele rol opgebruikt voordat het plastic eindelijk bleef zitten. Haar vader zag steeds bleker en van zijn ademhaling was nog maar een fractie over. Ze pakte zijn hand; iets anders kon ze niet bedenken. Hij lag als een dood stuk vlees in de hare, zonder warmte of leven. Niet meer dan dood vlees.

Toen hoorde ze iets zoemen: haar vaders mobiele telefoon. Ze haalde hem uit zijn jaszak en keek op het display. Ze herkende het nummer onmiddellijk.

'Pars, kom snel! Mijn vader!' Ze keek naar het bleke, met zweet bedekte gezicht. 'Mijn vader.'

'Wat is er gebeurd?' Pars' stem klonk gespannen en de lijn kraakte.

'Hij is gewond. Hij is er slecht aan toe, Pars, heel slecht. Er is een ambulance onderweg.'

'Een ambulance? Billi, je weet dat je eerst met mij had moeten overleggen, of met Gwaine. In de Tempelregel...'

'Mijn vader gaat dood! Je kan mijn rug op met je Tempelregel!'

‘Oké, Billi. Het is oké.’ Ze hoorde hem met iemand praten. Ze vroeg zich af met wie. Gwaine? ‘Waar? Wat is er gebeurd?’

‘We zijn in het relikwieënschrijn. Mijn vader heeft de Wachter gedood.’ Ze dwong zichzelf niet naar het onthoofde lijk in de hoek te kijken.

‘Een lijk? Daar? Luister, Billi. Je moet Arthur daar weghalen.’

Weghalen? Dat was onmogelijk. Stel dat hij weer ging bloeden?

‘Pars, hij moet hier blijven. Ik kan hem hier niet weghalen.’

Het bleef lange tijd stil aan de andere kant. ‘Billi, je begrijpt het niet. Je vader heeft zojuist iemand vermoord. Dat is wat de politie zal denken. Je moet hem daar weg zien te krijgen. Anders gaat hij de gevangenis in.’

Jezus, dit is gestoord. Maar Pars had gelijk. Ze keek naar haar vader. ‘Oké, Pars. Maar kom snel. Heel snel.’

‘Ik ben er in vijf minuten.’ De verbinding werd verbroken.

16

Op de een of andere manier lukte het om Arthur tussen hen in naar buiten te dragen. Ze wilden hem net voor de winkel op de stoep neerleggen, toen Billi het onmiskenbare gebulder van Pars' motor hoorde. Hij had woord gehouden en was in vijf minuten gearriveerd. Met piepende banden kwam hij tot stilstand. Hij gooide zijn helm op de grond en rende op hen af. Billi liet haar vader langzaam op de grond zakken en samen met Pars legden ze hem voorzichtig neer. Ze vouwden Pars' motorjack op, stopten het onder zijn hoofd en legden hem uiteindelijk in een stabiele zijligging.

'Volhouden, Art,' zei Pars, terwijl hij zijn pols opnam. Hij legde zijn hand op die van Billi. 'Oké, nu nog een goed verhaal. Niet te ingewikkeld. Hebben jullie al iets bedacht?'

Kay wees naar de vernielde voordeur. 'We zeggen dat we hier samen met Arthur liepen en dat hij toen iemand zag inbreken in de winkel. Hij stak de straat over, ze vochten en hij viel neer.' Kay keek naar Billi. 'We waren te ver weg om de aanvaller goed te kunnen zien. Gemiddelde lengte, gemiddeld postuur. Gewoon gemiddeld.'

Pars knikte. 'Dat moet lukken. Heb je het, Billi?'

Ze kon haar oren niet geloven; haar vader lag op sterven en zij waren verhaaltjes aan het verzinnen. 'Ik heb het,' zei ze met droge keel.

Toen de ambulance met loeiende sirene en zwaaiende lichten aan kwam rijden, verschenen er overal mensen op straat. Met een jas over hun pyjama of nachthemd stonden ze in de portieken en deuropeningen te kijken naar de verplegers die haastig de ambulance uit kwamen en zich over Arthur heen bogen. Pars trok Billi naar achteren zodat ze hun werk konden doen. Even later arriveerde ook de politie. De daaropvolgende minuten waren een chaos van vragen, felle lampen en tegenstrijdige emoties. Haar vader was gestoken. Ze diste de politie hun verhaal op: de inbreker, het handgemeen en toen was hij in elkaar gezakt. Nee, ze kon zich niet meer herinneren wat de inbreker had gedragen of hoe hij eruit had gezien of welke kant hij uit was gevlucht. De agent had het al snel bekeken en noteerde haar gegevens; ze zou nog van hen horen.

Billi ging in de ambulance naast haar vader zitten en hield zijn hand vast, terwijl de verplegers hem aansloten op de monitors. Pars omhelsde haar. Kay stond een paar meter verderop.

'Ik zit vlak achter jullie,' zei Pars.

'En Mike?'

'Daar zorg ik wel voor. De anderen zijn onderweg.' Hij pakte haar nog een laatste keer beet. 'Zorg jij maar voor je vader.'

Tegen de ochtend verhuisden ze Arthur van de operatiekamer naar een ziekenhuisbed. Billi zat naar haar vader te kijken; wat leek hij oud. Het zwakke licht van de ochtendzon gaf zijn gezicht een lijkachtige glans. In het ziekenhuisbed zag hij er klein en meelijwekkend uit. Er staken lelijke, gele slangetjes uit zijn mond en neusgaten. Zijn ogen waren half gesloten: de stralende, blauwe ogen die altijd zo krachtig en vol leven waren geweest, waren nu dof en leeg.

Had zij dit allemaal aangericht? Als ze niet zo vol haat was geweest, had ze zich misschien gerealiseerd dat Mike de Duistere Engel was. En nu lag haar vader hier.

Het is allemaal mijn schuld.

Billi dwong zichzelf naar hem te blijven kijken. Zijn broze inademing werd telkens gevolgd door het zwakke fluiten van zijn uitademing. Het geluid was een even grote kwelling voor haar oren als zijn bleke gezicht voor haar ogen. Ze had de pest aan ziekenhuizen. De laffe geur van opgewarmd eten, het geratel van de stalen bedden. Ze keek naar haar vaders bleke handen. De huid leek zo dun en de aderen zo blauw. Ze stak haar hand uit en pakte ze beet, bang voor de koude aanraking. Ze waren slap en klam. Ze kneep er zo hard mogelijk in en smeekte om een reactie. Een kleine beweging, iets van een teken.

Alsjeblieft, geef me een teken van leven. Eentje maar.

Er werd op de deur geklopt.

Kay kwam binnen.

'Hoe is het?' vroeg hij. Hij stak zijn hand uit en stokte halverwege een aanraking en een omhelzing. Zijn ogen waren samengeknepen, niet alsof hij haar gedachten probeerde te lezen, maar alsof hij zich zorgen om haar maakte, als een gewoon mens. Billi keek naar zijn hand totdat hij hem liet zakken. 'Het spijt me.'

'Wist je het echt niet?' vroeg ze.

'Wat?'

'Dat Michaël de Wachter was?'

Kay schudde zijn hoofd. 'Nee. Hoe kun je dat nou denken, Billi? Ik zou hem nooit bij je in de buurt hebben gelaten.'

'Je was dus zelfs niet sterk genoeg om te zien wie hij werkelijk was?'

'Maar... Hij was de Duistere Engel. Hij... Zijn macht is zelfs voor mij veel te groot om...' Kay zweeg van zijn stuk gebracht.

Dat was vals. Ze wist dat het niet eerlijk was. Maar ze moest iemand de schuld geven. Ze wilde geloven dat het niet haar schuld was, maar hoe ze ook haar best deed, ze wist dat zij de aanstichter was van deze puinhoop, zij en niemand anders.

Kay deed een stap dichterbij. 'Billi, kwel jezelf niet zo.' Hij had haar gedachten opgevangen. 'Niemand had kunnen weten dat...'

'Dat ik een Duistere Engel regelrecht naar de Spiegel zou brengen?' Dat had ze gedaan, toch? Hoe ze ook haar best deed zichzelf te verontschuldigen, zij had hem ernaartoe gebracht. En Kay had haar gered. Fijne tempelier was ze aan het worden. Hoe langer ze hier bleef, hoe meer ellende ze zou veroorzaken. Die last wilde ze niet met zich meetorsen.

'Waar is Pars?' vroeg ze.

'Beneden met Gwaine en de rest. Ze wachten op je.'

'Zijn ze allemaal hier? Waarom?' Vlak voordat Kay zijn ogen afwendde en door het raam naar buiten keek, zag ze zijn schuldige blik en wist ze het antwoord. 'Jezus, ze laten er geen gras over groeien, hè?'

Ze waren hier omdat Arthur op sterven lag. Ze waren hier om zijn opvolger te benoemen. De ridders konden de Orde moeilijk zonder leider laten zitten, nietwaar? Nou, ze konden haar rug op. Wat haar betrof mocht Gwaine zó grootmeester worden. De Orde had haar toch niets dan ellende gebracht. Eerst haar moeder, nu haar vader. Ze keek weer naar hem, zo grauw en plotseling zo oud. Niets was een dergelijk offer waard.

Ze voelde een sprankje hoop. Misschien zou Gwaine een uitstekende grootmeester zijn en als – nee, niet als, maar wanneer – wanneer Arthur eenmaal genezen was zou hij niet meer nodig zijn. Als de tempeliers niet meer zo'n zware last hoefden te dragen, zou Arthur misschien een normale vader kunnen worden. Dan zou zij, en niet de Orde, voor hem op de eerste plaats komen. Hij zou zelfs van haar gaan houden. Het was een laffe gedachte, maar ze had altijd gedacht dat haar vader onkwetsbaar was. Nu ze hem zo zag liggen, werd ze overmand door angst. Billi had gedacht dat ze hem haatte, maar het was niet waar. Ze kon hem niet haten. Hij was alles wat ze had.

'Hij is een taaie, Billi. Hij redt het wel.' Kay legde zijn hand op haar schouder. 'Jij redt het wel.'

Ze schonk een glas water voor zichzelf in. 'Hoe ging het opruimen?'

'Dat kun je Gwaine beter vragen.'

Billi kwam overeind. De toon waarop Kay had geantwoord deden alarmbellen rinkelen. 'Wat is er aan de hand, Kay?'

Kay trok een gezicht en keek of de deur dicht was. 'Er is iets fout gegaan, Billi,' fluisterde hij. 'Er lag niemand in de kelder. Michaël was verdwenen.'

De pracht en praal waarmee het kiezen van een nieuwe grootmeester ooit gepaard ging, was nu ver te zoeken. Vroeger zou een select gezelschap van ridders bij elkaar zijn gekomen in de Tempelkerk om te bidden en een wake te houden alvorens een nieuwe leider te kiezen. Nu werd er gestemd in de cafetaria van een ziekenhuis.

Gwaine zat aan het hoofd van de witte formica tafel. Hij leek rustig, maar niets kon de gretige blik in zijn ogen verhullen. Nu Arthur bijna dood was, zou hij hem opvolgen, waarmee zijn droom eindelijk werkelijkheid werd.

Allemaal door haar toedoen.

Pars stond op en omhelsde haar.

'Hoe is het met die ouwe?'

Billi wist niet wat ze moest zeggen. Bijna dood? Ze drukte haar hoofd tegen Pars' borst. Toen schoof hij een stoel voor haar naar achteren. Er stond al een kop thee voor haar klaar.

Bors keek even op van zijn broodje warm vlees en scheurde er toen met zijn tanden een stuk van af, dat hij luid smakkend opat. Berrant liet zijn bril zakken en keek Billi glimlachend aan. Vader Balins vingers gingen klikkend langs de kralen van zijn rozenkrans. Gareth en Pelleas waren er ook al. Kay nam naast hen plaats.

'Mooi zo, nu iedereen er is, kunnen we spijkers met koppen slaan. Om te beginnen de debriefing: Kay heeft me alles verteld en ik ben tot een conclusie gekomen.' Hij spreidde zijn handen uit op tafel. 'Het is duidelijk dat Michaël vernietigd is. Het is niet ongebruikelijk dat het lijk verdwijnt. Het was een etherisch wezen en hij is gewoon weer verdampt in de ether.'

'Maar Arthurs zwaard dan? Dat is ook verdwenen,' zei Kay.

Gwaine haalde zijn schouders op. 'Besmet door etherisch bloed en waarschijnlijk ook verdampt. Simpel.'

'Het lijkt me iets te simpel...' zei Balin. Hij schudde zijn hoofd. 'Ik weet het niet. Wat heeft Elaine over dit alles te zeggen?'

Gwaine trok een kwaaiig gezicht. 'Elaine is spoorloos. En de Vervloekte Spiegel ook.' Hij keek de tafel rond. 'Maar daar kunnen we nu weinig aan doen. Nu staan er andere dingen op de agenda.'

'Vergeet je niet iets?' beet Pars hem toe. 'Moet we niet eerst bidden om Arthurs spoedige en volledige herstel?'

Gwaine keek hem dreigend aan en schraapte toen zijn keel. 'Natuurlijk. Vader, als u zo goed wilt zijn?'

Ze bogen hun hoofd en Billi bad. Ze bad dat haar vader in leven bleef. En dat dit nooit weer zou gebeuren. Het was op het nippertje geweest. De volgende keer zou er door haar toedoen iemand kunnen doodgaan. Er zou geen volgende keer zijn, besloot Billi.

Na een minuut tilde Gwaine zijn hoofd op. 'Aan de slag. Eigenlijk is het simpel. Nu Arthur eruit ligt, verzoek ik jullie hierbij officieel mij het commando te geven over de arme ridders van Christus en van de tempel van Salomo.'

'Tijdelijk,' zei Gareth. Hij had gelijk. Arthur was nog niet dood en dus kon Gwaine alleen waarnemend grootmeester zijn. Gwaine trok een gezicht en keek de tafel rond.

'Ik weet dat we allemaal veel van Arthur houden, maar we moeten toegeven dat zijn manier van werken nogal riskant is. Kijk maar naar wat er vannacht is gebeurd. Ik heb... bepaalde plannen met de Orde. We moeten onze kracht hervinden. Nieuwe leden rekruteren.'

'Zoals wie?' Pars' ogen vernauwden zich.

'De Rode Ridders.'

Iedereen hapte naar adem. Billi kon haar oren niet geloven. De Rode Ridders waren religieus gespuis, fanatici van de bovenste plank. Geen haar beter dan de straatbendes die allochtonen overhoop sloegen en winkeliers bekogelden met brandbommen. Meende hij het echt?

'Dat zou Arthur nooit goed vinden,' zei Balin. 'Dat station zijn we allang gepasseerd.'

Berrant knikte instemmend. 'De Bataille Ténébreuse is alleen tegen de goddelozen gericht en niet tegen onze medemens.'

Gwaine hief zijn handen. 'Ik weet dat ze soms wat overijverig zijn, maar we kunnen ze in goede banen leiden. Trainen en temmen.' Hij keek naar Pars. 'Ze zijn niet erger dan Arthur toen ik hem rekruteerde.'

'Arthur heeft nooit moskeeën in de as gelegd,' zei Pars.

Gwaine keek naar de anderen in de hoop op bijval. Het enige wat hij kreeg waren koele blikken. 'Oké, we hebben het wel een andere keer over de Rode Ridders. Maar de vraag blijft staan: benoemen jullie mij tot grootmeester?'

Balin zuchtte, maar boog zijn hoofd. Bors, bij wie het vet langs zijn kin droop, knikte gretig. Gareth en de anderen stemden in, net als Kay, ook al wist hij dat zijn leven er onder Gwaine niet makkelijker op zou worden. Hij was een tempelier en als tempelier gehoorzaamde hij de Tempelregel, de oude wetten uit de tijd dat de Orde was gesticht. Pars haalde zijn schouders op. Ze keken allemaal naar Billi.

'Op één voorwaarde,' zei ze.

'Dit is niet iets om over te onderhandelen, schildknaap. Het is ja of nee,' zei Gwaine. Zijn stem was zacht, maar de onderliggende woede klonk er duidelijk in door. De uitslag moest unaniem zijn.

Billi haalde diep adem. Ze had niet alleen zichzelf in gevaar gebracht, maar ook Kay en haar vader. Vroeg of laat zou het weer gebeuren en ze wilde niemands bloed aan haar handen.

'Je krijgt mijn stem, Gwaine. Maar alleen op één voorwaarde.' Billi sloot haar ogen en liet haar hoofd zakken. 'Ik wil de Orde verlaten.'

Pars boog zich naar voren. 'Billi...'

'Nee, Pars. Dat is voor iedereen het beste.' Ze wilde haar ogen niet openen. Ze was bang dat ze dan van gedachten zou veranderen. Iedereen viel stil. Uiteindelijk keek ze op en haar blik kruiste die van Gwaine. Hij grijnsde zelfgenoegzaam: de overwinning was aan hem.

'Verzoek ingewilligd.'

17

Billi was dus weg bij de Orde. Van het ene op het andere moment. Verdwaasd verliet ze het ziekenhuis. De arts had gezegd dat ze rust moest nemen en na school weer op bezoek kon komen. Ze had nauwelijks oog voor de overvolle wachtruimte bij de receptie en de rijen zieke kinderen die in de gangen in een rolstoel zaten te wachten op een ambulance die hen naar een ander ziekenhuis zou brengen omdat hier alle bedden bezet waren. Billi zag de vermoeide, angstige gezichten van de ouders, maar ze was te uitgeput om medelijden te voelen. Verdoofd vroeg ze zich af of dit Michaëls werk was. Maar die was nu dood. Het was voorbij.

In huis was het koud en stil. Billi liet haar jas op de grond vallen en ging op de automatische piloot direct naar de keuken. Ze zette theewater op en deed twee boterhammen in de broodrooster. Ze keek de lelijke, schaars ingerichte ruimte rond. Hier hadden ze vijf jaar geleden haar toekomst bezegeld: dat ze tempelier zou worden.

Balin bij het aanrecht, Gwaine op het bankje ertegenover, Pars bij de kast en haar vader hier, op deze stoel. De afgehakte arm in de vuilniszak had hier gelegen, op deze tafel. Billi ging met haar hand over het morsige oppervlak. Er zaten oude, donkere vlekken in het hout. Bloed? Het zou haar niets verbazen.

De voordeur ging open en Billi's hart sloeg over. Haar vader? Eén waanzinnig moment lang dacht ze dat hij het was, dat hij op wonderbaarlijke wijze was hersteld en naar huis was gekomen. Ze sprong op van haar stoel en rende naar de keukendeur.

'Billi?' riep Pars. Hij stampte zijn schoenen schoon op de mat. 'Waar ben je, meisje?'

'Hierboven.' Ze boog zich over de leuning. Misschien had hij nieuws. 'En? Hoe is het met mijn vader?'

'Hij slaapt.' De treden kraakten toen Pars de trap op kwam. 'Maak je maar geen zorgen over hem.'

Billi liep terug naar de ketel met borrelend water. Ze pakte twee bekers en de doos met theezakjes uit de kast. Een klontje suiker voor haar, een lepel honing voor hem. Ze rook aan de melk voordat ze hem in de thee deed.

De planken kraakten toen Pars bij de deuropening bleef staan. Ze wist waar hij op wachtte. Maar ze was eruit gestapt en zou niet meer teruggaan. Ze schoof zijn beker naar het uiteinde van de tafel, pakte de hare en ging aan de andere kant zitten.

'En hoe gaat het met jou?' vroeg hij. Hij liet zich op het krukje zakken. Het zag er lachwekkend uit; zijn knieën zaten klem tegen de onderkant van de tafel.

'Ik weet wat je denkt. Maar het is echt beter zo, Pars. Ik kan het niet.' Ze keek hem aan. 'Ik heb hem erheen gebracht. Door mij is mijn vader bijna gedood.'

'Arthur zou hem vroeg of laat toch zijn tegengekomen, Billi. Dit komt niet allemaal door jou. Onze strijd tegen de goddelozen eist nu eenmaal zijn tol.'

Alsof zij dat niet wist. Haar moeder, haar vader, bijna. De orde der tempeliers was zo goed als uitgestorven. Maar dat was haar probleem niet meer.

Pars sloeg zijn thee naar binnen. 'Ik heb Gwaine gevraagd om wachtposten bij Arthur neer te zetten. Het lijkt erop dat Michaël dood is, maar ik ben er niet gerust op. Ik neem liever het zekere voor het onzekere.'

'Denk je dat iemand iets gaat uithalen?' Arthur had vijanden. Heel veel vijanden.

'Daarom wil ik een wacht.' Hij keek de keuken rond. 'Ik zal mezelf hier installeren.' Hij grinnikte. 'Een tijdje komen babysitten. Ik zal vanavond mijn spullen hierheen halen. Net als in die goeie ouwe tijd, nietwaar?'

Billi knikte. Ze wilde hier niet alleen zijn. Pars zou voor haar zorgen; dat had hij altijd al gedaan. Hij boog zich naar haar toe en gaf haar een zoen op haar voorhoofd. 'Ga jij maar lekker slapen.'

Die avond keek Billi door het raam van de studeerkamer naar de mensen buiten. Het was druk; ze had nog nooit zo veel mensen in Inner Temple gezien, zeker niet op dit tijdstip. Kay tuurde over haar schouder en zijn haar streek langs haar wang.

'Balin zal blij zijn,' zei hij. 'Volgens mij is het nog nooit zo vol geweest in de kerk.'

Hij had gelijk: ze gingen allemaal naar de Tempelkerk. Of de St. Brides's. Of de St. Paul's. Of misschien naar de moskee bij Regent's Park. Een gestage stroom mensen, onder wie veel kinderen, zocht zich een weg over de donkere straten.

'De gelovigen,' zei Kay.

'De angstigen,' reageerde Billi. De kranten stonden vol met verhalen over mysterieuze ziekten. Was het een onbekend supervirus? Of een nieuw voedselalarm? Niemand kon het zeggen. Elk kind dat maar even hoestte of verhoging had, werd onmiddellijk naar het ziekenhuis gebracht. En dan was dit nog maar het topje van de ijsberg. Terwijl zij het havenziekenhuis in de gaten hielden, was Michaël erin geslaagd tientallen plekken te besmetten, en niet alleen ziekenhuizen. Billi werd misselijk bij de gedachte dat het waarschijnlijk gebeurd was vlak voordat hij haar in het café had ontmoet, voordat hij haar had verleid met hem het flatgebouw op te gaan.

Ze keek naar de mensen op straat en vroeg zich af hoeveel erger het was geworden als hij de Spiegel had bemachtigd. Maar deze hysterie zou niet lang aanhouden. Nu Michaël was verdwenen zouden de kinderen die hij had besmet weer beter worden. De paniek zou overgaan en de kerken zouden weer leegstromen.

'Billi...'

'Laat maar, Kay. Ik heb dit gesprek al met Pars gevoerd.' Ze wendde zich van het raam af. 'Ik ben eruit gestapt.'

'Maar waarom? We hebben Michaël verslagen. We hebben de eerstgeborenen gered. Je hebt het goed gedaan.'

'Is dat zo?' Waarom voelde ze dan die afschuwelijke leegte vanbinnen? Het leek van geen kanten op een overwinning. Na het Oordeel had ze zich ook zo gevoeld. 'Mijn vader heeft zelf gezegd dat we moeilijke beslissingen moeten nemen. Dat heb ik gedaan en het heeft hem bijna zijn leven gekost. Ik kan dat soort beslissingen niet aan.'

'En dus laat je ze maar over aan mensen als Gwaine?' Er klonk bitterheid door in zijn stem toen hij de naam uitsprak.

'Maakt hij je het leven al zuur?'

Kay zuchtte vermoeid. 'Hij vertrouwt me niet. Hij denkt dat ik tijdens mijn verblijf in Jeruzalem ben ontaard.'

'Hoezo?'

'Ik ben niet alleen bij christenen in de leer geweest, weet je nog?' Kay haalde zijn schouders op. 'Op religieus gebied is hij nogal van de oude stempel.'

Billi keek naar Kay, die met zijn handen om zijn knieën geslagen op de vensterbank zat. Het maanlicht gaf zijn toch al bleke gezicht een marmerachtige glans. Zijn haar hing in zilveren strengen langs zijn diepblauwe ogen omlaag.

De studeerkamer was op zolder. Hij had een laag plafond en kleine ramen in het schuine dak. Langs de muren bevonden zich volgestouwde boekenplanken en tussen de oude kaarten en schilderijen was nauwelijks nog een stukje behang te bespeuren. Het vloerkleed was verschoten rood en bijna de hele ruimte werd in beslag genomen door een groot, eiken bureau waarvan het bovenblad met bleekgroen leer was bekleed. In het midden stond een eenvoudige bronzen houder met een ondiepe uitholling voor een pen en twee half gevulde inktflesjes: één met zwarte en één met rode inkt. Links lag haar vaders laptop. Het zachte, blauwe schijnsel van het scherm vermengde zich met het zwakke licht van de wandlampen. Aan weerszijden van de ramen hingen zware gordijnen met dikke plooien waar donkere schaduwen in schuilgingen.

Ze hadden uren en uren in deze kamer doorgebracht. Hier had Balin hun Latijnse les gegeven. Ze hadden er de oude tempelierslogboeken gelezen en zich voorgesteld hoe het moest zijn geweest om een held te zijn. De verhalen hadden op sprookjes geleken, vol met gevechten, monsters en heldhaftige levenseinden. Maar de verhalen hadden gelogen. Vechten was een misselijkmakende verschrikking en geen enkele dood was glorieus of nobel. In werkelijkheid was het eenzaam, beangstigend en wreed. Ze keek naar Kay en plotseling werd ze overmand door vrees.

'Stap eruit, Kay.' Ze liet haar blik op haar handen rusten. Ze waren brandschoon. Na lang boenen had ze haar vaders bloed onder haar nagels vandaan gekregen. 'Ga weg bij de tempeliers.'

'Dat kan ik niet.'

'Waarom niet? Gwaine wil je niet. Elaine is verdwenen. Je kunt er nu uit.' Hoe langer ze erover nadacht, hoe beter het klonk. Zij tweeën en haar vader, uit de Orde.

Kay schudde zijn hoofd. 'Ik heb mijn verplichtingen binnen de Orde. Met of zonder Gwaine.'

‘Die komen bij jou op de eerste plaats, hè?’

‘Ja.’

‘Waarom ben je dan naar dat flatgebouw gegaan? Dat klonk nogal persoonlijk.’

Kay aarzelde. Hij keek haar aan, en keek toen snel weer weg, alsof hij bang was dat ze iets zou zien.

‘Het doet er niet toe,’ zei hij.

‘Wat had Michaël in dat sms’je gezet?’

Kay stond abrupt op. ‘Ik zei dat het er niet toe doet.’

‘Heb je me gemist, Kay?’

Kay wierp een blik op de deurknop en begon door de kamer te ijsberen, terwijl hij met zijn handen door zijn haar ging en aan de klitten trok.

‘Het gaat gewoon niet.’ Hij bleef onrustig staan, met zijn rug naar haar toe, en stak zijn handen in zijn zakken. ‘Een Orakel mag zich niet emotioneel binden. Het vertroebelt zijn oordeel. Daarom kon Michaël me in de val lokken. Ik wilde… het geloven.’

‘Wat?’

‘Ik kan niet helder denken met jou in mijn buurt.’ Hij draaide zich woest om. Zijn gezicht bevond zich op een paar centimeter van het hare en de warme adem die tussen zijn half geopende lippen naar buiten stroomde, streek langs haar wimpers. Hij raakte haar niet aan, maar Billi voelde zijn nabijheid en werd erdoor verlamd. Dit was Kay. Ze waren samen opgegroeid. Ze had nooit… op deze manier over hem gedacht.

Toch?

Hij deed een stap achteruit.

‘Ik kan het niet, Billi.’ De woorden deden hem zichtbaar pijn. ‘Ik kan niet om jou geven.’

Billi stond als aan de grond genageld. Het was alsof er een dolk in haar hart werd gestoken.

‘Het zou me vernietigen,’ fluisterde hij.

De deur ging open en Pars kwam binnen met een dienblad in zijn handen. Hij had zijn mouwen tot aan de ellebogen van zijn boomstammen van onderarmen opgestroopt. Zijn schort, dat ternauwernood zijn buik bedekte, had hij nog aan. Hij zette het dienblad op het bureau en liet zich vervolgens met een beker in zijn hand in een van de leunstoelen zakken.

Billi ging in haar vaders stoel zitten, een oude leren leunstoel. Hoe had Kay dat kunnen zeggen? Niet hij ook nog eens. Hij had de Orde verkozen boven haar. Net als haar vader.

'Nog nieuws van Elaine?' vroeg Kay gespannen aan Pars. Hij ontweek Billi's blik.

Pars haalde een schouder op. 'Niks. Art heeft haar waarschijnlijk gezegd dat ze moest onderduiken voor het geval hij Michaël niet zou verslaan.' Hij keek Kay aan. 'Kun jij niet, hoe zeg je dat, oppikken waar ze zit?'

'Nee. Elaine is niet paranormaal begaafd, maar ze kent wel een paar trucjes. Je zult haar op geen enkele radar zien. Als ze de Spiegel bij zich heeft, zit ze waarschijnlijk op een locatie die volledig is afgeschermd met hoeders en spreuken.'

Pars keek op zijn horloge. Even na middernacht. Hij wees naar de telefoon op het bureau. 'Berrant staat op wacht in het ziekenhuis. Laten we hem even bellen om te vragen hoe het met je vader is.'

Gelukkig heb ik Pars nog. Ze had haar vader na schooltijd nog gezien en Pars kwam er net vandaan. Als het om haar vader ging, had de grote West-Afrikaan met al zijn kracht en vastberadenheid een heel klein hartje. Hij was waarschijnlijk haar vaders enige echte vriend. En haar enige echte vriend.

Pars toetste het nummer in. 'Berrant? Alles in orde?' Hij knikte. En verstijfde toen. 'Wat bedoel je, ze hebben je overgeplaatst? Wie is er nu bij Arthur?'

Billi sprong op en haar beker viel kletterend op de grond. Ze staarde naar Pars' verbijsterde gezicht en paniek maakte zich van haar meester. Pars gooide de hoorn op de haak. Hij bleef een seconde naar het toestel staan kijken en rukte toen zijn schort af.

'Gwaine heeft de wachtposten bij Arthur weggestuurd. Berrant dacht dat ik hem zou vervangen.'

Billi probeerde haar trillende handen stil te houden. 'Waar is Berrant nu?'

'In Kent. Gwaine heeft hem daar naartoe gestuurd omdat er iets schijnt rond te spoken.'

'Waar zijn de anderen?' vroeg Kay.

'Allemaal een teringeind weg,' vloekte Pars.

Er stond niemand op wacht bij haar vader.

18

Ze namen Arthurs oude Jaguar, maar ze waren gedwongen stapvoets te rijden. Er was een dichte mist over de straten neergedaald, waardoor het zicht niet meer dan een paar meter was. Terwijl ze het ziekenhuis probeerden te bereiken, kolkten er spookachtige, witte mistflarden langs de auto. De parkeerplaats stond helemaal vol, zodat ze de hoek om gingen naar de los- en laadplekken en de parkeerplaatsen voor vergunninghouders. Parsifal parkeerde naast een nooduitgang. Kay en Billi stapten uit.

Parsifal dook de auto in en maakte de onzichtbare vergrendelingen achter de achterbank los. Hij kantelde hem naar voren, zodat de wapens zichtbaar werden die er lagen opgeborgen, stevig verpakt in schuimrubber en plastic om het geratel tegen te gaan. Hij pakte de *wakizashi*, een enkelzijdig, kort Japans zwaard, trok de schede die onder zijn jasje op zijn rug hing recht en liet het zwaard erin glijden. Billi pakte een paar losse bajonetten en een borstholster. Ze maakte de riemen met een geroutineerde beweging korter en stak toen haar twee dolken op hun plek. Ze trok haar jas aan, kruiste haar armen over haar borst en trok haar wapens één keer, twee keer en een derde keer tevoorschijn, zodat ze ze uiteindelijk in één soepele beweging in haar handen had. Ze deelde de flesjes met wijwater en de crucifixen uit en gooide toen de achterbank weer omlaag. Hij klikte in het slot.

'En ik dan?' vroeg Kay.

Parsifal lachte. 'We gaan vechten, Orakel. Ik wil dat jij je uit de voeten maakt.'

'Dat is niet eerlijk! Ik kan toch ook vechten?' Hij stak zijn hand uit. 'Vooruit, geef mij ook iets.'

Billi en Parsifal keken elkaar aan en antwoordden tegelijkertijd. 'Nee.'

Kay mompelde iets binnensmonds en Pars legde zijn hand op Billi's schouder.

'Geen hoogstandjes, oké? Als het faliekant fout dreigt te lopen, ga dan voor het snelle effect: borst, keel, buik... in die volgorde. Begrepen?'

Billi knikte. Ze hoopte vurig dat het niet zover zou komen.

Pars keek naar het gebouw voor hen. 'Ik ga jullie voor naar boven. We gooien Art over onze schouder en maken ons uit de voeten. De commanderij van Canterbury heeft een ziekenboeg. We verplegen hem daar wel verder.'

'En Gwaine?' vroeg Billi. Die smeerlap had haar vader alleen achtergelaten.

Pars ritste zijn jas dicht. 'Dat regel ik wel. Kay, ben je zover?'

Kay staarde in de mist, die nog dikker leek te zijn geworden. Het gedempte, schimmige licht van de lantaarnpalen drong nauwelijks door de zware deken van koude, witte nevel heen. Het was alsof ze omringd waren door een leger van spoken. Hij huiverde, keek toen achterom naar Billi en schonk haar een flets glimlachje.

'Ik ben klaar,' zei hij.

De achteringang van het ziekenhuis was dag en nacht open en er was een minimum aan beveiliging. De twee grote rolluiken stonden open en in elk stond een vrachtwagen. Op het laadplatform schenen felle lichten en twee wasserijmedewerkers duwden uitpuilende containers de achterkant van de vrachtwagens in. De chauffeur stond tegen de voordeur geleund een sigaret te roken. Pars dook onder de slagboom door en liep naar een van de dienstingangen. Hij zwaaide nonchalant naar de rokende chauffeur en ging naar binnen, op de voet gevolgd door Billi en Kay.

Er stonden nog meer wascontainers in de gang, sommige met vuile lakens en handdoeken vol vlekken, andere met keurige stapels fris ruikende was. De geur maakte echter snel plaats voor de scherpe stank van ontsmettingsmiddel en de weeïge walmen van opgewarmd eten. Arthur lag op de vijfde verdieping, maar ze namen niet de lift. Kay kreunde toen Pars de deur naar het trappenhuis openduwde. De trappen liepen tot helemaal bovenin, maar op de helft van de verdiepingen brandde geen licht, zodat grote delen van het trappenhuis in duisternis waren gehuld. Billi volgde met haar ogen de brede treden die rond het open midden omhoog cirkelden. Een van de muren was van glas, waarin om de verdieping ventilatiegaten waren aangebracht. Pars ging met twee treden tegelijk en gezien zijn postuur verrassend lichtvoetig omhoog. Billi volgde hem op de voet, met Kay struikelend en vloekend achter haar aan. Op de vijfde verdieping bleven ze staan en Pars gaf hun een paar tellen om op adem te komen. Hij duwde voorzichtig de deurkruk omlaag – de deur zat niet op slot – en draaide zich toen naar de andere twee om.

'Ik haal Art. Jullie blijven hier wachten.' Hij wees naar de trap. 'Hou de vluchtroute vrij. Geef me vijf minuten.'

'En als je er dan nog niet bent?' vroeg Billi.

'Dan wacht je nog iets langer.' Na die woorden duwde hij de deur open, knipoogde naar Billi en liep weg. Billi bleef bij de deur staan en tuurde de donkere gang in totdat de deur weer dicht was gevallen.

'Gwaine heeft dit expres gedaan,' zei ze. Wacht maar totdat Arthur erachter kwam.

'Misschien had hij zijn redenen.'

'Ja. Zorgen dat mijn vader doodging zodat hij meester kon blijven.' Billi controleerde haar dolken. Ze trok er een tevoorschijn en hield hem bij de reling om iets van het licht van de lamp boven hen op te vangen.

Kay schuifelde met zijn voeten. Hij stak zijn handen in zijn zakken, haalde ze er weer uit en sloeg toen zijn armen over elkaar. Om vervolgens zijn handen weer in zijn zakken te steken. En dat allemaal binnen dertig seconden.

'Ontspan je,' zei Billi. Ze was eraan gewend, aan wachten. Ze vond het niet leuk, maar ze wist dat het er nu eenmaal bij hoorde. Maar Kay was natuurlijk nog nooit mee geweest op een confrontatie. Hij leek zich erg ongemakkelijk te voelen.

'Sorry, ik ben niet aan dit soort dingen gewend,' zei hij. 'Het spijt me. Van... ons.'

'Er is geen "ons",' beet Billi hem toe. Ze had zijn aandacht heus niet nodig. Ze kon wel voor zichzelf zorgen. Wat haar betrof mocht Kay bij de tempeliers blijven. Stomme zak.

Ze keek op haar horloge: drie minuten voorbij. Ze drukte haar oor tegen de deur. Er was niets te horen. 'Wat denk je, moet ik...'

Kays hand schoot omhoog. Hij sloop geruisloos twee treden omlaag, terwijl hij langzaam zijn hoofd draaide en de omgeving scande. Plotseling gingen zijn ogen wijd open. 'Ze zijn hier.'

Billi's hart sloeg over. Ze raakte Kays hand aan: die was ijskoud. Hij trok hem weg en daalde af naar de verdieping onder hen. Ze ging hem haastig achterna, maar hield hem tegen toen hij de deur wilde openen.

'Kay, wacht! Over wie heb je het?'

Kay sloot zijn ogen, zuchtte diep en sloeg zijn handen voor zijn gezicht. 'Ik weet het niet. Het zijn er twee, maar het enige wat ik opvang is woede, razernij.' Hij liet zijn handen zakken en maakte weer aanstalten de deur te openen. 'Ze zijn... O nee. De kinderen. Ze hebben het op de kinderen gemunt.'

Billi trok Kay bij de deur vandaan voordat hij iets doms kon doen, zoals naar binnen rennen en vechten. Ze pakte hem stevig vast. 'Luister naar me. We gaan Pars halen. Nu.' Dit was niet het moment voor stompzinnig heldenvertoon.

'Dit is niet het moment voor lafheid,' snauwde hij terug.

Kay keek haar met vlammend blauwe ogen aan en ze sloeg haar ogen neer. Hij was een idioot, maar hij had wel gelijk. Ze wees naar de trap. 'Haal Pars.' Toen duwde ze de deur behoedzaam open. 'Ik neem hier een kijkje.'

'Wees voorzichtig,' zei hij.

Ja, ja, nu geeft hij opeens wel om me.

Het was er koud, veel kouder dan het er zou moeten zijn. Het was niet alsof de verwarming het niet meer deed; het was alsof iemand de deur van de koelkast open had laten staan. Er kwamen mistwolkjes uit haar mond. Ze hoefde geen Orakel te zijn om te weten dat er iets helemaal niet in de haak was. De meeste lampen in de gang waren uit, zodat ze zich behoedzaam bewoog, met gebogen knieën en haar voeten een stuk uit elkaar. Met tintelende huid legde ze geluidloos haar weg af. Voor haar uit zag ze een half geopende dubbele deur. Erboven hing een bordje met PICU.

Pediatrische Intensive Care Unit.

Waar wás iedereen? Hoorden er hier geen verpleegkundigen rond te lopen? Toen ze bij de deuren was aangekomen, haalde ze haar dolken tevoorschijn. Ze klemde haar vingers er zo stevig omheen dat het pijn deed. Ze stootte de deur met haar voet open.

Er lag iemand op de grond: een verpleegster. Haar borst bewoog nog en dus besteedde Billi geen aandacht aan haar, maar liet ze haar blik door de ruimte dwalen.

Aan weerszijden van de zaal stonden zes couveuses met boven elk een monitor. Op de schermen zag ze golvende patronen en knipperende lichtjes. De monitors waren met een dikke bundel kabels verbonden met de computer en van daaruit met de kleine lichaampjes in de doorzichtige dozen. De gordijnen waren open en het maanlicht dat door de mist heen drong was net genoeg om de zaal in een vreemde, parelmoeren glans te zetten. Maar afgezien van het schijnsel van de maan heerste er een intense duisternis. Billi staarde in de zwarte leegte en wist met moeite een huivering te onderdrukken. Ze tuurde gespannen naar de inktzwarte schaduwen die het kleine, kwetsbare babylijfje in de achterste couveuse omhulden.

Het was alsof de duisternis rondom de couveuse trilde. Langzaam maar zeker, glad en glibberig als druipende olie, weken de schaduwen uiteen, totdat er twee vrijwel identieke vrouwen in het midden van de zaal stonden. Met hun ivoorkleurige ledematen en krullende, zwarte haar zagen ze er bovenmenselijk volmaakt uit; toen sperden hun rode monden zich open, zo wijd dat hun gezicht bijna in tweeën werd gespleten en hun monsterlijke muilen met gigantische slagtanden zichtbaar werden.

Ghouls.

'Tempelier,' zei de eerste. Ze ging met haar nagel langs de rand van de couveuse. De baby begon te huilen. 'Stil maar, kleintje. We zullen je zo in slaap zingen.' De ander giechelde.

'Ga weg,' zei Billi. Waar bleven Kay en Pars? Billi deed een stap achteruit, terwijl ze naar de vrouwen bleef kijken, die leken te zweven. Al hun bewegingen waren beheerst en doelbewust klein, alsof ze met moeite een enorme hoeveelheid energie in toom hielden.

'Waarom, tempelier? Waarom zouden we deze onschuldige lammetjes niet onze kus gunnen?' De vrouw wapperde met haar hand hoog boven haar hoofd. 'En hen meevoeren naar de eeuwige gelukzaligheid?'

Als ze door Michaël in het leven waren geroepen, maakte Billi geen schijn van kans. Ze moest slim zijn. Ze liep achteruit de gang op; ze moest hen een voor een te pakken zien te krijgen. Geen hoogstandjes. Plotseling was ze zich pijnlijk bewust van het staal in haar handen.

'Wees maar niet bang, ik ben alleen,' zei ze om hen te lokken.

Het werkte. De gezusters waren vier meter van Billi verwijderd, maar ze legden die afstand zo snel af, dat ze leken te vliegen. In hun gretigheid om als eerste bij haar te zijn, botsten ze in de deuropening tegen elkaar op. Geschrokken door hun snelheid struikelde Billi achteruit voordat haar instinct het van haar overnam. Instinct en training.

Geen hoogstandjes. Gewoon snel en effectief.

Billi haalde uit met haar dolk, waardoor een van de twee voor het wapen wegdook en tegen haar tweelingzus aan viel. Billi smeet de deuren dicht en hoorde hen dreunend tegen het zware staal op botsen. Ze schoof haar wapen tussen de deurgrepen door en rende naar de deur van het trappenhuis zonder nog over haar schouder te durven kijken. Het was op het nippertje geweest.

De deur vloog open. Pars greep haar beet en trok haar zo hard het trappenhuis in, dat hij bijna haar arm uit de kom trok. Ze ving nog net een glimp op van haar vader, die met een arm over de schouder van Kay een halve verdieping lager de trap af strompelde, toen ze door iets zwaars in haar rug werd geraakt. De lucht werd uit haar longen geperst en ze werd tegen de spijlen van de trap gesmeten. Ze viel op de grond en het enige wat ze zag was de wirwar van armen en benen van Parsifal die met een van de zussen aan het vechten was. De vrouw krijste, gromde en klauwde. Vergeleken bij de reusachtige Ghanees zag ze er klein en tenger uit, maar haar slagen deden Parsifal wankelen. Ze raakte hem tegen zijn slaap en hij tuimelde op onvaste benen de trap af. Hij had nog steeds de arm van de vrouw beet. Verbijsterd keek Billi naar de vrouw. Ze had zich boven aan de trap schrap gezet en werd zelfs niet door Parsifals gewicht meegesleurd.

Billi haalde met haar voeten uit en schopte de benen van de vrouw onder haar vandaan. Ze draaide zich half om, graaide naar de trapleuning en miste.

De ghoul viel krijsend omlaag. Ze tolde met wild zwaaiende armen en schoppende benen om haar as. Vol afschuw zag Billi haar als een lappenpop vier verdiepingen lager op het harde beton neerkomen. Ze bleef akelig stil liggen. Haar prachtige armen en benen lagen in een onnatuurlijke houding. Om haar hoofd vormde zich een zwarte plas bloed.

Billi duwde zichzelf weg van de leuning, weg van het tafereel.

'Kom mee!' beval Pars. Hij liep naar Kay en sloeg Arthurs andere arm over zijn schouder. Billi krabbelde langzaam overeind. De anderen waren al een stuk lager en nog natrillend van het gevecht ging ze hen achterna.

Ze hoorde de deur onder aan de trap opengaan en Kay riep dat ze moest opschieten.

Toen ze de begane grond had bereikt, zag ze hem de parkeerplaats op rennen. Ze had hen bijna ingehaald, maar ze aarzelde. Ze kon nog niet weg. Ze kon het niet helpen: ze moest kijken.

Het felle licht scheen genadeloos op het verbrijzelde lichaam van de vrouw. Haar romp en ledematen lagen er weerzinwekkend gedraaid en verwrongen bij. Haar gezicht was afgewend, maar haar haar was één grote zwarte kliederboel. Billi sloeg haar hand voor haar mond om niet over te geven.

De hand van de vrouw bewoog. Er klonk een misselijkmakend zuigend geluid toen ze haar zwarte, geplette gezicht naar Billi keerde. Er verscheen een grijns op haar gezicht. Er vielen een paar tanden uit haar mond.

'Loof de Heer!' kraste ze door haar verbrijzelde strottenhoofd. Billi slaakte een kreet en rende weg.

Buiten zag ze dat Kay haar vader op de achterbank hielp en achter hem aan de auto in dook. Parsifal stond bij het voorportier driftig naar haar te zwaaien. 'Schiet op!'

Billi deed de deur achter zich dicht en zag toen een lege container staan. Ze trok hem naar de ingang toe, liet hem op zijn zijkant vallen en zette hem klem tegen de deur. Ze draaide zich om.

Ze doemden op uit de mist. Flarden nevel maakten zich uit de witte deken los en kropen naar de auto toe. Vijf, zes, een aantal bij de ingang... het was niet te zeggen hoeveel het er waren. Ze hadden geen haast en maakten geen geluid. Ze naderden vol zelfvertrouwen en in hun felle ogen brandde een eeuwenoude moordlust. Op het eerste gezicht zagen ze er heel gewoon uit. Behalve...

Behalve dat ze zich met de souplesse van een roofdier bewogen en dat de glimlach op hun gezicht te hongerig was. Hoewel het donker was, leken ze te worden beschenen door een onaards licht.

Billi dook weg en rende naar de auto. De motor loeide en ze trok het voorportier open. Pars zette de auto in zijn versnelling en de banden gierden toen hij het gaspedaal intrapte. In het krachtige schijnsel van de koplampen zag ze de vreemde gedaanten behoedzaam uiteenwijken toen Pars zijn hand naar de handrem bracht.

'Vooruit.' Hij trok de handrem los.

De auto schommelde licht. Twee witte, blote voeten landden zacht op de motorkap. Er verscheen een silhouet voor de voorruit en vervolgens spreidde zich een grote mantel van duisternis over hen uit. Het laatste beetje licht viel op het angstaanjagend glanzende scherp van een slagzwaard, een zwaard dat haar o zo bekend voorkwam, en toen werd de voorruit verbrijzeld.

Billi schreeuwde en sloeg haar armen over haar hoofd terwijl de ruit explodeerde. De auto schokte en ze voelde dat er iets op haar gezicht spatte. Ze hield haar ogen gesloten totdat het glas haar niet meer om de oren vloog en de auto tot stilstand was gekomen doordat de druk van het gaspedaal was verdwenen.

Langzaam opende ze haar ogen.

Parsifal zat naast haar met zijn handen langs zijn zij. Zijn vingers schokten even en bewogen toen niet meer. Zijn opengesperde ogen staarden leeg in de verte en zijn mond hing open. De stukjes glas lagen als kleine diamanten over hem verspreid en sommige hadden zich in zijn huid geboord. Billi keek opzij en haar adem stokte.

Er stak een zwaard uit zijn borst.

Het tempelierszwaard. Zijn jas was doordrenkt met zijn bloed. Het zat op het dashboard en het zat op haar; ze voelde het langs haar gezicht druipen. Het zwaard was door zijn borstkas heen gegaan en had hem aan de stoel gespietst. Eén enkele, krachtige stoot en hij was onmiddellijk dood geweest.

Geen hoogstandjes. Snel en effectief.

De gestalte op de motorkap sprong op de grond. Hij liep naar het voorportier, opende het en keek naar binnen. Hij glimlachte naar Billi en ze bevroor. Met zijn lange, slanke vingers streek hij zijn zwarte lokken uit zijn gezicht en hij zakte door zijn knieën, zodat zijn gezicht vlak bij het hare kwam. Dicht genoeg om verkild te worden door zijn adem, dicht genoeg voor een kus. Toen krulden zijn lippen zich tot een wrede grijns.

'Heb je me heel erg gemist?' vroeg Michaël.

19

Een jonge vrouw met goudblonde haren en smalle, sierlijke handen greep Billi bij haar keel beet en sleurde haar de auto uit. Ze kwam nauwelijks tot Billi's schouders, maar ze tilde haar op alsof ze een pop was en smeet haar op het zwarte asfalt neer.

'Rustig aan, Eliza,' zei Michaël. 'Billi heeft een zware dag achter de rug.' De vrouw grinnikte en Michaël glimlachte naar haar. 'Maar ik beloof je dat het nog een graadje erger gaat worden.'

Billi lag in een plas en keek naar Pars.

Hij kan niet dood zijn. Dat kan gewoon niet.

Smachtend wachtte ze totdat hij met zijn ogen zou knipperen. Tevergeefs; ze bleven in de eeuwige verten staren. Er drukte een onzichtbare kracht op haar borst, die haar longen langzaam maar zeker plette, zodat ze nauwelijks nog adem kreeg.

Pars. Ze was nooit helemaal alleen geweest, ze had altijd Pars nog gehad. Wanneer haar vader dagen achtereen weg was, was Pars er altijd nog geweest. Hij had gebabysit, hij had gekookt, hij had elk jaar haar verjaardag onthouden. Billi liet zich voorover zakken totdat haar voorhoofd de natte grond raakte.

'Wat zeggen jullie tempeliers ook alweer?' Michaël hurkte naast haar neer en trok haar met een ruk aan haar haren omhoog, zodat hun ogen zich op gelijke hoogte bevonden. 'Gij zult zich begeven in het gezelschap van martelaren.' Hij stond op en sleepte haar met zich mee. Arthur en Kay werden ook uit de auto gehaald en in de kring van ghouls neergesmeten.

Ze stonden zwijgend naar hun slachtoffers te kijken, verlangend naar hun dood. De Hongerige Doden, wat paste die naam hun goed. Michaël meegeteld waren ze ongeveer met z'n achten; door de tranen in haar ogen kon Billi het niet goed zien. Michaël ging in het midden van de kring staan en trok zijn jas uit. Zijn T-shirt was verdwenen en zijn naakte bovenlichaam glinsterde in de fijne regen. Zijn bewegingen leken het zwarte web van tatoeages tot leven te wekken, zodat de stekels en de doornen over zijn hart kronkelden. Over zijn rug liepen twee verticale littekens, rood en gezwollen en slecht geheeld.

Hoe was het mogelijk? Ze was er zelf bij geweest toen zijn hoofd werd afgehakt. Afgehakt! Michaël zag haar kijken. Hij strekte zijn nek om het haar beter te laten zien.

'Kijk maar, je ziet er niets meer van.' Hij lachte. 'Maar zeg eens eerlijk, dacht je echt dat ik door een sterfelijk wapen gedood kon worden?'

Billi verzette zich tegen de angst die haar dreigde te verpletteren en krabbelde overeind. Mike keek geamuseerd toe. Toen gaf ze hem een klap. Het was geen klap waar ze al haar kracht in legde, maar wel al haar verachting. Ze voelde zich ellendig, niet alleen vanwege Pars, maar ook vanwege zichzelf. Ze waren hier beland omdat zij zich tot Michaël aangetrokken had gevoeld. Wat had ze in hemelsnaam in hem gezien? Elke cel in haar lichaam kromp ineen van afschuw.

Hij legde zijn hand tegen zijn gestriemde wang en sloeg haar zo hard terug dat ze tegen de grond ging. 'Raak me nooit meer aan, sterveling.' Het laatste woord spuugde hij vol venijn uit. Hij liep naar de auto en pakte het tempelierszwaard beet. Terwijl hij Billi aankeek, trok hij het uit Pars.

Billi wist dat ze niet mocht bezwijken, dat ze de vijand geen zwakte mocht tonen, maar ze kon het niet helpen. De tranen biggelden over haar wangen. Pars' bovenlichaam zakte langzaam naar voren totdat zijn gezicht op het dashboard rustte. Het was afschuwelijk hoe meelijwekkend hij eruitzag met zijn grote, zachte, bruine ogen. Ze kon het niet meer aanzien.

Arthur lag op zijn rug. Hij was zijn sloffen kwijtgeraakt en zoals hij daar in zijn pyjama en ochtendjas lag te piepen, zag hij eruit als een zielige, oude man. Zijn pyjamajasje stond half open zodat ze zijn borst kon zien: wit en bedekt met oude littekens. De ribben tekenden zich scherp af onder zijn bleke huid. Billi hielp hem overeind. Het viel haar op hoe mager hij was. Ze had altijd gedacht dat hij veel steviger was.

'Scheer je weg!' Kay was opgekrabbeld en zwaaide met zijn zilveren crucifix. Hij ging voor Billi en Arthur staan, met het flesje wijwater in zijn ene en het kruisje in zijn andere hand.

Michaël draaide zich langzaam om. En begon te lachen.

Hij keek naar de ghouls en ook zij barstten in lachen uit. Michaël schudde zijn hoofd en stak zijn hand uit.

'Kay, geef dat maar aan mij.' Hij lachte zo hard dat de tranen over zijn wangen liepen. 'Ik heb aan Gods rechterkant gestaan. Ik ben een engel. Een aartsengel. Denk je nou echt dat dat prul jullie beschermt?' Hij griste het kruisje uit Kays hand en gooide het weg. 'God heeft mij een opdracht gegeven. Als de mens dwaalde, moest ik hem straffen.'

'Dit is moord,' zei Billi, die zich pijnlijk bewust was van Pars' bloed op haar lichaam.

Michaël hief zijn handen ten hemel. 'Dit is een gerechtvaardigde straf.'

Arthur lachte. Het was een rochelende lach die van diep uit zijn borst opwelde en overging in een hoestaanval. 'Jij hebt de hemel verlaten. Je vleugels afgehakt.' Hij wees naar zijn eigen rug. 'Dat is waarom die littekens nooit zijn geheeld. Je bent een dwaas, Michaël, een zelfingenomen dwaas. De mens is niet gevallen; jíj bent gevallen. Denk je nu echt dat God je ooit terug wil?'

Michaël sprong op Arthur af, greep hem bij zijn keel en trok hem overeind. Even veranderde hij in een grauwend monster met opgetrokken lippen, opengesperde ogen en een van razernij vertrokken gezicht.

'Ik ben niet gevallen, maar jíj!' Hij smeet Arthur weer tegen de grond. 'Als ik de Spiegel eenmaal heb en over de macht van al mijn broeders en zusters beschik, zal ik alle eerstgeborenen offeren. Dan zal God beseffen hoeveel ik van Hem hou.' Michaël tuurde omhoog door de dichte mist. 'Ik zal Hem miljoenen zielen zenden om Zijn glorie te bezingen.'

Arthur schudde zijn hoofd. 'Jij moordt en noemt het gebed. Een offer doe je vanuit liefde. Alles wat jij doet, wordt gevoed door haat.'

Michaëls kaak verstrakte en even dacht Billi dat hij haar vaders hoofd zou afhakken, maar in plaats daarvan kwam de Duistere Engel op haar af.

'Waag jij het mij te bekritiseren?' Hij drukte het lemmet van zijn zwaard tegen Billi's wang waardoor die rood kleurde met het bloed van Pars. 'Ik zou je kunnen dwingen, Arthur. Je martelen totdat je opbiecht waar de Spiegel is, maar om de een of andere reden denk ik dat je dat zou verwelkomen.' Hij knikte naar een van de anderen. 'Jij geeft niets om je eigen leven.'

Plotseling grepen twee ghouls Billi beet, de een haar linkerarm, de ander haar schouders. Hun handen waren als bankschroeven. Ze probeerde zich te verzetten, maar centimeter voor centimeter werd haar arm recht naar voren getrokken. Mike liet het zwaard erop rusten, iets boven haar pols. Over zijn schouder keek hij Arthur aan.

'Maar hoe zit het met Billi? Zou je haar opofferen?' Hij liet zijn blik op haar rusten en zijn ogen schitterden van de rauwe lust. 'Je geliefde dochter opofferen?'

Hij hief zijn zwaard.

Billi probeerde haar arm weg te trekken, maar ze kon zich niet uit de greep bevrijden. Ze keek van het zwaard naar haar arm en weer naar het zwaard. Het zou dwars door haar vlees gaan, dwars door het bot, als een scheermesje door papier. Zij wist heel goed hoe dodelijk het was; hoe vaak had ze het niet zelf geslepen?

'Nou, Arthur?'

Billi verstrakte. Ze probeerde uit alle macht haar ademhaling rustig te krijgen en balde haar linkerhand tot een vuist. Het zweet droop van haar rug en haar arm trilde hevig. Michaël had haar moeder vermoord en nu was het haar beurt.

Een tempelier beeft niet.

Ze kon zich niet bedwingen. Ze was geen tempelier. Ze was bang en zwak. Ze kon niet zo hardvochtig zijn als zou moeten. Niet zoals haar vader van haar verwachtte. Ze beet op haar lip en keek haar vader aan, en op dat moment wist ze het. Hij keek koel en uitdrukkingsloos terug. De keus was eenvoudig. Billi redden, of het leven van miljoenen onschuldige kinderen. Arthur wendde zijn blik af. Hij zou haar niet redden. Kay kreunde wanhopig, maar kon niets doen: hij lag plat op de grond, terwijl een van de ghouls met een voet zijn hoofd omlaag hield.

Michaël zuchtte theatraal.

'Zie je wel, Billi? Ik had het je toch gezegd? Hij geeft niets om je. Groot gelijk dat je hem haat.' Hij zuchtte nogmaals. 'Laatste kans, Arthur. Vertel me waar de Spiegel is of je dochter is haar arm kwijt.'

Het enige geluid dat klonk was Billi's angstige ademhaling. Michaël keek haar aan.

'Het zij zo.'

O god.

Het zwaard kwam neer op haar pols en Billi schreeuwde het uit. Ze trok zich los en stortte met haar arm in haar schoot geklemd op de grond. Ze keek en zag...

Haar pols. Met niet meer dan een klein sneetje. Ze was nog steeds doodsbenauwd, maar dwong zichzelf haar trillende vingers te bewegen. Ze gehoorzaamden. Ze opende en sloot haar vuist. Ze was in orde. Haar vader had doorgehad dat Michaël blufte. De tranen stroomden over haar wangen. Godzijdank. Michaël had gebluft.

Michaël lachte en liep op zijn gemak naar Arthur toe. 'Dat vind ik zo leuk aan jou, Arthur: je bent een ijskoude schoft. Je doet me aan mezelf denken.' Hij gaf het zwaard aan een van de ghouls naast hem, een grote, blonde man. 'Hou vast, Ryan.' Hij bewoog zijn vingers. 'Er is één feilloze manier om achter de waarheid te komen.'

De ghouls letten niet meer op Billi; al hun aandacht was bij Arthur en hun leider. Michaël legde zijn handen op Arthurs schouders en dwong hem op zijn knieën. Hij liet zijn handen aan weerszijden langs Arthurs hoofd omlaag glijden en legde ze onder zijn kin tegen elkaar aan. Arthur protesteerde, maar hij kon zich niet uit de greep van de engel bevrijden.

'Open je geest voor mij.' Zijn vingers streelden over Arthurs wangen. 'Je zult vechten; ik verwacht niet anders. Maar om je de waarheid te zeggen, ik ben niet zo fijngevoelig als je Orakel. Ik zal niet zo lichtvoetig je geest in en weer uit gaan.' Zijn nagels boorden zich in Arthurs vlees en er welden kleine bloeddruppeltjes op. 'Ik zal je geest verwoesten. Hem aan flarden scheuren. Als ik met je klaar ben, weet ik waar de Spiegel is en ben jij niet meer dan een kwijlende kamerplant.' Hij keek over zijn schouder naar Billi. 'Misschien komt het je relatie met je dochter wel ten goede. Slechter kan die er in ieder geval niet op worden.'

Michaëls vurige, koortsachtig brandende ogen boorden zich in de koude, bleke ogen van Arthur. Er ontsnapte een zwak gekreun aan Arthurs keel en toen vermande hij zich. Zijn oogleden zakten iets en zijn blauwe irissen straalden een intense concentratie uit. Het zweet parelde op zijn voorhoofd en naarmate hij dieper in trance raakte, werd zijn ademhaling trager.

Michaël begroef zijn vingers nog verder in Arthurs gezicht. 'Open je voor me,' fluisterde hij.

Zelfs Billi, die nauwelijks over paranormale vermogens beschikte, voelde de energie tussen de twee zinderen. De engel en de grootmeester, verwikkeld in een roerloos gevecht. Terwijl hun twee geesten om de macht vochten werd zij, en alle anderen, overspoeld door golven sidderende emoties. Arthur ademde sissend door zijn opeengeklemde kaken.

De psychische explosie sloeg in als een supernova. Billi schreeuwde het uit toen de verwoestende schokgolf haar geest openscheurde. Haar ontredderde zintuigen werden weggebrand en het enige wat haar nog voor de geest stond was glashelder en verschrikkelijk.

De nachtelijke woestijnwind is koud, maar de scherpe prikkeling is weldadig op zijn vlees. Hij strekt zijn lange, gespierde armen uit en kijkt naar de schaduw die de maan op het zand werpt. Hij is niet ijdel, maar weet dat hij mooi is.

Het genot om een menselijke gedaante te hebben! De mensheid is gezegend met een dergelijke gift.

Op de heuvel boven de stad blijft hij staan. Langzaam komt er een man, warm gekleed vanwege de bitter koude nacht, over het geitenpad naar hem toe lopen.

De profeet. Mozes.

Onder hen ligt de stad te slapen. Er branden een paar toortsen op de muren van het kasteel en te midden van de groepjes soldaten die in de nauwe straatjes tussen de lemen hutten en de huizen patrouilleren. De stad is verontrust door voorspellingen en bovennatuurlijke tekenen.

Ze denken dat ze het ergste hebben gehad.

Ze hebben het mis.

De profeet blijft een paar meter bij hem vandaan staan. Hij is gekleed in een eenvoudig, grof katoenen gewaad en houdt in zijn handen een staf, een tak van een ceder. Ooit zou hij zacht, wit linnen hebben gedragen en een gouden scepter. Net als zijn broer.

De farao.

'Is het volbracht?' vraagt de profeet. 'Zijn ze... dood?'

Michaël staart zijn metgezel aan. Het is een dwaze vraag, die bijna zijn zwijgen verdient. Maar hij ziet dat de man trilt, hoe zeer hij zich er ook tegen verzet. Zijn angst past hem, denkt de aartsengel. Mozes is slechts een mens en hij is... Michaël.

'Ja. Ze zijn dood. Alle eerstgeborenen van Egyptische afkomst.'

'En mijn volk?'

'Zij hebben gehoorzaamd en bloed op hun deuren aangebracht.' Michaël gebaart naar de lucht. 'En ik ben aan hen voorbijgegaan.'

De profeet bedekt zijn gezicht. Drukt de daad achteraf zwaarder op zijn ziel dan hij had verwacht?

'En nu?' vraagt hij.

Michaël slaat zijn armen over elkaar en ziet licht verschijnen achter de ra-

men en in de deuropeningen onder hen. 'En nu weten ze dat ze de God van Israël moeten vrezen.'

De Engel des Doods glimlacht.

En in de diepte onder hen klinken de eerste kreten op.

De kreten werden luider en Billi draaide haar hoofd naar de bron van het geluid. Verdoofd door de psychische aanval zat ze op haar knieën en in haar hoofd bonkte de ergste hoofdpijn die ze ooit had gehad. Het was alsof er iemand spijkers in haar ogen sloeg. Bij elke slag trok er een folterende pijnscheut door haar schedel. En de kreten...

Twee vurige, witgloeiende ogen staarden haar vanuit de mist aan, een demon die door Michaëls afschuwelijke herinnering was gewekt en nu tegen haar brulde. De anderen keken hem verbijsterd en door de slachting in verwarring gebracht aan. Zijn ogen werden groter en gloeiden nog vuriger, en het gekrijs werd oorverdovend.

Er schoot een busje uit de mist tevoorschijn en Billi werd verblind door de felle koplampen. Met onophoudelijk getoeter stormde het voertuig op het groepje af.

Billi schoot overeind. Ze moest haar vader redden.

'Kay!' riep ze. Haar stem kwam nauwelijks boven het getoeter uit. Ze zag dat hij zich had losgemaakt uit de greep van zijn stomverbaasde overweldigers, toen het busje recht op hem af kwam. Billi gaf Michaël een trap tegen zijn borst. Hij struikelde enkele passen achteruit en dat was precies genoeg. Het busje raakte hem en bonkte één, twee keer op en neer, terwijl het over hem heen reed.

Billi greep haar vader beet. Tempeliers! Dat kon niet anders! Ze kwamen hen redden. De auto kwam slippend tot stilstand doordat de chauffeur hard aan de handrem trok. Elk moment konden de deuren openvliegen en zouden de andere ridders naar buiten stormen.

Het voorportier ging open en achter het stuur zat een verdwaasde gestalte verwoed naar hen te zwaaien. Haar grijze haar hing in woeste slierten langs haar gezicht, als de manen van een verfomfaaide oude leeuw.

'Schiet op!' schreeuwde Elaine. De banden rookten en de geur van verbrand rubber steeg van het asfalt op, terwijl ze de motor liet loeien om er direct vandoor te kunnen wanneer ze de rem zou loslaten. Kay pakte Arthurs andere arm en tussen hen in sleepten ze hem naar het busje. Billi schoof de deur open en ze lieten hem in het busje vallen.

'Billi!'

Ze draaide zich om en dook instinctief bij Kays waarschuwende kreet. Het tempelierszwaard suisde over haar heen en spleet de zijkant van het busje open. De blonde man hief het wapen, maar voordat Billi kon reageren, viel Kay aan. Hij sloeg de ghoul tegen de grond en gaf hem twee trappen tegen zijn ribben. Het tempelierszwaard viel kletterend uit zijn handen. Kay wilde het oprapen, maar Billi greep hem bij zijn kraag.

'Laat liggen!' riep ze, terwijl ze hem achteruit trok. De andere ghouls waren vlakbij. Maar waar was Michaël gebleven? Ze keek naar de plek waar hij was overreden.

Langzaam verhief hij zich van het asfalt. Ze zag het weerzinwekkende gat in zijn borst en de witte botten die uit het zwarte, met bloed besmeurde vlees staken. Zijn hoofd was geplet en zijn gezicht één grote kneuzing. Ze geloofde haar ogen niet.

Niets kon hem tegenhouden.

Ze sprong het busje in en Kay sloeg de deur dicht.

Schokkend gingen ze ervandoor. Een van de ghouls sprong naar de voorruit, maar door een scherpe ruk aan het stuur werd hij weer van de motorkap geslingerd. Het zicht was vrijwel nihil, maar Elaine liet zich er niet door weerhouden. Ze trapte het gaspedaal diep in en met brullende motor raceten ze weg van het bloederige tafereel.

20

Ze zetten koers naar het noorden. Zodra ze buiten direct gevaar waren ging Elaine minder hard rijden. De mistdeken maakte plaats voor een druilerige regen. Billi klom naar voren en ging naast Elaine zitten. Met ogen die rood waren van de tranen stuurde ze het busje door de wirwar van straten. Billi keek op de borden.

'Waar gaan we heen?' vroeg ze.

'Een onderduikadres. Ik ben de enige die het kent.' Elaine schudde haar hoofd. 'Ik ben over hem heen gereden. En hij stond gewoon weer op! Christene zielen!'

'Waar zijn alle anderen?' In een situatie als deze moest iedereen aantreden. Ze kon niet geloven dat ze niet waren komen opdagen. Waar bleven ze? Vooral nu Pars dood was.

De gedachte deed haar huiveren. 'Elaine, weet je dat Pars...'

'Ja. Ik heb het gezien.' Elaine haalde haar neus op en veegde met haar mouw langs haar gezicht. 'Hoe is het met je vader?'

Hoe was het met hem? Wanhopig sloot Billi haar ogen. Ze was zojuist bijna gedood en hij had niets gedaan om haar te redden. Helemaal niets! Mike had gelijk: hij hield niet van haar. Zij had haar leven gewaagd om hem te redden, maar daarbij had ze Pars verloren. Moest dat een eerlijke ruil voorstellen? Wat ze ook deed en waar ze ook naartoe ging, ontsnappen was niet meer mogelijk. En dat was de schuld van haar vader. Ze keek over haar schouder. Ze wilde dat hij wist hoe ze zich voelde.

Hij zat in een hoekje met een deken over zijn schouders. Zijn hoofd rustte op zijn handen. Het viel Billi op hoe klein hij eruitzag. Haar vader was oud. Oud en versleten. Zijn handen waren groot en krachtig, maar de huid was dun geworden en de aderen schenen erdoorheen. Zijn schouders waren niet meer zo breed, niet zo breed als ze altijd had gedacht.

Hij zag er... verslagen uit.

Hij richtte zich op en ging met zijn handen over zijn gezicht. Hij keek wanhopig door de achterruit naar buiten. Zijn ogen staarden verloren in de verte. Hij zuchtte en Billi volgde de beweging van zijn borstkas. Op zijn uitademing leek zijn lichaam ineen te schrompelen, alsof hij leegliep. Hij draaide zich om en hun blikken kruisten elkaar.

Bijna had Billi haar ogen afgewend, gedaan alsof ze hem niet had gezien. Alsof ze zijn zwakte niet had gezien. Maar ze deed het niet. Dit was een deel van Arthur waarvan ze het bestaan niet had gekend. Het menselijke deel. Maar terwijl ze hem aankeek, viel het masker weer op zijn plaats. Zijn gezicht verhardde, het sprankje kwetsbaarheid verdween en het menselijke gezicht maakte weer plaats voor het ondoordringbare stalen gezicht. Vader en dochter keken elkaar aan. Toen richtte Arthur zich tot Kay.

'En?' vroeg hij.

Kay was aan het sms'en. Hij knikte en klapte zijn mobiele telefoon dicht. 'Gebeurd. Ik heb iedereen de dertien-tiencode gestuurd.' Hij gooide het mobieltje uit het raam.

Natuurlijk, dacht Billi. *Stille aftocht.* Na de IJzeren Nachten had Arthur deze nieuwe regel ingesteld. Als de tempeliers ooit weer bedreigd werden, zou er een alarmcode worden verspreid: 1310, een verwijzing naar vrijdag de dertiende oktober, de dag waarop de tempeliers door de inquisitie waren opgepakt. Alle tempeliers moesten dan onmiddellijk hun positie verlaten en onderduiken. Op elk onderduikadres was plek voor drie ridders, oftewel een lans. Billi en Kay hadden met Pars naar een etage in East End moeten gaan. Van daaruit zouden de ridders weer op een veilige manier contact met elkaar opnemen.

Niet met mobiele telefoons. Als een lans in gevaar was gebracht, moesten ze er rekening mee houden dat de vijand hun mobiele telefoons tegen hen gebruikte. Zoals Michaël had gedaan toen hij Kay een sms had gestuurd. Daarom zouden ze elkaar op van tevoren afgesproken plekken ontmoeten. Openbare plekken. Waar het vrijwel onmogelijk was om te worden bespied of in de val te worden gelokt.

Elaine bracht hen naar een rijtje garages in de buurt van de begraafplaats Abney Park. Het immense terrein was een victoriaanse necropolis, die was aangelegd om de plotselinge bevolkingsaanwas in het negentiende-eeuwse Londen te kunnen opvangen. Vanwege de jarenlange verwaarlozing zag het er vervallen en overwoekerd uit. Het roestige, ijzeren hekwerk was begroeid met klimop. Daarachter bevond zich een zwart labyrint van kapotte grafstenen, met graffiti bedekte mausoleums en een ruig landschap van verwilderde struiken, bomen en doorgeschoten gras.

'We zijn er,' zei Elaine. 'Doe jij die deuren even open?'

Achter in de garage stond het vol met oud meubilair, ongetwijfeld spullen die niet meer in Elaines winkel pasten. Het onderduikadres bevond zich op de eerste verdieping, maar de ingang was aan de zijkant, naast de garage. Terwijl Billi samen met Kay haar vader het huis in droeg, zag ze rechts in het halletje een kleine alkoof. Er stond een zwart doosje in. Een *mezoeza*. Elaine raakte het doosje aan en kuste haar vingertoppen. Ze zag dat Billi naar haar keek. 'Ik neem liever het zekere voor het onzekere,' zei ze.

Billi bestudeerde het doosje. Ze wist dat er een papiertje in zat met een joods gebed: *Sjema Jisraëel*. Als afweer tegen kwade geesten. Zou het hen beschermen tegen Michaël en zijn ghouls? Billi vroeg het zich af.

Er liep een smalle, steile trap naar de eerste verdieping. Aan de muur hingen oude foto's, maar Billi had al haar aandacht nodig om haar vader omhoog te krijgen. Het viel niet mee in de nauwe ruimte, maar na een minuut of tien waren ze boven. Ze gingen naar rechts en kwamen in een kleine, schaars gemeubileerde woonkamer. Aan de andere kant van de kamer bevond zich een open keukentje met houten kastjes, een fornuis en een koelkast, die luid bromde.

'Leg Art maar in de slaapkamer,' zei Elaine, terwijl ze naar een deur in de hoek wees. Billi knikte naar Kay en samen sjouwden ze Arthur de kamer door. In de slaapkamer stonden een kast, een bureau en een futonbed met grijze legerdekens.

'Mijn vader zal zich hier thuis voelen,' zei ze, terwijl ze hem op het bed lieten zakken.

Arthur begon te hoesten. 'Water,' zei hij. Kay ging de kamer uit om het te halen. Billi legde haar vaders benen op bed en keek de kamer rond.

Dus dit was Elaines schuilplaats. Boven het bed hing een Tibetaanse mandala en aan het plafond hingen een paar indiaanse dromenvangers. Het leek wel de slaapkamer van een hippie. Ze liet haar blik over de foto's dwalen en verstijfde toen.

Haar moeder. Ze had haar rechterarm om Elaines schouder geslagen en leunde iets achterover, zodat haar zwangere buik naar voren stak. Elaine trok een gezicht naar de camera en haar moeder lachte.

‘Wie heeft die genomen?’ vroeg Billi.

Het bed kraakte toen Arthur over zijn schouder keek. ‘Ik,’ antwoordde hij zuchtend. ‘Een eeuwigheid geleden.’

Billi staarde naar de foto. Ze begreep best dat ze vriendinnen waren geweest. Vanaf het moment dat ze de kalligrafie in Elaines Bazaar had zien hangen, had ze erover nagedacht. Ze waren alle twee buitenbeentjes geweest. Elaine zag er heel jong uit, met zwart haar en zonder rimpels. Billi kon haar ogen niet van haar moeder afhalen. Haar lach was breed, maar haar ogen lachten niet mee. Die stonden helder en waren strak op de fotograaf gericht: haar vader. Jamila’s linkerarm lag op haar buik. Billi’s mond werd droog. Daarin zat zij, op het punt geboren te worden. Wat ging er door haar moeder heen? Had ze enig vermoeden gehad van wat er zou gaan gebeuren: van wat er haar en haar kind te wachten stond? Die zwarte ogen verrieden niets. Ogen die Billi had geërfd.

Kay kwam binnen en Billi verstrakte. Hij gaf Arthur een groot glas water en ging weer weg. Arthur dronk het glas in één teug leeg, zette het neer en keek alsof hij iets wilde gaan zeggen. Maar in plaats daarvan liet hij zich in de kussens zakken en sloot zijn ogen.

Wat gingen ze nu doen? Ze hadden geen idee waar de andere tempeliers waren, of ze het überhaupt overleefd hadden. Misschien had Michaël ze al uit de weg geruimd.

Het leek hopeloos. Billi keek naar haar slapende vader en wilde dat hij haar de antwoorden gaf. Maar ze wist niet eens of hij nog wel antwoorden had. Ze verliet de kamer en deed de deur zacht achter zich dicht.

Kay lag onderuitgezakt op de bank. Billi had de indruk dat hij nog bleker was dan anders. Ze gaf een duwtje tegen zijn voeten en hij schoof een eindje op.

‘Nog bedankt,’ zei ze. ‘Dat je die ghoul te pakken hebt genomen.’

‘Ik zei toch dat ik kon vechten.’

‘Je moet ook weer niet overdrijven. Iemand omverduwen maakt je nog geen Bruce Lee.’

Elaine kwam de kamer weer in en gooide een goed gevulde vuilniszak op de grond neer. ‘Hier zitten nog een paar slaapzakken en lakens in. Maak het je maar gemakkelijk.’

‘Waar slapen we?’ vroeg Kay. Elaine wees op de bank en vervolgens op de grond.

‘Kies maar.’

Ze werd gewekt door de scherpe, zure lucht van een sigaret. Billi draaide zich voorzichtig om, om niet van de bank te vallen. Hij was bobbelig en ongelijk, er ontbrak een heel stel veren en in het midden was hij doorgezakt. Nu ze wakker was, voelde Billi de steken en de pijn in haar rug. Ze kwam langzaam overeind en rekte zich uit.

De gordijnen waren van dunne katoen en glansden zacht in het maanlicht. Kay lag op de grond en zijn bleke voet stak onder de opengeritste slaapzak uit. Boven het zwarte T-shirt leek zijn witte gezicht nog strenger en ijziger.

Hij slaapt met zijn ogen open.

Tussen Kays oogleden door was een klein streepje sprankelend blauw te zien. Zijn borstkas rees en daalde op de zachte fluistering van zijn ademhaling.

De deur van haar vaders kamer stond op een kier. Ze zag zijn silhouet naast het bureau en tussen zijn vingers gloeide een rood puntje.

Hij is aan het roken. Nog maar een paar uur geleden is zijn long doorboord en nu rookt hij alweer.

Ze liep naar de deur en duwde hem open.

'Alsof je nog wel een long kunt missen,' zei ze. 'Waarom stop je er niet mee?'

Arthur bracht de sigaret naar zijn lippen, bedacht zich en legde hem toen weer in de asbak. 'Net als jij?'

Als dit een poging was om haar een schuldgevoel te bezorgen, na alles wat er was gebeurd, zou hij van een koude kermis thuiskomen. Billi pakte de smeulende peuk en drukte hem uit.

'Nou, waarom ben jij ermee gestopt?'

'Ik ben geen tempelier.'

'Weet je dat zeker? Je doet het niet slecht.'

Billi lachte. 'Behalve dat ik mijn ingewanden eruit hebt gekotst tijdens het Oordeel. Behalve dat ik de Engel des Doods naar ons huis heb meegenomen. Behalve dat jij bijna bent gedood. Behalve...' Het beeld van Pars verscheen voor haar geestesoog, zijn lijk naast haar en zijn bloed op haar gezicht. 'Behalve Pars.'

'Iedereen maakt wel eens een fout.'

'Ja, maar de mijne zijn dodelijk.' Billi keek naar haar vaders uitgemergelde gezicht. 'Ik kan het niet aan, pap. Ik wil dit leven niet. Deze verantwoordelijkheid. Door mijn schuld is Pars gedood.' Ze liet haar gezicht in haar handen zakken. 'Het komt door mij dat hij dood is.'

'Het is niet iets wat je zomaar kunt opgeven. Het is je leven, in voorspoed en in tegenspoed.'

'Nee.' Ze richtte zich op, zodat hun ogen op gelijke hoogte waren. 'Het is jóúw leven.' Ze stond op. 'Ik ga niet worden zoals jij.' Terwijl ze het zei, stokten de woorden haar in de keel. Hij voelde niets, voor niemand. Ze keek naar de kleine snee op haar pols. Hij gaf niet om haar, dus waarom zou ze om hem geven?

'Ooit zul je het begrijpen, Billi. Ooit zul je moeilijke beslissingen moeten nemen en die zul je alleen door dit leven kunnen nemen.'

'Nee, dat zal ik niet.' Billi liep naar de deur. Ze keek achterom naar haar vader, gehavend, met littekens bedekt, zijn borst omwikkeld met een schoon, wit verband. Arthur had al honderden keren moeten sterven; misschien was dat wat hij diep vanbinnen wilde. Hij wilde zichzelf vernietigen. Maar zij zou zich niet door hem laten vernietigen.

'Ik weet dat je kwaad op me bent, Billi. Ik zou willen dat het anders kon.'

Billi drukte de klink omlaag. 'Wat ik voel is geen woede.' Ze opende de deur en haar blik viel weer op de foto. 'Het is medelijden.'

21

Ze droomt. Ze weet het, maar kan er niets aan doen dat ze door de oude fantomen die zich net over de grens van het leven ophouden wordt meegevoerd. De straten waar ze doorheen loopt zijn allang onder het zand verdwenen en de hete, witte zon, het Oog van Ra, is sindsdien ontelbare keren achter de horizon verdwenen en herrezen. Maar de hitte brandt op haar gezicht en de grove korrels onder haar blote voetzolen voelen heel echt aan. Ze steekt haar tenen in het bleke, witte zand en laat de deeltjes over haar voeten glijden.

De mensen komen de straat op met hun verschrikkelijke vracht. De armen dragen eenvoudige tunieken van huidkleurige katoen en de rijken en de machtigen zijn gehuld in schitterend wit linnen.

Het witst van al zijn de lijkwaden.

Ergens in het paleis legt de farao zijn dode eerstgeborene aan de voeten van Anubis neer. Deze goden, die eens zo machtig waren, zullen net als de stad tot een legende worden. Grotere en verschrikkelijkere godheden zullen hun plaats innemen. Maar religie vereist offers. Billi weet dat dit waar is en diep vanbinnen vreest ze de prijs die nog moet worden betaald.

De doden vullen de straten. Rijk en arm, slaaf en edele, allen zijn nu gelijk. Er lijkt geen eind te komen aan de stoet met witte bundeltjes.

Een ervan trekt Billi's aandacht. Als een geest beweegt ze zich door de rouwende Egyptenaren, aangetrokken door deze ene in een doodskleed gehulde gestalte. Haar hand gaat als vanzelf over het bekende gezicht onder het dunne katoen. Haar vingers volgen de lijn van de wangen, koud ondanks de woestijnhitte. Duim en wijsvinger pakken een punt van het doek beet en ze trekt het weg...

Kay hield haar stevig vast terwijl ze gilde. Billi's huid droop van het zweet en haar hart ging als een waanzinnige tekeer van angst. Ze pakte hem beet en probeerde de nachtmerrie de baas te worden.

Een droom, gewoon een droom. Het is maar een droom.

Ze kneep haar ogen stijf dicht en drukte haar voorhoofd tegen Kays borst, terwijl hij naast haar op de bank kwam zitten. Zij was geen Orakel; haar dromen betekenden niets. Helemaal niets. Ze probeerde zich op de binnenkant van haar oogleden te concentreren, maar het lukte niet. Kay rook. Niet vies, maar het bracht oude herinneringen bij haar boven, van toen ze jong waren en stiekem samen in bed kropen terwijl de tempeliers beneden aan het praten waren. Op die momenten had ze het gevoel gehad deel uit te maken van een gezin. Nu ze hem zo aanraakte, rook ze de warme, enigszins olieachtige geur van zijn lichaam, niet droog en koud zoals ze had vermoed, maar vreemd aardachtig en vochtig. Ze voelde zijn borst langzaam rijzen en dalen en realiseerde zich dat hij niet zo mager was als ze altijd had gedacht. Hij had niet het onnatuurlijke postuur van Michaël, als een tot leven gewekt marmeren beeld, maar onder zijn huid voelde ze een verborgen kracht en niet alleen maar pezen en botten. Haar lichaam paste in zijn armen en zijn handen waren zacht. Misschien kon ze nog even zo blijven zitten.

Kay kuchte en leunde een stukje naar achter. 'Gaat het?' Hij bloosde, wat bij iemand die zo bleek was als hij nogal opviel.

Shit, hij heeft mijn gedachten gelezen. Wat had ze gedacht? Billi knikte en keek om zich heen om hem maar niet te hoeven aankijken. Het vroege ochtendlicht sijpelde door het kleine raam naar binnen en hulde de kamer in een zachte, goudgele gloed. Billi stond op en rekte zich langzaam van onderaf uit: haar tenen, benen, romp, schouders, armen en vingertoppen, die ze zo ver mogelijk omhoog strekte om de kramp en de knopen uit haar spieren te halen. Kay keek zwijgend toe.

'Kun je niet beter iets te eten halen dan me zo te zitten aanstaren?' Billi droeg een oud T-shirt en een joggingbroek, en ze was zich onaangenaam bewust van zijn aanwezigheid. Ze griste een trui van de grond en trok die aan. Ze stak haar voeten in haar gympen en liep naar de tafel, terwijl Kay naar het keukentje ging. Hij begon in de kastjes te rommelen en zette onhandig de ontbijtspullen klaar, zodat de melk over tafel klotste, terwijl de boterhammen in de rooster aanbrandden.

'Mijn vader en Elaine?' vroeg ze.

'Nog in bed.' Kay liet bijna een kom uit zijn handen vallen. 'Apart. Natuurlijk.'

Ze pakte de borden van hem aan. 'Natuurlijk.'

Kay roerde een grote lepel honing door de muesli en schoof de kom naar haar toe.

'Mijn lievelingseten. Hoe wist je dat in hemelsnaam?'

Kay negeerde haar spottende opmerking. 'En wat nu?'

Billi nam een hap. Kay wist in ieder geval hoe muesli hoorde te smaken. 'Geen idee. Maar mijn vader heeft vast wel een plan. En hem kennende is het waarschijnlijk een krankzinnig gevaarlijk plan.'

Billi wierp een blik op de deur van haar vaders slaapkamer. 'Wat ik niet begrijp is waarom ik niet besmet ben geraakt. De tiende plaag. Ik ben een eerstgeborene.'

'Michaël wilde zichzelf niet verraden door jou te besmetten. Ik zou het gezien hebben.' Kays hand balde zich tot een vuist. 'Maar ik heb hem gemerkt, Billi. Ik weet wat zijn aard is.'

'Wat dan?'

'Wat hebben we als ontbijt?' vroeg Elaine, die de logeerkamer uit kwam. Ze hield een sigaret tussen haar vingers en stak een gaspit aan. Ze draaide de sigaret langzaam boven het vuur rond, totdat hij brandde en nam een diepe teug. 'Dat is beter.'

Arthurs deur ging piepend open.

'Morgen.' Hij schuifelde naar de tafel en ging zitten. Hij zag er iets beter uit, maar niet veel. Hij had wat meer kleur op zijn wangen en zijn ogen lagen niet meer zo diep in hun kassen, maar zijn spijkerbroek en sjofele groene trui leken twee maten te groot en slobberden aan alle kanten.

Wat ziet hij er zwak uit, dacht Billi. *Eén windstoot en hij ligt om.*

Er werden eieren uit de koelkast gehaald, die ze bakten met champignons, uien en een snufje chilipoeder. Toen de thee was ingeschonken, schraapte Elaine haar keel.

'Wat zijn de plannen, chef?'

'Eenvoudig. We verzamelen en trekken ten strijde tegen Michaël.'

Billi sloeg haar ogen ten hemel. Wat een verrassing. Ze keek de tafel rond. Snapten ze het dan niet? Ze konden Michaël niet verslaan. Dit was zelfmoord.

Ze moest het ze aan hun verstand zien te peuteren. 'Ik denk...'

'We weten wat jij denkt,' onderbrak haar vader haar kortaf.

'Denk dan na, pap!' Billi sprong overeind. 'We weten niet eens of de rest nog leeft!'

'Ja, ze leven nog,' zei Kay. Iedereen draaide zich naar hem om. Hij haalde zijn schouders op. 'Om iets uit iemands geest te halen, moet je ook je eigen geest openen.' Hij wees naar Arthurs voorhoofd. 'Toen Michaël jouw geest probeerde te openen, ging ik de zijne binnen. Hij had gehoopt eerst ons uit te schakelen en daarna de rest in te rekenen. Dat was een grove misrekening.'

'Goed gedaan, Kay!' Arthur sloeg met zijn hand op tafel. Nu de strijd zich in zijn voordeel leek te keren, had hij plotseling zijn oude kracht weer terug. 'Ik ben trots op je.'

Hij had Billi net zo goed een trap in haar maag kunnen geven.

Ik ben trots op je.

Op jou.

Zo had haar vader nog nooit tegen haar gesproken.

Had zij dan nooit iets gedaan om trots op te zijn? Nee. Als ze geen tempelier was, was ze ook niemand, wat Arthur betrof.

Ik ben trots op je.

Billi was naar de deur gelopen. De ondraaglijke pijn had haar hart doen krimpen, maar ze verdrong het. Ze zou niet instorten. In plaats daarvan liet ze de duisternis aanzwellen en haar hart vullen.

Ik ben trots op je.

In de wapenkamer had hij haar gevraagd of ze hem haatte. Waarom?

Omdat dat het makkelijker zou maken. Voor hem.

Ze betekende niets voor hem.

'Billi?' Kay kwam overeind.

Ze sloeg de deur achter zich dicht.

22

Billi begon te rennen. Ze rende langs de vuilnismannen die hun vrachtwagens vollaadden, langs de oude sikh die het fruit voor zijn winkel uitstalde, langs het kantoorpersoneel dat bij de bushalte stond te wachten. Billi's voeten raakten nauwelijks de grond en haar razernij dreef haar voort. Het toegangshek van Clissold Park stond open en het park erachter was bedekt met een lage deken witte mist. Billi rende het hek door. Het maakte haar niet uit waar ze heen ging. Ze wilde alleen maar weg.

Ik ben trots op je.

Steeds zag ze het weer voor zich, hoe haar vader had geglimlacht. Naar Kay.

Tuurlijk. Ze had het kunnen weten; Kay was tenslotte het Orakel. Hij was belangrijk. En zij? Wat was zij?

Zij was geen tempelier.

Billi haalde twee joggers in lichtgevende lycraoutfits in en stormde drie kindermeisjes met designkinderwagens en designbaby's voorbij. Plotseling doemde een paar meter voor haar uit de westelijke uitgang naar Green Lane op uit de mist.

En Kay.

Pas toen Billi bijna tegen hem op was gebotst, had ze door dat hij er stond. Hij hief zijn hand en glimlachte, en een seconde later lag hij kreunend op het bedauwde gras met zijn handen tegen zijn gezicht. Billi stond over hem heen gebogen, met haar gebalde rechtervuist. Haar knokkels waren vuurrood en gekneusd.

'Wat bezielt jou?' riep hij uit.

Zou Arthur nu nog steeds trots op hem zijn? Ze wilde dat Kay kwaad werd, dat hij opstond om te vechten. Dan kon ze zijn andere oog ook blauw slaan.

Mooie tempelier.

Ze gaf hem een duw met haar voet. 'Sta op.' Hij reageerde niet. Ze schopte hem.

'Au!'

'Sta op!'

De drie kindermeisjes liepen langs en wierpen zijdelingse blikken op Billi, ongetwijfeld om zich haar gezicht te herinneren wanneer ze op het bureau moesten getuigen.

'Wat zitten jullie stom te staren?' schreeuwde ze, waarna ze zich op een bankje liet neervallen. Haar vuisten waren nog stijf gebald en ze probeerde uit alle macht haar woede te bedwingen. Maar het enige waar ze aan kon denken was dat iedereen Kay bewonderde en aanbad. Kay de Geweldige.

Het was niet zijn schuld. Niet echt. Ze deed haar uiterste best om het te geloven, maar de drang om hem een knal voor zijn ziekelijk bleke gezicht te verkopen bleef onweerstaanbaar groot.

Ze moest het op iemand afreageren!

Ze liet haar handen zakken en keek naar de grond. En naar Kays schoenen.

'Waarom?'

Hij schuifelde iets achteruit, misschien uit angst voor een tweede aanval. 'Waarom wat?'

'Waarom ben je me achterna gekomen? Dat doe je altijd. Je lijkt wel een...'

'Beschermengel?' opperde Kay.

'Stalker.'

Kay lachte en het bankje kraakte toen hij naast haar kwam zitten. Hij had zijn hand voor zijn gezicht weggehaald en Billi zag de paarse zwelling om zijn linkeroog. Het zou een dik, vet blauw oog worden.

Heel dik.

'Sorry,' zei ze.

Kay zat dicht tegen haar aan, maar om de een of andere reden voelde ze niet de behoefte om op te schuiven. Ze keek hem van opzij aan. Hij zag er eigenlijk best knap uit, een beetje zoals die ondervoede alternatieve popsterren. Kay volgde met zijn ogen een ekster die van de kale takken omlaag fladderde om in de natte grond te gaan pikken. Die heldere ogen namen alles in zich op en hij leek zich overal over te verbazen. Daar was die geheimzinnige glimlach weer, alsof hij dingen zag die Billi dolgraag ook zou zien, al was het maar één keer.

'Het ziet ernaar uit dat het gaat opklaren,' zei Kay. De mist was opgetrokken. Er hingen nog maar een paar hardnekkige flarden boven het gras en in de strakblauwe lucht scheen de ochtendzon helder.

'Waarom denk je dat mijn vader zo doet?' De vraag die ze eigenlijk wilde stellen kon ze niet over haar lippen krijgen.

Waarom houdt hij niet van me?

'Je vergist je in hem.'

'Hoe weet je dat zo zeker?'

Kay hield zijn hand omhoog om het zonlicht uit zijn gezicht te weren. 'Heb je ooit recht in de zon gekeken, Billi?'

'Ja. En?'

'Het doet pijn. Soms doet het licht pijn. Soms moeten we in de schaduw leven, om onszelf te beschermen.'

Billi fronste haar voorhoofd. 'En wat betekent dat in normale taal?'

Hij draaide zich naar haar toe. Zijn stem was zacht en Billi voelde zijn adem langs haar wang strijken. Zijn hand raakte de zijkant van de hare en ze bleef roerloos zitten. Ze wachtte met kloppend hart en zei tegen zichzelf dat dit gewoon Kay was, de jongen met wie ze was opgegroeid.

Maar dat was hij niet. Deze Kay was anders. Ze draaide langzaam haar gezicht naar hem toe, zodat zijn adem haar lippen raakte. Ze liet haar ogen zakken en volgde de lijn van zijn hals naar het boord van zijn T-shirt en de beweging van zijn borst op zijn ademhaling.

Kay stond op.

Verbijsterd bleef Billi zitten. Wat was er gebeurd?

Hij ging met zijn hand door zijn haar en omdat hij niet wist waar hij moest kijken, staarde hij naar zijn voeten.

'Gewoon, dat je je in je vader vergist.'

Er kwam geen commentaar op Kays blauwe oog toen ze terug waren. Arthur en Elaine zaten nog steeds aan tafel, maar de ontbijtspullen waren weg en er lag een eenvoudig, smetteloos wit linnen kleed op tafel. Op het kleed stond een groot, rond blik en ernaast lag een klein, oud, in rimpelig leer gebonden boek.

'Er ligt een zak erwtjes in de vriezer,' zei Elaine. Het duurde even voordat Billi doorhad dat ze het over Kays oog had. Kay haalde de zak uit de vriezer en drukte hem tegen zijn gehavende gezicht.

Om maar zo ver mogelijk van Kay af te zitten nam Billi aan de andere kant van de tafel plaats. Op de terugweg van het park hadden ze geen woord gewisseld.

Het blik zag er koperachtig uit en in het deksel waren het profiel van koningin Victoria en Albert gegraveerd. Maar Billi dacht niet dat er kaakjes in zouden zitten. Het boek herkende ze niet.

'Een logboek?' Het leek op de andere boeken die ze in de bibliotheek van de tempeliers had gezien, maar het was veel ouder. Het had kleine, bronzen sluitingen en er stonden gouden letters op de omslag. Billi boog naar voren om ze te lezen. Maar toen haar ogen over de kleine, vage letters gleden, werd ze bevangen door een kille angst.

'De *Goetia*,' zei ze. Ze keek haar vader aan. 'Dat kan niet.'

De Kleine Sleutel van Salomo. De occulte geschriften van koning Salomo over het ontbieden en ketenen van etherische wezens: duivels, malachim en Wachters. Ze had niet gedacht dat het boek nog bestond. Het was een boek over dodenbezwering, de duisterste maleficia.

'Hoe kom je eraan?'

'Van een dwaas die meende de Duivel te kunnen ontbieden,' zei Arthur.

'Dat meen je niet.'

Arthur keek haar aan. Zijn gezicht stond doodernstig.

'Wat is er met hem gebeurd?'

'Iets onprettigs,' zei haar vader op een toon die betekende dat dit gesprek ten einde was.

Hij haalde het deksel van het blik. Op de bodem, verpakt in noppenplastic, lag de Vervloekte Spiegel. Het oppervlak leek te rimpelen als een plas olie.

Hier draaide het allemaal om, deze kleine koperen schijf. Hoeveel pijn, foltering en doodslag lag er niet in opgesloten? Billi dacht aan de gevangengenomen Wachters, de IJzeren Nachten en aan Pars, hoe hij druipend van het bloed naast haar had gezeten. Hoeveel mensen waren er al door gestorven? En hoeveel zouden er nog door sterven?

'Het is de enige manier,' zei Arthur. 'We kunnen Michaël niet doden. We kunnen hem wel ketenen. Voor eeuwig gevangenzetten in het voorgeborchte van de hel.'

'Dat kun je niet. Zelfs Salomo is het niet gelukt. Michaël is een aartsengel.'

‘In Salomo’s tijd was Michaël op het toppunt van zijn macht. Hij is niet meer de aartsengel die hij toen was.’

Billi schudde haar hoofd. ‘Er is toch niemand machtig genoeg om het te proberen.’

Arthur stond op. ‘Jawel, die is er wel,’ zei hij en hij schoof het kleine, dodelijke boekje over het witte tafelkleed.

Naar Kay.

23

Elaine opende een programma op haar laptop. Billi stond achter haar, terwijl Arthur en Kay aan weerszijden zaten en een ster op het scherm zagen verschijnen. Elaine zette haar bril op en klikte op het pictogram van een klok in de hoek.

'Wat ga je doen?' vroeg Billi.

'We moeten Kays slaagkans vergroten en dit' – ze tikte op het scherm – 'is een programma met de bewegingen van de planeten op het noordelijk halfrond in het afgelopen jaar.' Ze opende een andere map en Billi zag een lijst met bestanden, één voor elke tempelier. Elaine dubbelklikte op die van Kay. Er verscheen een spreadsheet. De tekst was in Hindi.

'En wat zijn dat?'

'Vedische astrologische kaarten gebaseerd op geboortedatum en -plaats.' Elaine highlightte een reeks getallen. 'Een bevriende brahmaan heeft die van jullie voor me berekend.'

'Is er een religie waar jij niet in liefhebbert?' vroeg Arthur. 'Lot had genoeg aan het christendom.'

'En dat is precies de reden waarom hij een eikel was en ik hem altijd moest komen helpen,' zei Elaine. Ze ging terug naar de map met de planeten, opende een venstertje en plakte de getallen erin. Ze drukte op enter en leunde achteruit. 'Een minuutje geduld.' Ze gebaarde naar het keukentje. 'Kan iemand even wat water opzetten?'

Kay stond op en Billi ging op zijn stoel zitten. 'Waarom doe je dit?' Elaine was geen tempelier, maar toch beheerde zij hun kostbaarste schat. Ze hing zelfs niet de juiste godsdienst aan en toch verlieten ze zich op haar om hun grootste vijand te verslaan. Ze hadden zich altijd op haar verlaten.

Elaine haalde een sigaret uit het pakje. Ze bood Arthur er een aan, maar hij sloeg hem af.

'Simpel: iemand moet het doen.' Elaine glimlachte in zichzelf. 'Jullie ridders zijn zo dogmatisch. De dingen mogen maar op één manier en niet anders. Als het niet in jullie Tempelregel staat, zijn jullie er niet in geïnteresseerd. Daarom zitten jullie ook zo diep in de stront. Jullie zijn bekrompen.' Ze wees naar Arthur. 'Art daarentegen wil alleen maar winnen, ja toch? En dus huurt hij alleen de allerbesten in: mij.'

'Maar je bent geen Orakel.'

'Godzijdank niet. Ik slaap al slecht genoeg zonder die gestoorde dromen. Ik ben een ietsiepietsie helderziend' – ze bewoog haar hoofd in Kays richting – 'maar dat is niets vergeleken met ons wonderkind hier. Genoeg om te weten wat juist is en wat werkt. De rest is gewoon een kwestie van een open geest houden.'

Het was hetzelfde als Billi's gevechtstraining. Arthur en de anderen hadden haar alles geleerd wat maar een naam had: karate, judo, kungfu. Ze had geleerd om hard te slaan en nog harder te trappen, ze kende honderden grepen uit allerlei stijlen en disciplines.

'Daarom hebben we Kay naar het Oosten gestuurd.' Elaine zuchtte. 'Als hij eenmaal volleerd is, neemt hij het van me over.'

'Je bent dus je opvolger aan het inwerken?' vroeg Billi.

Elaine wierp een blik op Arthur. 'Zijn we dat niet allemaal?'

Arthur legde zijn hand op Elaines schouder. Billi keek naar het tweetal. Ze voelde dat ze samen heel veel hadden meegemaakt en ze wist dat ze het nooit allemaal te weten zou komen. Elaine had er luchtig over gedaan, maar het moest binnen de Orde een enorm schandaal hebben veroorzaakt dat het relikwieënschrijn was toevertrouwd aan een jodin. Zelfs als grootmeester moest Arthur hard hebben gevochten om de anderen ermee te laten instemmen.

Kay zette de thee op tafel en Arthur schraapte zijn keel.

'We moeten contact opnemen met de andere ridders,' zei hij. 'Als Kay slaagt... Er zijn nog steeds ghouls die Michaël gehoorzamen. We zullen moeten toeslaan op het moment dat we Michaël in de Spiegel hebben geketend.'

'Hoe?' vroeg Billi.

'Dat zal ik je vertellen zodra ik weet wie er nog in leven zijn.' Arthur wees uit het raam. 'Het ontmoetingspunt is Trafalgar Square.'

Het was een logische keus. Massa's mensen, je kon er op eindeloos veel manieren komen, en weer weg. Michaël zou honderden helpers nodig hebben om alle mogelijke vluchtwegen te bewaken.

'We hebben afgesproken dat de overlevenden om zes uur, tijdens de spits, zouden verzamelen,' vervolgde Arthur. 'Ik wil dat je contact opneemt met de anderen, hun vertelt wat de plannen zijn en vraagt of zij nog nieuws hebben. Als je hebt gerapporteerd, zal ik een strategie uitstippelen.'

'Gwaine voert nu het bevel, pap.'

'Nee, dat doet hij niet.' Arthur keek haar dreigend aan en wendde zich tot Kay. Ondanks zijn zwakte zag Billi het vuur in zijn ogen branden. Dit was Arthur op zijn best. 'Je zult heel behoedzaam te werk moeten gaan.'

Kay legde voorzichtig zijn vingers tegen zijn slaap, maar Billi hoorde de gespannen opwinding in zijn stem. 'Ik heb zijn aura te pakken. Ik zal hem lokaliseren voordat hij mij te pakken heeft.'

'Goed werk.'

'Ik ga mee,' zei Billi,

Arthurs ogen vernauwden zich. 'Dit zijn tempelierszaken; daar heb jij nu niets meer mee te maken.'

'Ik doe het niet voor de tempeliers.'

'Toch zeker niet voor mij?'

'Wees maar niet bang.'

Ze deed het voor zichzelf. Uit wraak. Voor hoe Michaël haar had gebruikt. En misschien... misschien voor Kay. Hij had haar nodig als er geweld aan te pas ging komen. Wat gezien de situatie zeer waarschijnlijk was.

De laptop piepte.

'En?' vroeg Kay. Er stond zowel opwinding als angst op zijn gezicht te lezen. Dit zou zijn Oordeel zijn. Een test waar een Orakel doorgaans zelden aan werd onderworpen. Billi zag dat Kay het te graag wilde en het maakte haar zenuwachtig.

Ze staarden allemaal naar het scherm. Tussen de sterren waren lijnen verschenen, die astrologische patronen vormden, maar in Billi's ogen waren het willekeurige vormen. Elaine haalde diep adem en highlightte een aantal punten. Ze klikte op enter en onder aan het scherm verscheen een datum.

'Zeven dagen,' zei ze en ze legde haar hand op die van Kay 'Over een week nemen we Michaël te pakken.'

Er hing een dik, grijs wolkendek boven Trafalgar Square, waar het krioelde van de mensen. Billi was blij dat ze de bus uit was. Ze had de hele weg in de schuddende, overvolle bus onder de stinkende oksel van een man gestaan en was steeds misselijker geworden. De motregen spetterde op haar gezicht. Ze trok haar capuchon over haar hoofd en baande zich met Kay op haar hielen een weg tussen een groep toeristen door, behoedzaam hun rugzakken en fototoestellen ontwijkend.

'Voel je iets?'

Kay schudde zijn hoofd. 'De kust is veilig.'

Midden op het plein rees de vijftig meter hoge zuil van Nelson op, geflankeerd door vier levensgrote leeuwen. Op de vier punten van het plein stonden verhogingen. Op drie ervan stonden standbeelden van grote, nobele mannen, maar de vierde was leeg. Ze liep in noordelijke richting en ging de treden op naar de weg die voor de National Portrait Gallery langs liep, een immens neoklassiek gebouw dat de hele zijkant van het plein besloeg. Er stonden groepjes mensen te kijken naar straatkunstenaars. Een van hen had zich verkleed als Charlie Chaplin en voerde een uitgekauwde sketch op. Een paar skaters zoefden tussen een rij omgekeerde bekers door. Er stond een levend standbeeld van een zilverkleurige, Romeinse soldaat met een geldbakje aan zijn voeten. Kinderen stonden rare gezichten naar hem te trekken, terwijl hun ouders probeerden hen tot de orde te roepen en het museum mee in te krijgen.

Er waren overal kinderen. Ze zag een klein, in het blauw gekleed jongetje een groep duiven opjagen. De lucht vulde zich met klapperende grijs met zwarte vleugels, maar de vogels waren te behendig en te ervaren om tegen iemand op te vliegen. De zwerm steeg op, beschreef een cirkel en daalde nog geen tien meter verderop weer neer. Het jongetje ging ze opnieuw achterna.

Billi keek naar de blije gezichten en huiverde. Het was koud hierboven, in je eentje.

Nee, niet meer alleen. Kay stond zwijgend naast haar.

'Het gaat vast goed,' zei hij. Ze kon niet zeggen of hij het tegen zichzelf had of tegen haar.

'Kay, de eeuwige optimist,' zei Billi lachend.

'Dat is waar.' Hij gebaarde naar de mensen. 'Kon je het maar zien, even maar. Echt zien. Dan zou je het nooit opgeven.'

Ze keek hem aan. Op Kays gezicht lag een zachte kalmte, een vastberadenheid. Hij twijfelde nooit. Het was niet het woeste fanatisme van haar vader. Bij hem was het een onwrikbaar geloof in wat hij deed.

'Denk je dat het je gaat lukken? Om hem te ketenen, bedoel ik?'

'Ik moet het proberen.'

'Kay, als je er niet klaar voor bent, moet je dat zeggen. Als het te gevaarlijk is, zeg het hem dan. Sterven is niet heldhaftig.'

'Billi, was jij niet bang? Als jullie 's nachts eropuit trokken? Tijdens het Oordeel?'

Wat was dat voor een stomme vraag? Ze had de helft van haar leven in doodsangst verkeerd.

Kay fronste zijn voorhoofd en draaide zijn gezicht naar haar toe. 'Weet je hoe ik me voel als ik jou op stap zie gaan?' Hij liet zijn hoofd zakken. 'Een nietsnut.'

'Het gaat dus allemaal om heldendom?'

'Sommige dingen zijn het waard om voor te vechten.'

'Zoals?'

Kay trok zijn muts van zijn hoofd en verfrommelde hem in zijn handen. 'Die droom van jou.'

'Maar ik heb jou niet... O.'

'Al die lijken op straat, al dat leed.' Hij pakte haar hand beet. Ze probeerde te negeren hoe prettig het was. 'Kun je je voorstellen hoe het zou zijn? Hoeveel doden? Als wij Michaël niet tegenhouden, wie doet het dan?'

'Ben je bereid daarvoor te sterven?'

'Zou jij jezelf nog onder ogen durven komen als je het niet had geprobeerd?'

Er liep een gearmd stel langs en de man had een ballon in zijn hand, ook al was hij in de twintig.

'Wat zie je, Billi?' Hij boog zich naar haar toe en raakte zacht haar arm aan. 'Hij heeft haar zojuist ten huwelijk gevraagd. Dat zie je aan het licht. Hij is uitgelaten, maar ook bang. Ze zullen elkaar liefhebben, hun leven leiden en dan sterven. Net als alles en iedereen.' Hij leek in gedachten te verzinken. 'Maar is dat niet genoeg? Is dat het niet waard om voor te sterven?'

'Zeg niet zulke dingen.'

'Billi, je moet...'

Billi zoende hem. Ze wilde niets meer horen.

Ze deed het zonder erbij na te denken, want anders had ze er nooit de moed toe gehad. Ze schoot naar voren en drukte haar lippen op de zijne. Hij voelde warm aan en zijn warmte stroomde door haar heen, een tintelend gevoel dat zich door haar botten verspreidde. Haar vingers grepen zich vast aan de balkonrand, zodat ze Kay gevangenhield tussen haar en het lage muurtje en ze tegen elkaar aan waren gedrukt. Hij nam haar gezicht in zijn handen en Billi voelde zijn wimpers tegen de hare kriebelen. Toen zuchtte hij en ging iets naar achteren met zijn hoofd. Een beetje maar, niet ver. Helemaal niet ver.

Zijn fonkelende ogen waren groot en keken haar helder en open aan. Billi zag haar eigen donkere pupillen erin weerspiegeld. Kays handpalmen gloeiden tegen haar wangen. Ze leunde zachtjes achteruit en ging met haar tong over haar lippen. Kay smaakte lekker.

'Ik stoor toch niet?'

Ze lieten elkaar los. Billi zag dat Bors voor hen stond, met een hotdog in zijn handen.

Waarom moest hij altijd overal de spot mee drijven?

Bors grijnsde vol leedvermaak en likte langs zijn lippen die onder de ketchup zaten. 'Anders laat ik jullie nog wel even alleen.'

'We zijn klaar,' zei Kay met een uitgestreken gezicht, in tegenstelling tot Billi, die tot achter haar oren bloosde. 'Ben je alleen?'

Bors schudde zijn hoofd. 'Meester Gwaine en Gareth zijn er ook.'

'Seneschalk Gwaine zul je bedoelen,' zei Billi.

Bors propte het laatste stukje hotdog in zijn mond. Terwijl hij sprak vlogen de stukjes roze vlees en ui in het rond. 'Heeft Arthur die dertientien doen uitgaan? Moest zijn po worden geleegd?'

'Als jij je kop niet houdt...'

'Wat dan, kleintje?'

Billi deed een stap naar voren, maar Kay hief zijn hand.

'Dit heeft geen zin. Arthur heeft de leiding, zo simpel is het. Als Gwaine slim is, schikt hij zich daarnaar.'

Bors veegde zijn mond af aan zijn mouw. 'Denk je soms dat ik bang ben voor Arthur?'

'Natuurlijk ben je bang,' zei Gareth, die uit de menigte opdook. 'De duivel in eigen persoon is bang voor Art.' Hij gebaarde naar Pelleas, die tegen de muur geleund op wacht stond.

Ze hadden het gered, godzijdank. Ze glimlachten en omhelsden elkaar. Zelfs Bors leek opgelucht.

Kay legde Arthurs plan uit en ze luisterden zwijgend. Billi stond naast hem en verwonderde zich over zijn zelfvertrouwen en zelfverzekerdheid. Hij vertelde hun dat ze Michaël gingen ketenen en ze zag dat ze allemaal onder de indruk waren.

'Waarom pas over een week?' vroeg Bors. 'Waarom niet nu?'

'Vanwege de stand van de planeten. Nogal technisch verhaal,' zei Billi. 'Je zou het toch niet snappen.'

Voordat Bors kon reageren, kwam Kay tussenbeide. 'Dan is onze kans van slagen het grootst.'

Pelleas en Gareth keken elkaar aan. Billi zag dat Gareth zijn hoofd schudde.

'Wat? Wat is er aan de hand?' vroeg Billi. 'Wacht eens even. Zat Berrant niet in jullie lans? Waar is hij?'

Pelleas keek haar besluiteloos aan. Toen fronste hij zijn voorhoofd. 'Berrant is dood, Billi.'

Pelleas knikte met neergeslagen ogen. 'Michaël heeft onze schuilplaats ontdekt.'

'Hoe kan dat?' vroeg Kay.

'De hoeders op onze schuilplaatsen zijn niet sterk genoeg,' zei Bors met stemverheffing. 'We hadden net zo goed een neonbak op het dak kunnen zetten met de tekst "TEMPELIERS HIER".'

'Weet je zeker dat het door de hoeders komt? Misschien heeft een van de ghouls jullie gezien?' vroeg Kay.

'Die hoeders in het relikwieënschrijn hebben hem toch ook niet tegengehouden? Waarom zou de rest dat dan wel doen?' vroeg Bors en hij spuugde een stukje zeen voor Kays voeten op de grond. 'Van mij mag je de tijd nemen voordat je met je hocus pocus begint, maar Michaël neemt ons allemaal te grazen. Over een week is er niemand meer over.'

Billi weigerde het toe te geven, maar Bors had gelijk. Ze keek naar Kay. Alleen hij kon antwoord geven op de vraag die bij iedereen op de lippen brandde.

Kays gezicht stond grimmig. Het voortbestaan van de tempelridders hing van hem af.

'Dan kunnen we dus niet nog een week wachten.' Hij wendde zich tot Billi. 'Dan doen we het vannacht.'

24

'Nee. Ik verbied het jullie,' zei Arthur. Zodra ze terug waren, had Kay uitgelegd welk gevaar ze allemaal liepen. Arthur liet zich niet vermurwen.

'Maar, pap, Berrant is dood. De rest...'

'Wist welk gevaar ze liepen door zich bij de Orde aan te sluiten. Net als wij allemaal.' Hij keek naar Kay, toen naar Elaine en ten slotte naar Billi. 'Besef je wat er kan gebeuren als we overhaast te werk gaan en het mislukt? Wat er met Kay kan gebeuren?'

'Dat risico neem ik,' zei Kay.

'O ja?' Arthurs ogen vernauwden zich. 'Neem jij de verantwoordelijkheid op je voor alle dode eerstgeborenen als jij het verknalt?' Hij schudde zijn hoofd. 'Nee. We wachten.'

Billi keek uit het raam. Er hingen dikke, donkere wolken boven de stad, zwaar van de regen. Het raam was in geen tijden schoongemaakt en de regen had zwarte roetsporen getrokken op het glas.

'Dat was het dan. Het eind van de tempelridders,' zei ze.

'Liever een handjevol mannen dan alle eerstgeborenen van Engeland.'

Elaine gooide een krant op tafel. 'Ze gaan er al aan. Terwijl wij maar zitten te kletsen, heeft Michaël niet stilgezeten.'

DOODSOORZAAK ONBEKEND stond er in dikke, witte letters op een zwarte achtergrond.

Onder de kop waren rijen foto's geplaatst. Sommige waren vakantiefoto's, andere foto's van kinderen in schooluniform die ongemakkelijk glimlachend in de lens staarden. Billi liet haar ogen over het artikel gaan en bleef hangen bij een bekende naam.

'Rebecca Williamson.' Ze herkende haar nauwelijks op de foto. Het gezicht dat haar aankeek was dat van een vrolijk, blond meisje met kuiltjes in haar rode wangen. Ze leek in niets op het uitgemergelde kind dat ze in het ziekenhuis had gesproken.

'Hij heeft ze allemaal gedood.' Het waren er minstens vijftig. Scholen werden gesloten. Ziekenhuizen werden overspoeld door bezorgde ouders die hun kinderen brachten. En niemand kon het stoppen, behalve zij.

'Dat is wat hij wil, begrijp dat dan.' Arthur pakte de krant uit haar handen. 'Met deze doden wil hij ons dwingen nu al de confrontatie met hem aan te gaan en ons kruit te verschieten.'

'Jezus, pap, we moeten iets doen.' Billi ging voor hem staan. 'Denk je dat Michaël niet achter ons aankomt als hij de rest heeft doodgemaakt? We kunnen ons niet blijven verschuilen.'

Elaine draaide Kay zacht om. 'Kun je het?' vroeg ze.

'Ik moet wel.'

Billi zag dat hij moeizaam slikte.

Arthur ging zitten en speelde met de ring aan zijn vinger. De drie anderen stonden om hem heen en wachtten. Uiteindelijk knikte hij zuchtend.

'Goed dan. Vannacht.'

Op de zolder brandde één enkel peertje dat aan de lage dakspant was bevestigd. Het rook er naar stof en pas geverfd hout. Billi kroop achter haar vader aan naar binnen en dook naast hem een nis in.

De zolder was schoongeveegd en de ramen van de dakvensters waren geverfd. Elaine en Kay legden op handen en knieën de laatste hand aan een cirkel met een doorsnee van twee meter, het Zegel der Ketenen. In het midden van de cirkel lag de zespuntige ster met de glanzende Vervloekte Spiegel op een zwartfluwelen kussen. Ondanks de kou was Kays bovenlijf ontbloot en stond het zweet op zijn rug. Hij droeg kleine, zilveren talismans, *maqlu*, die met dunne, leren veters op zijn voorhoofd, borst, armen en om zijn nek waren bevestigd. Met een pot witte verf in zijn rechterhand en een kleine, sierlijke penseel in zijn linker schreef hij in spijkerschrift de hoeders over uit de *Goetia* die naast hem lag. Hij keek even op en knipoogde naar haar.

Hij ziet eruit alsof hij kapot is. Kay veegde opnieuw het zweet van zijn voorhoofd en liet zijn linkerhand op zijn rechterpols balanceren om hem stil te houden. Zijn concentratie was immens.

Dat moest ook wel. Elke fout zou fataal zijn.

Hij blies op de kalligrafie, legde het perkament naast de lijnen en liep ze stuk voor stuk nog een keer na. Elaine, die gebukt onder het lage dak zat, keek over zijn schouder mee. Tevreden gaf ze hem een klopje op zijn arm en knikte.

Arthur trok luidruchtig de ladder omhoog en sloot het luik, zodat de toegang naar de zolder was afgesloten. Elaine kwam bij hen zitten, net buiten het Zegel. Ze knielden neer en keken naar Kay.

Was hij er wel klaar voor? Ze had genoeg over dodenbezwering gelezen om te weten wat er zou gebeuren als het fout ging. De theorie was gevaarlijk eenvoudig. Kay zou een poort naar de hemelsfeer openen om het pad naar het voorgeborchte van de hel te vinden. Hij zou per ongeluk de weg naar een ander deel van de ether kunnen inslaan: de hemel of de hel. Als de poort eenmaal open was, zou hij Michaël opsporen, wat nu mogelijk was omdat hij hem in gedachten had gemerkt. Vervolgens zou hij de Duistere Engel meenemen en de poort achter hem sluiten. Maar op de schemerige zolder, omgeven door dichte schaduwen, maakte ze zich zorgen om Kay. Stel dat het fout liep? Hij zou zichzelf verbannen naar het etherische rijk, waar talloze wezens ronddwaalden die de mens vijandig gezind waren. Ze konden zijn ziel aan stukken scheuren. Met bonkend hart keek ze naar Kay. Ze kon hem niet ook nog eens verliezen. Misschien was dit allemaal een vergissing. Misschien moesten ze toch een week wachten. Misschien...

Kay keek op. Hij glimlachte naar haar. Hoe uitgeput hij ook was, zijn gezicht, zijn glimlach straalde een lichtheid uit, die de schaduwen op de zolder leek te verdrijven. Hij knipoogde weer en wendde zich tot Elaine.

'Ik ben zover,' zei hij.

Met Elaines hulp legde hij de amulet op zijn voorhoofd precies in het midden en trok de leren veters strak. Van de drie zilveren talismannen die om zijn nek hingen maakte hij er één los en klemde hem tussen zijn tanden. Hij ademde scherp door zijn neus.

Toen ging hij in lotushouding zitten met de Spiegel op zijn schoot. Het peertje boven zijn hoofd wierp grillige schaduwen op de schuine wanden van de zolder. Kay staarde voor zich uit, terwijl zijn hoofd achterover zakte en zijn adem een nauwelijks hoorbare fluistering werd.

Er was geen weg meer terug.

Het peertje begon te brommen en langzaam maar zeker doofde het licht, zodat de zolder in een ondoordringbare duisternis werd gehuld.

Billi voelde dat haar vader ging verzitten. Ze kreeg kippenvel op haar armen alsof iemand er met ijs overheen ging.

Kay kreunde.

En de Spiegel begon te gloeien. Eerst was het een zwakke gloed die beurtelings met grote tussenpozen oranje, rood en goud oplaaide. De spookachtige gloed die over Kays gestalte rimpelde was maar net sterk genoeg om zijn glanzend witte bovenlijf te verlichten. Zijn spieren stonden strak en zijn aderen trilden. Zijn kaken klemden zich om het zilver en zijn lippen waren opgetrokken in een geluidloze, woeste grauw. Zijn ademhaling was scherp en hijgend, alsof hij naar adem snakte.

Uit het niets stak er een kille bries op en er steeg een ijzige kou uit de vloer omhoog. De planken kleurden wit van de ijslinten die erop verschenen. In het aanzwellende licht zag Billi dat haar adem mistwolkjes vormde.

De Spiegel straalde een intens veelkleurig licht uit. De patronen die op Kays bovenlichaam werden geprojecteerd vormden gestalten die tegen de lichtbron in bewogen. Bijna was Billi naar voren geschoten. Kays borst ging zwoegend op en neer en het glinsterende zweet op zijn lijf was veranderd in kleine ijsdruppeltjes die in zijn huid prikten.

Er klonk gefluister, onsamenhangend gebabbel en gesnater dat Billi's oren in zweefde, zwak maar indringend en urgent.

Kay schoot overeind alsof hij onder stroom werd gezet en de talisman viel tussen zijn tanden vandaan.

Er kringelden zwarte rookslierten op uit de Spiegel. Ze kropen behoedzaam langs zijn sidderende spieren omhoog, wikkelden zich rond zijn armen en hals, prikten in zijn ogen, oren, mond...

Kay schreeuwde en op dat moment werd de rook zijn lichaam in gezogen. Vol afschuw staarde hij voor zich uit en het blauw van zijn ogen verbleekte. Hij schokte toen de dikke, donkere mist via zijn mond zijn lichaam in stroomde en hem verstikte.

'Je kunt het, jongen,' fluisterde Arthur. Hij greep Billi's pols beet. Hij voelde dat ze de cirkel in had willen rennen om Kay te helpen.

Elaine begon in het Hebreeuws te reciteren. '*Adonai Eloheinu, Adonai Echad...*'

Kay bewoog op en neer, en onder zijn witte huid bolden zwellingen op. Allerlei vormen, dingen, leken door zijn aderen te stromen en er sijpelden donkere tranen uit zijn inktzwarte ogen.

De dakpannen knarsten en kraakten, en door de vrieskou sprongen de schilfers eraf. De spanten waren bedekt met ijspegels en de planken trokken kreunend krom in de ijzige lucht.

'Nee,' mompelde Arthur. Hij keek om zich heen naar de groeiende ijsmassa. Wat bedoelde hij? Er ging iets mis. Dit was niet de veelheid aan kleuren die ze had gezien toen Kay de vorige keer ongewild de poort had geopend. En het leek al helemaal niet op het pad naar de hemel...

O nee. Ze probeerden hierheen te komen.

Vanuit de hel.

Kay rolde nietsziend met zijn ogen, die als zwarte knikkers in hun kassen lagen, en er biggelden olieachtige tranen over zijn wangen. Een gezicht duwde van binnenuit tegen zijn borst en verdween weer, met achterlating van rode putten waar de tanden zich in zijn vlees hadden gezet. Zijn lichaam werd bedekt met grote tumoren en Kay, die geen geluid kon uitbrengen, boog zijn rug. Hij vocht met etherische wezens en dreigde het te verliezen. Elk moment konden ze zijn ziel aan flarden rijten.

Billi sprong het Zegel binnen. Het was alsof ze naakt een vrieskist in sprong. De kou zette zich vast op haar longen en ze hapte naar adem. De zwarte rook, die een dichte massa met tentakels was geworden, voelde haar aanwezigheid en kronkelde in haar richting. Billi klemde het zilveren crucifix tussen haar tanden en greep Kay beet. Ze wilde hem optillen, maar hij werd vastgehouden door een onzichtbare kracht. De tentakels kropen langs haar benen omhoog en ze voelde hun ijzige aanraking door haar huid heen in haar botten trekken.

O god, het lukt me niet...

Arthur griste de Spiegel van Kays schoot en gooide hem het Zegel uit. De stemmen krijsten, maar niet lang.

Billi stortte in de duisternis neer. Ze voelde Kay onder zich slap worden. Hij was ijskoud. Ze sloeg haar armen om hem heen en drukte zich tegen zijn rug aan. Huiverend hield ze hem stevig vast.

Kom op.

Kay schokte en begon te hoesten. Er rees een lang en gepijnigd gekreun op uit zijn keel. Billi voelde dat zijn handen de hare beetpakten.

'Billi,' fluisterde hij. Zijn stem klonk droog en gebarsten.

Het peertje aan het plafond begon te zoemen en gloeide langzaam weer op.

Arthur knielde naast haar neer. Zijn gezicht was bleek van angst.
Elaine hurkte voor Kay neer en keek in zijn ogen. Ze betastte met haar vingers de zilveren amulet op zijn voorhoofd. Toen schommelde ze met haar armen rond haar knieën heen en weer en zuchtte opgelucht.
'Zo, weer een plan naar de kloten,' zei ze.

25

'Leg hem in bed,' zei Elaine. Kay hing slap tussen Billi en Arthur in. Hij was zwaarder dan hij eruitzag en Billi kreunde toen ze hem uiteindelijk op de matras neerlegden. Arthur zweette als een otter en hield een hand tegen zijn linkerzij.

'Hoe houden die hechtingen het?' vroeg Elaine. Hoewel Arthur overduidelijk pijn had, wimpelde hij haar weg. Dus inspecteerde Elaine eerst Kay: ze keek in zijn ogen, zijn mond en zijn oren. Ze verwijderde de talismannen van zijn lichaam en legde ze om het bed.

'Redt hij het?' vroeg Billi. 'Is hij niet, hoe zeg je dat, bezeten of zo?'

'Als je je afvraagt of zijn hoofd op zijn nek gaat rondtollen...' Elaine deed een stap bij het bed vandaan. 'Nee, wees maar niet bang. Hij moet gewoon even flink bijkomen. Ik denk alleen niet dat hij erg leuk gaat dromen.'

Ze liepen naar de zitkamer. Billi liet zich op een stoel neerploffen. Ze voelde zich ziek van uitputting. Kay had het niet gered. Ze was er zo zeker van geweest. Zij allemaal, trouwens. Maar het was te vroeg geweest, het verkeerde moment. Ze wist dat hij zou denken dat hij de Orde had teleurgesteld, ze kende dat soort schuldgevoelens. Maar het had niet alleen aan Kay gelegen. Ze hadden het met z'n allen verknoeid. Jammer dan. Maar zou hij over een week sterk genoeg zijn om het opnieuw te proberen? Ze had geen idee. En dan ging ze ervan uit dat ze ook echt een week hadden.

Wat moesten ze doen? De rest van hun leven op de vlucht blijven? Elke nacht in een ander hol schuilen? Altijd over hun schouder kijken of de Doodsengel hen niet op de hielen zat? Zij hadden maar één leven. Michaël had de eeuwigheid.

'Daar zitten we dan,' zei Arthur. 'Mijn eigen stomme schuld.'

'Dat is niet waar, pap. Jij had gelijk en wij niet. Wij hebben jou gedwongen.'

Hij lachte, maar trok onmiddellijk bleek weg en klapte verkrampt dubbel. Hij kwam weer overeind en haalde sissend tussen zijn tanden door adem.

'Gedwongen, door jullie? Ik had gewoon... de hoop...' Hij lachte bijna weer en Billi zag zijn gezicht opklaren. Arthur die iets grappig vond. Dat was een primeur. 'Dwaas. Om te hopen.'

Elaine legde haar hand op Arthurs arm. Billi ving de bezorgdheid in haar blik op.

Erger kan het in ieder geval niet worden, dacht ze.

Elaine wees op Arthurs borst. 'Niet zo preuts. Laat mij nou maar even kijken.'

'Het stelt niets voor,' zei hij. Hij grinnikte, maar het was vreugdeloos. 'Ik heb ze wel eens mooier gehad.'

Elaine liet zich niet afschepen. Ze liet hem zijn ochtendjas uitdoen en zijn sweater omhoog trekken.

Het bloed zat aan zijn buik gekoekt. Het verband was bruin van de korsten met in het midden helderrode vlekken van het bloed dat erdoorheen kwam en over zijn buik sijpelde.

'Stomme zak dat je er bent,' zei Elaine. Ze gebaarde naar het keukenkastje. 'Billi, pak mijn spullen. Onderin.'

Het was een eerstehulpkist uit het leger vol met verband, morfine en naalden. Elaine begon het nutteloos geworden oude verband los te knippen.

Billi kromp ineen toen ze het eraf trok.

Arthur keek haar dreigend aan toen ze het plastic dopje van een naald trok. 'Geen verdovende middelen.'

'Martelaar tot het bittere eind,' zei Elaine. 'Mond dicht en liggen jij.'

Arthur negeerde haar. Hij kwam op een elleboog overeind en wenkte Billi. 'De anderen staan vast te wachten. Ze moeten weten dat onze poging is mislukt. Ik wil niet dat ze zo meteen als gekken tekeergaan omdat ze denken dat we Michaël te pakken hebben.'

'Laat haar, Art. Die meid heeft genoeg gedaan.'

Dat kun je wel zeggen, ja. Waar haalde hij het recht vandaan om haar zo te commanderen? Haar probleem was het niet meer. Dat had ze toch duidelijk gezegd? Zij had gewild dat Kay er ook uitstapte. Moest je zien hoe hij er nu aan toe was. Billi keek naar de slaapkamerdeur. Misschien zou Kay hierna eindelijk zijn verstand gaan gebruiken en inzien dat de tempeliers alleen maar ellende betekenden.

Maar was er wel een 'hierna'? Michaël was door de hele stad kinderen aan het afslachten. Arthur keek haar met een koortsachtige blik aan. Hij eiste dat ze gehoorzaamde en ze zou weigeren. Ze was geen tempelier meer. Hij kon haar niet zomaar commanderen. Maar...

Als dit niet haar probleem was, wiens probleem was het dan wel? Ze zou het voor zichzelf doen, niet voor hen.

'Waar zijn ze, pap?'

'Southwark. Bij de kathedraal.' Zijn stem klonk dringend. 'Ze komen naar de metten.'

Toen ging de naald in zijn been en hij zakte languit neer op de bank. Elaine keek Billi aan. Billi voelde dat ze iets wilde zeggen. Maar na haar een tijdje te hebben aangekeken, bedwong Elaine zich en concentreerde ze zich weer op Arthur.

Vijf uur 's ochtends. Over een uur waren de metten. De wereld sliep en zij ging op pad, alweer. Billi staarde met lege ogen naar de mist voor het raam en dwong zichzelf op te staan, haar jas aan te trekken en naar buiten te gaan.

Achter in de garage stond een oude racefiets. Het viel mee hoe verroest de ketting was en Billi dook uit een gereedschapkist op de plank twee batterijen op voor de verlichting. Ze ritste haar jas dicht en trok de capuchon over haar hoofd, zodat alleen nog haar ogen zichtbaar waren.

De kille mist spoelde in spookachtige golven over haar heen. De piepende pedalen waren het enige geluid in de nacht. Billi staarde slaperig naar de schimmige lichtvlek voor haar op de weg, terwijl haar benen mechanisch de trappers voortbewogen. Het zwarte asfalt zoefde onder haar banden door terwijl ze door de City fietste.

Het uur des doods, zo hadden de andere tempeliers deze mistige kloof tussen de nacht en het aanbreken van de dag genoemd. Hoe vaak had ze niet soezerig in bed liggen luisteren naar de voordeur die open- en dichtging en het gekletter van haar vaders wapens op de keukentafel? En daarna de gebeden en de gemompelde gesprekken over moord en doodslag?

De ketting schoot ratelend van het blad en deed Billi met een schok uit haar mijmeringen ontwaken. Hij sleepte slap over de grond. Ze stopte op de hoek van de straat en inspecteerde de fiets.

Shit, shit, shit.

Hij was gebroken. Niet meer te repareren. Ze keek om zich heen.

Fleet Street. De kathedraal was nog kilometers ver weg.

Ze zou de fiets hier laten en de nachtbus nemen. Billi klopte op haar jaszak. Tot haar opluchting had ze eraan gedacht haar portemonnee mee te nemen. Ze had nu echt geen tijd om...

Er klonk gelach op uit de duisternis en het bloed stolde in haar aderen. Het was hardvochtig en wreed, en de boosaardigheid droop ervan af. Het echode tussen de muren door de grijze mist.

'Welkom thuis, tempelier.' Het was de stem van een vrouw en hij leek bij haar schouder vandaan te komen. Billi draaide zich met een ruk om. Niets te zien. Nog meer gelach, net zo kwaadaardig.

Er doemden twee gestalten uit de duisternis op, eerst nog vaag en mistig, maar toen namen ze de gedaante aan van twee vrouwen. Het waren de in schaduwen gehulde zussen die ze in het ziekenhuis had gezien. Ze stonden in het oranje schijnsel van de lantaarnpaal en keken haar met begerige ogen aan, terwijl ze haar naderden met het geduld van een roofdier. Het lichaam van degene die onder aan de trap had gelegen was weer ongeschonden. De mist hing in een spookachtige omhelzing in witte slierten om haar lange, slanke ledematen.

Het instinct nam het over. Instinct en angst. Zonder erbij na te denken schoot Billi een steeg in en rende in zuidwaartse richting, haar voetstappen luid echoënd op de kale, glibberige kinderkopjes. De angst overwon de pijn die ze in haar lichaam voelde.

Ze keek om, heel even.

Niets.

Waar waren ze gebleven?

Ze sloeg Pump Court in en daar stonden ze. De spiegelende ruiten keken als gezichtloze toeschouwers op haar neer. Ze zag dat de zussen zich verspreidden; de een liep voor haar uit en de ander versperde haar de terugtocht.

Uitstekende jagers. Ze dwongen hun prooi hun richting uit te komen.

Billi dook naar links en toen onmiddellijk naar rechts. Ze schoot voorbij de ghoul en voelde de harde, scherpe nagels door haar mouw gaan, maar ze was te verhit en te bang om de bloederige wond te voelen. Ze rende door de kloostergangen met hun lage plafond en witgeverfde pilaren. Ze dacht maar aan één ding.

Het heiligdom.

Plotseling doemde het gebouw uit de nevelige duisternis op. Het bleke stenen gebouw met zijn grote, imposante glas-in-loodramen en enorme zwarte deuren leek de mist en de duisternis op afstand te houden. De Tempelkerk. Geen enkele Hongerige Dode kon een huis van God schenden. Als ze het haalde was ze veilig.

Billi rende over de betegelde binnenplaats, die glinsterde van de bevroren dauw. De twee vrouwen krijsten. Voor zich zag ze een beweging. Ze struikelde over de treden naar de ingang. IJzeren vingers grepen haar schouder beet, maar ze wist zich los te rukken.

Het heiligdom! Ze strekte haar hand uit naar de brede, getoogde westelijke deur, haar enige hoop. Plotseling werd ze naar achteren getrokken. Een van de zussen sloot haar vingers om Billi's keel en tilde haar van de grond. Billi's bloed klopte tegen haar slapen.

'Het heiligdom,' fluisterde ze, terwijl ze haar armen nog verder uitstrekte naar de deur die zo dichtbij was.

Er klonk een explosie en de kerkdeuren vlogen als door een wervelwind open. Een verwoestend wit licht kwam door de opening naar buiten golven. Terwijl de zussen een hels gekrijs lieten horen, werden ze door de bulderende lichtgolf meegesleurd.

Verblind sloeg Billi tegen de grond. Alles om haar heen werd door het licht weggevaagd. Het voerde duizenden stemmen met zich mee, een oorverdovende kreet van haat. Ze rolde zich op tot een bal, kneep haar ogen dicht en drukte haar vuisten tegen haar gezicht, maar ze kon het licht niet buitensluiten. Het brandde door haar oogleden heen en schroeide haar netvlies.

Toen was het voorbij.

Ze bleef roerloos liggen, te bang om zich te bewegen. Haar oren tuitten door de plotselinge stilte. Na een minuut of twee durfde ze haar handen te laten zakken en langzaam haar gezwollen, betraande ogen te openen.

Een van de deuren hing scheef in zijn scharnieren. Het hout was kromgetrokken en zat onder een laag as. Achter haar hadden scherpe stukken hout zich in de muur geboord. Van de ghouls waren alleen nog een paar smerige, zwarte plekken over. De muren in de kerk waren zwart van het roet en de tegels waren gebarsten en glanzend zwart, alsof ze aan een immense hitte waren blootgesteld. Ontelbare stukjes brandend papier, de overblijfselen van de gezangboeken, dwarrelden door de lucht. Glas daalde tinkelend op de stenen neer. Alle ramen waren verbrijzeld.

Hier en daar staken scherpe scherven uit de stenen muur. Dunne rookpluimen stegen op van de smeulende resten van de kerkbanken, waarvan nog slechts de verkoolde skeletten over waren.

Toen zag Billi iemand staan.

Midden in dit verschrikkelijke, uitgebrande geraamte, in het koor, alleen en stralend in de duisternis, alsof hij van binnenuit werd verlicht, stond een man. Billi kneep haar ogen tot spleetjes vanwege het felle licht, alsof een ster tot mens was geworden. Langzaam maar zeker nam het licht af en ze hapte naar adem.

Het had Michaëls tweelingbroer kunnen zijn. Hetzelfde fraaie, als uit marmer gehouwen postuur, dezelfde volle, sensuele lippen. Het enige verschil was dat zijn ogen schuilgingen achter zwarte brillenglazen. De rook verdichtte zich rond zijn lichaam tot een dofzwart kostuum. Terwijl hij op haar af liep, sisten de door de hitte glanzend gepolijste plavuizen onder zijn blote voeten.

'Hallo,' zei hij glimlachend.

Hij had zo helder gestraald, de helderste ster.

De Morgenster.

Toen stak de duivel zijn hand uit en hielp haar overeind.

26

Billi verwachtte pijn of intense hitte te voelen toen hij haar aanraakte. In plaats daarvan voelde ze gewoon een lauwwarme handpalm. Niets speciaals.

'En, SanGreal?' Hij keek haar aan. Hij stond te midden van de smeulende verwoesting en de damp en de rook kringelden als slangen om zijn benen. Rond zijn lippen leek een lachje te spelen, maar de manier waarop hij er met zijn tong langs ging, was hongerig.

Billi stapte de cirkel in. Het was het oudste deel van het gebouw, waar zij was ingewijd als lid van de arme ridders van Christus, de tempeliers. Ze herinnerde zich de kaarsen, de negen lege stoelen en de anderen, die tussen de stenen beeltenissen van de vroegere schutspatronen van de Orde hadden gestaan.

Ze waren er nog. Op de vloer om haar heen bevonden zich acht in steen uitgehouwen ridders. William Marshall. Geoffrey de Mandeville. Gilbert Marshall. Maar nu waren ze tot bizarre, wormachtige steenklompen gesmolten en was al hun verhevenheid als sneeuw voor de zon verdwenen.

Satan trommelde met zijn lange nagels op een smeulende marmeren pilaar.

'Jullie hebben tijdens het ritueel geprobeerd naar het voorgeborchte te komen, maar we hebben de doorgang afgesloten.'

'Hoe?'

Hij tekende een cirkel in de lucht. 'Ik heb jullie prullen niet nodig om naar de aarde te komen.' Hij stak zijn voet in een van de standbeelden. Het gezicht smolt als was. 'Ik ben niet gebonden aan de Spiegel. Mijn soort kan naar believen komen en gaan.'

'Zit jij niet vast in de hel?'

'Wat is de hel, SanGreal?' Hij spreidde zijn armen. 'De hel... dat is het gekrijs van een stervende baby. Dat is de smeekbede om genade die wordt genegeerd. Dat is het bedrog tussen twee echtelieden.' Hij drukte zijn handen tegen elkaar en glimlachte. 'De leugens tussen een vader en zijn kind.' Hij klopte op zijn borst. 'Hel is waar je hart ligt.' De duivel keek om zich heen naar de geruïneerde kerk. 'Als God alle gebeden hoort, wie hoort er dan alle vloeken? De kreten van pijn? De bittere leugens? Wij. Na verloop van tijd is de foltering zo groot dat de ether openscheurt en er een duivel verschijnt in de fysieke wereld.'

'Je liegt. Als dat waar was, zou het op straat vol zijn met duivels.'

'En hoe weet jij dat dat niet zo is?'

Billi deinsde achteruit, maar ze kon niet weg. Terwijl ze naar de achterkant van de kerk schuifelde, naar de kansel, kwam Satan dichterbij. Plotseling voelde ze het altaar in haar rug. Hij bleef staan.

'Ik wil je helpen,' zei hij.

'Hoe dan?'

Hij wees op het altaar achter haar.

Er stak een zwaard uit het grote brok marmer; trots, stralend en twee meter lang. Het lemmet was niet breder dan een duim. Het leek meer op een rapier en het zag eruit alsof het zo zou breken. Het gevest was omwikkeld met zilverdraad en was lang genoeg om het met twee handen beet te pakken. Bovenop bevond zich een gladde, walnootachtige vorm. Het licht flakkerde als kwikzilver over het scherp.

'Wat is dat?' Ze kon haar ogen niet van het zwaard afhalen.

'Een Zilveren Zwaard.'

'Wie heeft het gemaakt?'

'Ik. Tijdens de Opstand.'

De Opstand.

De oorlog in de hemel.

'Dat zwaard zal alle etherische wezens doden, dat verzeker ik je,' zei Satan.

Billi klom op het altaar. Het was een eenvoudig zwaard, sierlijk maar zonder decoraties. Geen edelstenen, geen runeninscripties. Maar het straalde een doelgerichtheid uit waar geen ander zwaard aan kon tippen. Het volmaakte wapen.

'Jezus christus,' zei ze.

'Die ook.'

Ze raakte het gevest aan en er voer een golf energie door haar arm, die haar lichaam onder stroom zette. Ze schokte toen het vuur door haar hart ging, maar daarna verdween de pijn en voelde ze zich sterker dan ooit. Haar vingers sloten zich eromheen en ze trok zacht. Het lemmet kwam moeiteloos uit het steen. Ze had verwacht dat het zwaard moeilijk hanteerbaar zou zijn vanwege zijn afmetingen, maar het lag zo soepel in haar hand als een penseel. Ze schreef haar naam in de lucht en het reageerde op de kleinste polsbeweging.

'Met dat zwaard ben je ongevoelig voor Michaëls macht.'

'Geef je het aan mij?'

'Nee. Ik ruil het. We sluiten een deal.'

'Voor mijn ziel?'

De duivel grinnikte. Hij stond vlak bij haar en ze rook de vage geur van bedorven vlees die uit zijn mond kwam. 'Kom mee,' zei hij en hij liep naar de verwoeste westelijke deur.

Er kwam een roestige auto uit de mist tevoorschijn. Hij leek zwart, maar vanwege het vuil dat hem bedekte was het niet met zekerheid te zeggen. De verf bladderde als oude, vereelte huid van de carrosserie en de motor ronkte als een snurkende reus. Billi voelde de grond en haar botten trillen. De bestuurder droeg vodden en was niet meer dan een met huid bedekt skelet. Zijn ogen, mond en zelfs zijn oren waren dichtgenaaid. Zijn gehavende vel was bedekt met oude, bruine bloedkorsten.

Billi greep het Zilveren Zwaard steviger beet.

De duivel stapte in en installeerde zich op de opgelapte leren stoel.

'Ik zal je geen kwaad doen, SanGreal.'

Dat had Elaine ook gezegd. Duivels konden de mens niet direct iets aandoen. Maar Billi wist dat ze zich in een groot gevaar begaf. De lampjes in de auto verspreidden een zachte, gouden gloed en de motor bromde zacht. De koude buitenlucht prikte in haar huid.

Ze stapte in. De duivel zuchtte en het portier sloeg dicht.

De stad trok aan haar voorbij, verlicht door het oranje schijnsel van de lantaarnpalen, die eenzaam en verloren in de mist stonden. De duisternis omsloot het schimmige licht en maakte de zwarte spelonken tussen de gebouwen nog dieper. Duisternis verzamelde zich onder de bruggen, in de lege deuropeningen en de straatjes die de stad doorkruisten. Billi zag een jong meisje, niet veel ouder dan zijzelf, opgekruld in een oude slaapzak voor het donkere, gapende gat van een steeg liggen. Ze vroeg zich af of het meisje er de volgende ochtend nog zou liggen of dat de schaduwen haar zouden hebben opgeëist. Misschien had de duivel gelijk en was de hel hier, aan de andere kant van het raampje.

De auto reed de verlaten straten door en het was alsof het licht ervoor terugdeinsde. De duisternis schurkte tegen de wielen en net buiten haar zicht voelde Billi de kille aanwezigheid van andere dingen, misschien wel de duivels die in het donker loerden, die de verwensingen beantwoordden en vervloeking beloofden. Ze hingen onzichtbaar om haar heen en verscholen zich in de aanwezigheid van hun meester. Door het raampje leek de stad te vervagen totdat er nog slechts mist te zien was.

De auto stopte en het portier ging open. De chauffeur boog diep toen de duivel uitstapte. Billi volgde zijn voorbeeld en keek om zich heen.

Ze stonden voor het huis van Elaine.

'Waarom zijn we hier?' De ramen op de eerste verdieping waren donker. Ze sliepen waarschijnlijk allemaal.

'Zodat jij jouw deel van de afspraak kunt nakomen.'

'Wil je mijn ziel?'

De duivel lachte en schudde zijn hoofd. Hij legde zijn hand op de deurknop en de voordeur zwaaide open. Hij wees naar de trap.

'Ik wil dat je je vader doodt,' zei hij.

27

‘Nee!’ Wat kon ze anders zeggen?

‘Weet je het zeker? Wil je dan niet de eerstgeborenen redden?’ De duivel trok een wenkbrauw op. ‘Of Kay? Verdient hij het niet om te worden gered?’ Hij legde zijn handen om de hare en drukte ze stevig tegen het gevest aan. ‘Stel dat de rollen waren omgekeerd, zou Arthur ook maar één seconde aarzelen?’

Ze wilde ‘ja’ zeggen, dat haar vader zijn plicht niet zwaarder zou laten wegen dan zijn liefde voor haar, maar de woorden wilden niet komen. Ze herinnerde zich wat Michaël had gezegd, en hoe hij het tempelierszwaard op haar hand had laten neerkomen. Arthur had niets gedaan.

Haar leven, of het leven van elke eerstgeborene.

Voor hem zou het geen moeilijke keus zijn.

‘Inderdaad.’ De duivel tilde haar hand met het zwaard omhoog. Billi probeerde hem uit alle macht tegen te houden, maar ze kon niet tegen hem op. Het scherp van het zwaard gleed langs haar hals. Een lichte druk en haar keel zou een gapend gat zijn. ‘Hij zou geen moment aarzelen, nietwaar?’ Hij liet haar hand los.

Billi stond in de deuropening en keek naar het kale peertje boven aan de smalle trap. De mist om haar heen golfde naar binnen en vormde kleine draaikolkjes in het halletje.

‘Nee.’ Ze kon het niet. Misschien zou haar vader zijn plicht wel zwaarder laten wegen, maar zij was niet zoals hij. Ze haatte hem dan misschien, maar ze was geen tempelier en zeker geen moordenaar. ‘Waarom wil je hem dood hebben?’

‘Er wordt wel beweerd dat ik bang ben voor Arthur SanGreal. En dat is ook zo.’ De duivel zette zijn bril af. Zijn ogen...

Hij had er geen. Rondom zijn oogkassen zaten bloedkorsten en achter de verschrompelde oogleden zaten twee donkere gaten. Hij greep haar wangen beet en trok haar naar zich toe zodat hun gezichten niet meer dan een paar centimeter van elkaar verwijderd waren. 'Dat komt doordat ik eindelijk een sterveling heb ontmoet die meedogenlozer is dan ik.' Hij wees op zijn lege oogkassen. 'Het werk van je vader.'

Ze wilde wegkijken, maar de fascinatie was te groot. Ze staarde in de gaten en zag een oneindig diepe duisternis, een zwarte afgrond. Hoe langer ze erin keek, hoe sterker het gevoel werd dat ze viel, voor altijd zou blijven vallen.

'Jaren geleden werd ik door een bisschop ontboden. Hij dacht dat hij me kon bevelen. Maar toen ik verscheen, kwamen de tempeliers tussenbeide.' Hij stak zijn vingers in de twee gaten. 'Vanuit de hemelsfeer deze lemen wereld betreden is niet eenvoudig, en ook niet aangenaam. Het kost enorme inspanning om door het vlies van de werkelijkheid heen te breken en we kwamen verzwakt en gedesoriënteerd hier aan. Anders had je vader nooit kunnen doen wat hij heeft gedaan.'

Zo waren de tempeliers dus aan de *Goetia* gekomen. Van de bisschop. 'En dus heb jij die geestelijke gedood?'

'Ik? Nee, SanGreal, ik niet.' Hij zette zijn bril weer op. 'Arthur heeft de arme man gestraft.' Billi zag haar weerspiegeling in de donkere glazen. 'En hij is niet op een prettige manier heengegaan.'

Billi liet het Zilveren Zwaard los en het viel kletterend op de koude stenen. 'Dood hem zelf,' zei ze.

De duivel drukte haar tegen de muur. Toen hij haar gezicht langzaam losliet, bleven er bloederige indrukken van zijn nagels op haar wangen achter. Hij stak zijn vinger in zijn mond. 'Weet je wat er door je moeder heen ging toen ze in de gang lag dood te bloeden? Eenzaam en alleen?' Hij keek haar door de donkere glazen met zijn lege ogen aan. 'Ze realiseerde zich dat – vroeg of laat – jou hetzelfde zou overkomen.' Hij glimlachte wreed. '*Gij zult zich begeven in het gezelschap van martelaren.* Is dat niet het lot van alle tempeliers?'

'Ik ben geen tempelier.'

De duivel lachte. 'Denk je echt dat je enige keus hebt?'

Had ze die? Ze was eruit gestapt en toch had ze gedaan wat haar vader van haar wilde.

Hij zou haar nooit haar vrijheid geven. Dat moest ze zelf doen.

Billi wilde het zwaard oprapen.

'Nee, niet daarmee. Je zult je eigen manier moeten vinden. Laat het hier liggen totdat het is volbracht.'

Billi ging de trap op.

Ze opende de deur en ging de zitkamer in. Ze had gedacht dat ze op zouden blijven, maar Elaine zat onderuitgezakt op de bank te snurken. Er lag een boek over talismannen opengeslagen op haar schoot. Billi sloop langs haar heen en pakte een mes uit de keukenla. Het was een smal mes. Het lemmet was stijf en enigszins gebogen. Het zou makkelijk tussen zijn ribben door glijden.

Het wapen van een sluipmoordenaar, zou Pars het genoemd hebben. Hij had niet van messen gehouden, want ze konden achter een glimlach worden verborgen. Volgens Pars doodden sluipmoordenaars door hun slachtoffer te omhelzen.

Billi ging de slaapkamer in.

De gordijnen bewogen op de wind. Haar vader sloot het raam nooit helemaal, zelfs niet als het buiten sneeuwde. Er viel net genoeg licht tussen de gordijnen door om te zien dat hij sliep. Hij lag op zijn rug met de dekens half over de rand en op zijn bovenlichaam was een schoon verband aangelegd. Oude littekens ontsierden zijn borst. Zijn hele leven had hij gevochten. Eerst bij de marine, daarna als tempelier. Hij had al die gevechten overleefd, al die middernachtelijke Oordelen met ghouls, weerwolven, geesten, demonen.

De goddelozen waren met recht bang voor hem.

Het scherpe lemmet van haar mes glansde in het maanlicht. Een borstwond van zeven centimeter was al dodelijk. Dit mes was tien centimeter lang.

'Jamila?'

Ze bleef versteend staan toen hij de naam van haar moeder fluisterde. Miste hij haar zo dat hij zelfs nu zijn dode vrouw zag in plaats van haar? Zou Billi altijd op de tweede plaats blijven komen, na een geest? Hij hield van de dood, niet van haar. Arthur bewoog. Hij kwam iets overeind en liet zijn hoofd tegen het houten hoofdeind rusten. Het maanlicht viel op zijn gezicht. Zijn ogen waren roodomrand en nog wazig door de morfine, maar langzaam maar zeker werd zijn blik helder. 'Billi,' kreunde hij. 'Ik dacht dat het... laat ook maar.'

Toen zag hij het mes.

Zijn blik bleef op het wapen rusten, alsof hij zijn ogen niet kon geloven. Misschien konden zijn hersenen het niet tot zich door laten dringen.

Moordenaar.

De beste moordenaars stonden op goede voet met hun slachtoffers, totdat het te laat was. Hoe zou je ooit dicht genoeg bij je doel kunnen komen als je slachtoffer je niet vertrouwde? Als je hem niet dierbaar was?

Hoe zou je anders Arthur SanGreal kunnen doden?

Eén leven tegen duizenden levens. Eén leven tegen honderdduizenden levens. De duivel had gelijk: als de rollen waren omgekeerd zou Arthur geen moment aarzelen.

Langzaam liet hij zijn blik omhoog gaan, totdat zijn blauwe ogen op haar donkere poelen bleven rusten. Zijn wangen plooiden zich nauwelijks zichtbaar en de rimpeltjes bij zijn ogen werden dieper. Hij glimlachte naar haar. 'Ik begrijp het,' zei hij. Hij keek omlaag naar zijn borst en draaide zijn gezicht toen naar het licht dat door het raam naar binnen scheen. En wachtte.

Billi stond naast het bed. Haar hart bonkte zo hard dat ze het kon horen. Het zweet stond op haar rug. Ze hoefde maar een paar stappen te doen, maar haar benen trilden van inspanning. Alleen haar hand was vast. Ze sloot haar ogen. Ze dacht aan Rebecca Williamson, die eenzaam en angstig was gestorven. Zoals haar moeder. Zoals hij ook haar, ooit, zou laten sterven.

Eén leven tegen dat van alle eerstgeborenen.

Haar vaders leven.

Ze stootte het mes naar voren.

28

Het mes stond trillend in het hoofdeind.

Arthur keek haar aan. Er stroomden tranen over zijn verweerde wangen.

De deur knalde open en het licht ging aan. Billi knipperde met haar ogen tegen het felle schijnsel. In de deuropening stond Elaine. Haar haar stond woest alle kanten uit. Ze keek eerst naar hen en vervolgens naar het mes dat een paar centimeter naast Arthurs hoofd uit het hout stak. Haar mond viel open en toen vertrok haar gezicht van woede. 'Vertel het haar, Arthur! Vertel het haar!' zei ze met opeengeklemde kaken. Toen trok ze haar flodderige pyjama recht, stormde de kamer uit en sloeg de deur achter zich dicht.

'O nee.' Billi deed een stap achteruit. Haar hele lichaam trilde. Ze staarde naar het staal dat uit het hoofdeind stak. 'Wat, pap? Wat?'

Arthur ging rechtop zitten. 'Het spijt me, Billi. Het spijt me vreselijk. Ik wou dat het niet had gehoeven. Maar je kon het niet weten. Het was Kay.'

Billi's keel leek plotseling te worden dichtgesnoerd.

Arthur zuchtte diep en vervolgde: 'Kay had gezegd dat dit ging gebeuren.' Hij pakte haar hand beet; het was de enige manier om het trillen te stoppen. 'Hij had voorspeld dat je me ging doden.'

Billi schudde verwilderd haar hoofd. 'Nee, dat kan Kay niet. Dat heeft hij zelf gezegd.' Telekinese, telepathie, aura's lezen, allerlei buitenzintuiglijke waarnemingen, maar niet dit. Hij kon niet in de toekomst kijken.

'*Om hen te redden zal ze degene die zij liefheeft offeren.* Dat zei Kay toen we hem vonden.' Zijn stem was niet meer dan een fluistering. Hij had het zo lang geheimgehouden dat hij het nauwelijks nog over zijn lippen kon krijgen. 'Die aanvallen die hij altijd had waren visioenen. Eerst hadden we het niet door. Maar deze bleef maar terugkomen.'

'Waarom heb je het me niet verteld?'

'Ik kon het niet, lieverd. Ik kon het niet.'

Lieverd? Het woord leek niet te kloppen uit zijn mond. Arthur keek haar smekend aan. In het maanlicht was zijn gezicht bleek en bloedeloos, als het gezicht van een dode.

'Kay wist dat er iets ging gebeuren, iets vreselijks,' vervolgde hij. 'Hij wist ook dat jij de enige was die het kon tegenhouden.' Moeizaam klom Arthur uit bed en hij leunde zwaar tegen de rand. 'Maar ik zou sterven.'

O, mijn hemel. Natuurlijk. Allemaal om de tiende plaag te voorkomen.

'Daarom heb ik jou zo opgeleid, Billi. Ik moest wel. Denk je echt dat ik iemand dit leven zou toewensen? Jou, mijn eigen dochter?'

Kay had geprobeerd het haar duidelijk te maken. *Je vergist je in je vader.* Hij had geweten, hij had gezien, dat Arthur van haar hield.

'Maar ik kon je niet laten zien hoeveel pijn het me deed om zo... wreed te zijn. Ik moest je hart gevoelloos maken. Voor mij, althans. Zorgen dat je meedogenloos genoeg zou zijn om te doen wat nodig was.'

Dit was ziek.

'Zodat ik je kon doden als het moment was aangebroken.' Billi's hoofd tolde en ze sloot haar ogen. Haar vader had haar opgeleid om hem te doden. De andere tempeliers, zelfs Pars, moesten het hebben geweten. Ze was haar hele leven voorgelogen, door iedereen.

'Zeg iets, Billi.'

'Jezus. Ik weet nu pas hoe volkomen gestoord jullie zijn.' Ze liep achteruit naar de deur. Ze voelde zich bedrogen en verstikt. 'Jij vieze, vuile klootzak! Hoe heb je me dit kunnen aandoen?'

Kay verscheen in de deuropening. Zijn haar zat in de war, de slierten hingen voor zijn gezicht en hij zag er nog slechter uit dan haar vader. Hij probeerde iets te zeggen, maar kon hen alleen maar angstig aankijken.

'En Kay?' vroeg Billi. 'Was Kay op de hoogte?'

Arthur schudde zijn hoofd. 'Nee. Die visioenen dreven hem tot waanzin. Elaine heeft eindeloos haar best gedaan om dat niet te laten gebeuren. Maar het vermogen om de toekomst te voorspellen was hij kwijt.'

Ze sloeg haar handen voor haar gezicht. Ze kon niet huilen, niet schreeuwen. Ze zat gevangen tussen haat en medelijden. Arthur wilde zijn arm om haar schouders slaan.

'Raak me niet aan.'

Hij liet zijn handen zakken en deed een stap achteruit.
Leugens, leugens en nog eens leugens.
De tempelridders.
Klootzakken.

Ze verhuisden naar de zitkamer. Elaine had de gordijnen geopend, zodat het grijze ochtendlicht naar binnen viel. Arthur schuifelde achter haar aan de kamer in en Kay stond alleen maar voor zich uit te staren.

Ze had uitgeput moeten zijn, maar de energie van het Zilveren Zwaard zinderde nog steeds door haar heen en nestelde zich diep in het merg van haar botten.

'Vertel me alles,' zei Arthur. 'Vanaf het begin.'

Billi keek hen aan. Er had zich een subtiele verandering in hun gezichten voltrokken. Haar vader keek haar bijna teder aan. Nu de last van het geheim was verdwenen zag ze een zekere lichtheid. Het was niet meer dan een glimp, maar het stalen masker was verdwenen. Maar Billi's woede woekerde voort. Ze kon het hem niet vergeven hoe hij haar had behandeld. Hoe ze haar allemaal hadden behandeld.

Kay, die nog verzwakt was door het ritueel, stond aan de andere kant van de kamer tegen de muur geleund. Hij was bang.

'Satan,' zei hij. 'Je hebt Satan ontmoet.'

Arthur verstijfde. Hij had het mes uit het hoofdeind getrokken en legde het op tafel. 'Waar?'

'Hij wachtte me op in de Tempelkerk.'

'Maar waarom is hij niet tijdens het ritueel verschenen?' vroeg Kay. Billi kon niet zeggen of hij blij of teleurgesteld was.

'Hij zei dat etherische wezens zwak zijn als ze net in de materie zijn afgedaald.' Billi keek uit het raam. De duivel was allang verdwenen. 'Hij heeft me een Zilveren Zwaard aangeboden, maar alleen als ik jou zou doden.'

'Om Kays voorspelling te doen uitkomen,' vulde Elaine aan.

Kay bewoog plotseling. 'Ik heb nooit voorspellingen gedaan. Je weet dat ik dat niet kan.'

Elaine schudde haar hoofd. 'Nu niet meer, Kay. Wel toen je net bij ons was. Ik had tóén naar de paardenraces moeten gaan.' Ze lachte, maar de angst die in de kamer hing deed haar lach al snel wegsterven.

Arthur nam het woord. 'Jonge helderzienden beschikken over buitengewone vermogens. Die moeten echter getemd worden, want anders drijven ze je tot waanzin. Toen we je vonden was je er niet best aan toe.' Hij keek naar Kay. 'Je bent van het ene naar het andere pleeggezin gegaan. Vader Balin heeft je tot Tempelhoeder benoemd en op dat moment is Elaine zich met je gaan bemoeien. Maar die voorspelling had je al gedaan. Er stond iets afschuwelijks en dodelijks te gebeuren. "Om hen te redden zal ze degene die zij liefheeft offeren" had je gezegd.' Hij wendde zich tot Elaine. 'We waren het er niet over eens wat het betekende. Voorspellingen, met name over de verre toekomst, kunnen gevaarlijk dubbelzinnig zijn.'

'En jij dacht dat het over jou ging?' vroeg Billi.

'Wie anders?' zei hij.

Billi sloot haar ogen. Ze wilde nergens meer mee te maken hebben. Het was haar allemaal te veel. Omdat een jongen een vage voorspelling had gedaan, was zij de afgelopen vijf jaar geschopt en geslagen, aan beproevingen onderworpen en had ze geleerd de vreselijkste dingen te doen. En had ze op het punt gestaan haar vader te vermoorden. Met moeite haalde ze adem. Het was alsof ze in een levensgrote, onzichtbare bankschroef zat.

'Ik heb je dit nooit toegewenst, Billi,' zei Arthur. Hij klonk oprecht, maar wat dan nog? Haar leven was wel zijn schuld geweest.

Kay raakte haar hand aan. Ze keek op. Er lag zo veel tederheid in zijn ogen, het blauw weerspiegelde zo veel zachtheid, dat als Billi niet Arthurs dochter was geweest, ze in tranen was uitgebarsten. Zijn vingers sloten zich om de hare. Billi voelde hoe zacht ze waren in vergelijking met de hare, die hard en vereelt waren door de jarenlange wapentraining.

Elaine schraapte haar keel. 'Wat nu, Art?'

Haar vader keek naar haar en toen naar Kay. Hij glimlachte, maar het was een verdrietige glimlach. Hij was verslagen.

'Jullie gaan ervandoor.'

Ze gingen weg. Elaine en Kay zouden de Vervloekte Spiegel naar Jeruzalem brengen. Ze hoopten dat er zich tussen de soefi's, rabbi's en priesters iemand zou bevinden die Michaël een halt kon toeroepen. Ondertussen zou Arthur een afleidingsmanoeuvre uitvoeren, een aanval om Michaël af te leiden, in de hoop dat hij er pas veel later achter zou komen dat de

Spiegel was verdwenen. Billi zou onderduiken. Nu de voorspelling niet was uitgekomen, wilde Arthur dat Billi zo ver mogelijk van het slagveld verwijderd was.

Billi hielp Kay met inpakken. Elaine had twee zakken tweedehandskleding op de vloer van de slaapkamer uitgespreid. Billi raapte een bruin nylon overhemd met oranje strepen op en hield het tegen het licht. Koos Elaine expres dit soort afzichtelijke spullen uit?

Wat een afschuwelijk...

'Niet vloeken,' zei hij.

'Ik zei niets.'

'Maar je dacht het wel heel luid.'

Billi haalde een zakje met thermisch ondergoed uit de stapel tevoorschijn. Ze dacht er maar niet bij na hoe Elaine hun maat wist en propte het snel in de koffer.

'Je gaat alweer weg,' zei ze. 'Als je wilt kunnen we samen gaan.' Ze zou geen moment aarzelen, wat haar vader ook zei. Als Kay het wilde. Hij schudde zijn hoofd.

'Nee. Zo is het veiliger.' Hij hield zijn ogen strak op de kleren gericht en keek haar niet aan. 'Ik heb je wel gemist, trouwens.'

Billi knikte. 'Als je het me meteen had verteld, zou het allemaal een stuk simpeler zijn geweest.'

'Je bent de enige vriend die ik ooit heb gehad, Billi.' Hij zweeg even. 'Misschien meer dan een vriend?'

Billi dacht terug aan de zoen op Trafalgar Square. Ze glimlachte. 'Toen was ik hysterisch. Dat telt niet.'

Kay stopte nog een trui in de koffer en deed hem dicht. In de keuken waren Elaine en Arthur met het eten bezig. Billi hoorde het gekletter van borden en bestek op de tafel. De fluitketel begon te fluiten.

'Je kunt het, Kay.' Billi pakte zijn hand. 'Jij gaat Michaël verslaan. Ik weet het gewoon.'

Kay fronste haar voorhoofd. 'En dan?' Hij praatte zacht. Billi zweeg. Ook als hij terugkeerde zouden ze niet samen kunnen zijn. Hij was een tempelier, zij niet. Voor hem betekende de Orde alles.

'Dat is niet zo, Billi. Niet zo veel als andere dingen.'

Billi trok een wenkbrauw op. Hij had weer haar gedachten gelezen. Maar deze keer leek het haar niet te kunnen schelen. 'Misschien kunnen we dan als normale mensen leven?'

Ze zwegen. Ze wisten alle twee dat het onmogelijk was.
Elaine bonkte op de deur. 'Eten.'

Ze gingen aan tafel en Arthur zei het gebed, waarna Elaine iedereen van de vegetarische stoofschotel bediende. Billi keek toe hoe Arthur de borden doorgaf die Elaine had volgeschept.

'Weet je waar dit me aan doet denken?' Elaine keek de tafel rond. 'Pascha.'

De maaltijd ter nagedachtenis aan de nacht waarin de Engel des Doods de tiende plaag over de eerstgeborenen van Egypte had doen neerdalen. Billi wierp Kay een zijdelingse blik toe. Zie je wel dat ze aandacht had besteed aan haar lessen. Kay glimlachte. Hij zag er niet geweldig uit: het ritueel had hem volledig uitgeput. Billi raakte onder tafel zijn hand aan.

'Ik denk niet dat we Michaël ook nu zullen tegenhouden door lamsbloed aan de deurpost te smeren,' reageerde Arthur sarcastisch.

'Dat weet ik heus wel,' antwoordde Elaine bits. 'Het gaat erom wat het bloed symboliseert: het offer. De krachtigste magie die er bestaat. Zomaar een lam slachten zou nu niets betekenen. Het offer' – ze wierp een blik op Billi – 'moet een betekenis hebben.' Elaine pakte een schaal met spinazie en gaf hem door. 'Ik vond het altijd heerlijk om de seidermaaltijd klaar te maken. De mierikswortel, al die gehakte noten en appels die in de wijn dobberden.' Ze lachte plotseling. 'Weet je wat we altijd deden? Weten jullie wat de beker van Elia is?'

Billi knikte. 'Dat je een extra beker vult, voor het geval hij plotseling voor je deur staat.'

Elaine klapte in haar handen. 'Precies! Bij ons thuis schonken we vroeger altijd zo'n extra beker in. We gingen dan op de profeet zitten wachten, onze ogen hoopvol op de voordeur gericht. Maar terwijl niemand keek bonkte mijn vader op tafel! Het is een oude truc, maar hij blijft leuk. Je had moeten zien hoe we allemaal opsprongen!' Ze lachte en hief haar vuist boven tafel.

Doef.

Doef.

Doef.

Er bonkte iemand op de deur. Hard, stevig en standvastig. Kay staarde met een lijkbleek gezicht in de richting van het geluid. Billi stond op en verliet de in stilte gehulde kamer. Ze ging de trap af. Het zweet droop langs haar rug omlaag en haar bloes plakte tegen haar huid.

Voortgedreven door een onweerstaanbare angst liep ze naar de voordeur, legde haar hand op de knop en trok de deur langzaam open.

Glimlachend stond hij voor de deur te wachten. Geen dreiging, geen onverhoedse bewegingen. Het was niet nodig. Met een schok drong het plotseling glashelder tot Billi door: ze had verloren. Ze had hopeloos verloren.

Het was Michaël.

29

Hij zette een voet op de drempel en keek haar glimlachend aan. 'Mag ik binnenkomen?'

Ze wilde het op een lopen zetten. Maar haar hand lag als verlamd op de deurknop en haar benen trilden en weigerden dienst. Het duurde even voordat ze haar mond wist te openen en er met uiterste inspanning iets uit kon krijgen.

'Nee.'

Hij stapte de drempel over en zijn blik bleef rusten op de mezoeza in de muur.

Zou die hem kunnen tegenhouden? Elaines huis was beschermd met tientallen hoeders. De mezoeza was een van de krachtigste. Misschien dat...

Michaël sloeg met zijn vuist het doosje in. Hij haalde er het kleine, breekbare rolletje perkament uit en hield het tussen duim en wijsvinger vast. Het papier vloog onmiddellijk in brand. Binnen enkele tellen was het in rook opgegaan.

Net als Billi's hoop.

'Jullie hebben me in het relikwieënschrijn niet kunnen tegenhouden.' Michaël blies de as van zijn hand. 'Waarom dacht je me hier wel te kunnen tegenhouden?' Hij kwam de gang in.

Langzaam liep ze achteruit. Op elke centimeter huid stond kippenvel en er biggelde een druppel koud zweet langs haar rug omlaag.

'Wie is het?' riep Elaine boven aan de trap.

Rennen. Ze moest maken dat ze weg kwam. Ze moesten allemaal maken dat ze weg kwamen. Rennen! Ze kon de alarmkreet niet uit haar mond krijgen. Haar keel was droog en zat dichtgesnoerd.

Ze liep achteruit de trap op. Ze durfde haar blik niet van hem af te wenden, terwijl hij haar tree voor tree volgde. Maar toen ze bij de deur van het appartement was aangekomen, wierp ze snel een blik over haar schouder. Haar met doodsangst gevulde ogen spraken boekdelen. Ze draaide zich om en stormde de kamer in. Ze bleef tussen haar vader en Kay in staan.

Michaël verscheen in de deuropening en hij keek de kamer rond.

'Hugo van Payns zou vast en zeker teleurgesteld zijn als hij had gezien hoe laag de tempeliers zijn gezonken.'

'Soms kruipen we in het slijk om onze vijanden op te sporen,' zei Arthur. Hij had een broodmes in zijn hand. Billi dacht niet dat het veel zou uithalen. Kay staarde Michaël met zijn ziekelijk bleke gezicht aan. Hij zag eruit alsof hij elk moment kon instorten en hij leunde zwaar op de tafel. Elaine had haar hand op het blik gelegd. Michaël liep naar het midden van de kamer en genoot zichtbaar van zijn overwinning. Billi twijfelde er niet aan dat hij hen ging doden.

'Het is maar beter ook, zo, eerstgeborene. Geef mij de Spiegel en ik zal jullie snel en pijnloos doden.' Zijn ogen lieten de blikken trommel niet los. 'De plaag is niet aangenaam. Helemaal niet aangenaam.' Zijn ogen schitterden begerig. 'Bij het aanbreken van de dag, wanneer de haan kraait, zal iedereen die besmet is sterven en ik zal de wereld herboren zien worden. Vanuit de hoogte.'

'Ik zal je zeggen wat jij met je aanbod mag doen,' snauwde Billi. Haar vader pakte haar hand beet. Michaël zag het en hij lachte.

'Wat schattig, Arthur. Ik wist niet dat je zo'n soort man was.'

Dat was hij ook niet. Billi voelde dat hij twee vingers tegen haar handpalm drukte. Een, twee, drie keer. Een uitval. Zij zou naar links gaan om Michaël af te leiden en hij zou hem aanvallen. Met een broodmes. Een heel slechte poging tot zelfmoord.

'Nee,' zei ze. Haar vader verstrakte. Billi deed een stap naar voren. 'Michaël, je weet dat het verkeerd is. Je kunt mensen niet op zo'n manier weer tot God brengen. Daar gaat het niet om.'

Michaël lachte. 'Ah, een beroep op mijn betere ik? Op mijn menselijkheid?' Hij deed ook een stap naar voren. Zijn lichaam straalde hitte en licht uit. De golvende hitte zinderde tussen hen in. 'Je vergeet dat ik geen menselijkheid bezit, sterveling.'

Kay liet kreunend zijn hoofd zakken. De kopjes en de borden op tafel begonnen te rammelen en stuiterden omhoog. De thee spetterde over het tafelkleed, waarop de roestbruine vlekken steeds groter werden. Billi, die nog steeds haar vaders hand vasthield, deed een stap opzij. Toen slaakte Kay een kreet.

De eettafel schoot de kamer door en smeet Michaël tegen de muur. Terwijl de tafel explodeerde en de scherpe stukken hout door de kamer vlogen, kwam het stucwerk van het plafond omlaag. Billi werd door een paar stukken geraakt voordat ze zichzelf achter de bank in veiligheid kon brengen. Een tel later vloog ook die op Michaël af.

'Rennen!' schreeuwde Kay. Hij stond in het midden van de kamer, terwijl de stoelen, borden, messen, lepels en vrijwel alles wat niet zat vastgespijkerd als bladeren in een orkaan om hem heen wervelde. Zelfs de vloerplanken kraakten en kreunden; de spijkers knarsten en trokken zichzelf trillend uit het hout, gehoorzamend aan zijn wil.

Michaël kwam overeind en klopte het stof van zich af. Hij draaide zich om naar Kay. De hitte sloeg van hem af en Billi hapte naar adem alsof plotseling de deur van een smeltoven was opengegaan. De vlammen likten aan de muren en de randen van de wapperende gordijnen.

Kay wierp een blik op het keukentje. De laden vlogen uit de kastjes en een metalen stortvloed aan messen, vorken en vleespennen schoot door de kamer heen op Michaël af. Hij wankelde toen het staal in zijn lichaam drong en de muur besproeid werd met zijn bloed, maar hij bleef overeind.

Billi wilde te hulp schieten, maar Arthur greep haar bij haar arm en trok haar mee de deur door. Elaine volgde hen op de voet, met het blik tegen haar borst geklemd. Hun oren knapten bij de plotselinge implosie van wind en vuur. De vloer golfde en de muren zakten een halve meter opzij. Het hele gebouw schudde op zijn grondvesten.

Billi bedekte haar hoofd met haar armen toen de stukken plafond omlaag tuimelden. De trap zwaaide heen en weer en kraakte. De voordeur lag recht voor hen, maar het huis leek hen te willen opzuigen. De vloer kantelde en ze viel voorover. Haar vader kon haar nog net vastpakken en voorkomen dat ze van de trap viel. Splinters baksteen vlogen in haar gezicht en bedekten haar wangen met kleine sneetjes. Ze wist niet meer wat boven of onder was. Elaine rolde tegen haar op en hun hoofden botsten pijnlijk. Een oorverdovend gierende wind joeg langs de trap omlaag, alsof ze voor een straalmotor stonden.

Sta op!

Ze wierp zich tegen de deur aan. Hij hing al half uit zijn scharnieren en vloog met een schok open. Half kruipend pakten Arthur en Billi Elaine bij haar armen beet en vluchtten samen de straat op.

Elaines appartement was veranderd in een verblindend witte vlammenzee. Het dak was een geraamte van zwarte ribben en de helft van de muren was ingestort.

'Kay!' schreeuwde Billi. Ze had gedacht dat hij vlak achter hen aan was gekomen, maar zag hem nergens. Hij was nog binnen! Ze draaide zich om, maar haar vader hield haar tegen.

'Het is te laat, Billi! Het is te laat!'

'Nee!' Ze verzette zich uit alle macht, ze schreeuwde en liet haar vuisten op hem neerdalen. Ze moest Kay redden. Arthur negeerde haar slagen en sloeg zijn armen om haar heen. 'Het is te laat.'

Hij trok haar mee, weg van het in lichterlaaie staande huis. Een handjevol mensen in pyjama, nachtjapon of haastig aangeschoten jas stond op straat naar de vlammen te kijken. Sommigen maakten foto's.

De explosie deed iedereen wankelen. De grond beefde onder hun voeten en het zwarte asfalt brak in duizenden stukken uiteen. De lucht vulde zich met een verzengend witheet vuur dat Billi tegen de grond aan gedrukt hield. Het enige wat ze kon doen was in het ontzagwekkende schijnsel turen.

Over de van pijn kronkelende mensen heen stappend kwam hij op hen af. Zijn kleren smeulden en er stegen rookslierten van zijn lichaam omhoog. Het schijnsel verflauwde en daar stond hij: Michaël. Het bloed uit honderden wonden zat tegen zijn lichaam gekoekt en er staken nog steeds hier en daar messen uit zijn lichaam, als een weerzinwekkende Sint-Sebastiaan.

Het blik lag een paar meter van Billi af, waar Elaine het uit haar handen had laten vallen. Ze probeerde op te staan, maar zelfs de lucht leek te zwaar. Ze kon zich niet bewegen. Ze kon hem niet tegenhouden.

Michaël pakte het blik op en rukte het deksel eraf. Het licht dat eruit opsteeg verlichtte zijn gezicht.

'Eindelijk.' Hij trok het noppenplastic weg en hield de Vervloekte Spiegel boven zijn hoofd. 'Eindelijk!' De Spiegel straalde een gouden licht uit, feller dan de zon, en hij laafde zich eraan. Eerst fluisterden ze. Toen zongen ze. Ten slotte krijsten de Wachters die erin zaten opgesloten en ze lieten hun energie de fysieke wereld in vloeien. De lucht zinderde en de hitte werd met de seconde intenser, terwijl de poort naar het portaal van de hel zich opende. Billi stak haar vingers in haar oren voordat haar trommelvliezen konden barsten door het oorverdovende kabaal van de ontelbare koren. Het licht was ondraaglijk en ze dook weg tussen haar armen. Het asfalt onder haar begon te smelten en te roken.

Een enorme klap maakte er een eind aan. De hitte was zo intens dat de lucht was geëxplodeerd. Toen de schokgolven waren weggeëbd drong het tot Billi door dat ze niet dood was. Het rommelde boven haar hoofd en er landdden een paar regendruppels op haar gezicht. Ze tilde voorzichtig haar hoofd op.

Hij stond in een geblakerde krater van gesmolten asfalt. De anderen stonden om hem heen.

Ze zagen eruit als schimmige gestalten, die trillend afstaken tegen het felle licht en langzaam maar zeker vastere vorm kregen. Telkens als een van hen de laatste barrière overwon en eindelijk naar deze wereld terugkeerde, slaakte hij een kreet van triomf. Billi keek toe hoe ze struikelend tevoorschijn kwamen en naakt en uitgeput op de grond vielen, terwijl er zwarte dampen opstegen van hun nog onvoltooide lichaam. De een na de ander legde dezelfde weg af, totdat de straat was bezaaid met witte, getatoeëerde wezens. Michaël liep naar een van hen toe en hielp hem overeind. Ze keken elkaar aan, hun goudgele ogen vervuld van etherische macht. Michaël omhelsde hem.

'Arakiël,' zei hij.

Ook de anderen stonden op. De schaduwen rond hun lichaam verdichtten zich tot donkere gewaden. Het engelachtige licht van hun witte gezichten stak er scherp tegen af. Het waren inderdaad engelen der duisternis.

De Vervloekte Spiegel. Michaël had hem laten vallen. Billi kroop ernaartoe. Misschien hadden ze nog een kans. Ze strekte haar hand uit.

Michaël raapte hem op. Hij keek op haar neer en omsloot de Spiegel met zijn handen. Hij smolt als boter en er dropen lange slierten vloeibaar koper op de grond, die sissend afkoelden tot een vormloze hoop.

Toen boog hij zich naar haar toe en tilde zacht haar gezicht op. De ogen die ze ooit zo mooi en stralend had gevonden, waren nu de ogen van een meedogenloze jager. Ze straalden geen greintje warmte uit, geen greintje mededogen. Hij bracht zijn gezicht omlaag en kuste haar. Billi deinsde achteruit, maar zijn vingers sloten zich onverbiddelijk om haar kaak. Het was alsof haar lippen tegen een ketel met kokend water werden gedrukt. Ze wilde schreeuwen, maar zijn lippen sloten de hare af. Toen liet Michaël haar vallen.

De andere Wachters kwamen om hem heen staan.

'Kom, we hebben Gods werk te doen,' zei hij. Ze draaiden zich om en verdwenen in de duisternis.

Billi kwam overeind, zette een paar passen en viel weer neer doordat haar hoofd tolde en de grond onder haar voeten wankelde. Ze draaide zich om naar de hemel, wanhopig verlangend naar de verkoelende regen, maar toen de druppels op haar gezicht vielen, was het alsof de hitte ze direct deed verdampen. Ze kon geen adem krijgen. De lucht verdichtte zich om haar heen. Er klonk een oneindig hoog gezoem en de grond zonk onder haar weg. Terwijl ze viel werd ze beetgegrepen door handen. Haar vader schreeuwde naar haar met angstig opengesperde ogen, maar ze kon niet horen wat hij zei. Stalen nagels reten haar buik open en ze klapte dubbel. Gal welde op in haar keel en stroomde door haar mond naar buiten. Elaine kwam aangerend om te helpen en ze streek met haar handen over Billi's ogen, even maar.

Toen zag ze hem, de wolk zwartkristallen lijkvliegen. Ze gilde toen ze op haar gezicht neerdaalden, over haar mond en ogen kropen en het gegons tot in het diepst van haar schedel doorklonk. Ze sloeg en schopte wild om zich heen om ze te verdrijven, maar er zwermden steeds meer vliegen om haar heen totdat ze volledig bedekt was en haar ogen zich vulden met duisternis.

De plaag was ontketend.

30

Ik ben dood.

Kay is dood.

We zijn allemaal dood.

Ze zweefde, warm en gewichtloos. Ze voelde zich veilig; zo had ze zich in geen jaren gevoeld. Als dit de dood was, was het zo erg nog niet.

Maar naarmate Billi weer bij bewustzijn kwam, keerde ook de pijn terug. Bij elke ademhaling was het alsof er glasscherven door haar keel gingen en er withete naalden in al haar gewrichten werden gestoken.

Zou dat niet allemaal voorbij moeten zijn als je dood was?

'Billi?'

Het gezicht van haar vader die op haar neerkeek. Hij hield haar in zijn armen. Dat had hij niet meer gedaan sinds... hoelang? Een eeuwigheid. Hij droogde haar wangen met zijn mouw.

'Niet huilen. We zijn bijna thuis.'

Thuis? Waar was dat?

Ze keek omhoog naar de donkere hemel en zag twee ridders boven zijn hoofd, op één enkel paard. De tempelridders.

Lieve help, de tempeliers hebben een eigen hemel.

Geweldig.

Ze had gedacht dat ze er eindelijk vanaf zou zijn als ze eenmaal dood was. Maar toen haar ogen zich focusten, werden de twee ridders een klein, bronzen beeld op een eenvoudige, witte zuil.

Thuis. Welk ander thuis hadden ze nog?

De Tempelkerk.

Elaine gooide haar jas op het sokkel van de zuil met het tempeliersbeeld en Arthur legde Billi erop. De miezerregen kietelde op haar huid en verkoelde de vurige koortsgloed op haar gezicht.

Vanaf deze plek waren kruistochten aangekondigd. Hier vandaan had de grootste militaire orde uit de middeleeuwen een heilige oorlog gevoerd. Edelen, prinsen en zelfs koningen hadden hier neergeknield en gebeefd onder de vuurproef van de tempelridders.

Nu was het een geblakerd geraamte. De ramen waren verbrijzeld en de deuren dichtgetimmerd met spaanplaat. De regen liet dikke roetsporen achter op de witte muren. Bliksemflitsen deden de donkere wolken boven de stad oplichten. De lucht dreunde van de donder.

Er was echter nog een geluid, dat bijna verloren ging in het geweld boven hun hoofden. Billi kwam overeind op een elleboog en spitste haar oren.

Kerkklokken. De stad galmde ervan. Het werden er steeds meer en het geluid zwol aan. De donkere wolken leken te schudden van woede en rommelden dreigend ten antwoord. Billi's hoop laaide op. De hoop dat er íéts ging gebeuren.

De gelovigen werden geroepen. De angstigen.

De regen kletterde nu neer, de wind gierde over het binnenhof en Billi kon de klokken niet meer horen. Ze liet zich weer op de harde, koude steen zakken. Wat hadden ze eraan? Michaël had gewonnen. En straks zouden alle eerstgeborenen dood zijn.

Kay was dood. Zij ging dood.

Arthur knielde naast haar neer en streek over haar haar. Hij leunde tegen de pilaar en glimlachte zwak. Er lag een zachtheid op zijn gezicht die ze in geen jaren had gezien. Hij zag er volkomen anders uit.

'Art,' zei Elaine en ze wees in de duisternis voor haar.

Ze kwamen eraan. Zwarte silhouetten die behoedzaam door het gordijn van regen naderden. Arthur stond op en trok het broodmes.

De Wachters. Ze kwamen het werk afmaken. Het waren er maar een stuk of vijf, maar dat zou meer dan genoeg zijn. Ze bewogen zich met het zelfvertrouwen van ervaren strijders, zonder zich te haasten. Met een dodelijke vastberadenheid kwamen ze dichterbij.

Arthur deed een stap naar voren.

'Doe je ogen dicht, Billi,' zei Elaine. Ze hief haar knokige vuisten, vastbesloten om tot het bittere eind te vechten. Billi wilde lachen, ze wilde huilen. Elaine was nooit een tempelier geweest, maar nu zou ze als een echte tempelier ten onder gaan.

Nee. Ze ging niet met gesloten ogen en liggend op de grond sterven. Billi kwam met moeite overeind. Haar spieren verkrampten, maar ze klemde haar kaken op elkaar en dwong haar lichaam te gehoorzamen.

Als dit het eind was, dan zou ze vechten. De zwarte gedaanten hadden hen nu bijna bereikt.

'Art?'

Ze tuurde in de duisternis. *Wacht eens even...*

'Gwaine?' zei Arthur.

Gwaine stapte het flauwe schijnsel van de lantaarnpaal in. Hij zag er een stuk ouder uit, zijn wangen waren ingevallen en zijn rimpels waren dieper dan daarvoor. Maar zijn ogen glinsterden. Een armlengte bij haar vader vandaan bleef hij staan. Billi zag ook de anderen tevoorschijn komen. Het werd stil om hen heen en ze hield haar adem in.

'Arthur.' Hij nam Arthurs rechterhand in de zijne en knielde. 'Mijn meester.'

Ze waren gekomen. Allemaal. Bors, Gareth, de oude Vader Balin en de rest. Pelleas omhelsde Billi en drukte haar tegen zich aan totdat ze geen adem meer kreeg. Zelfs Elaine werd gezoend door Bors en Billi zag dat ze bloosde en lachte van opluchting.

Ze waren gekomen. Het was maar een handjevol mannen, maar eindelijk drong het tot Billi door dat deze paar mannen alles waren.

Ze kon er niet meer omheen. Ze had zich er uit alle macht tegen verzet. Ze was eruit gestapt en had hen bijna in de steek gelaten, maar dit was haar leven, haar lot. Kay was weg en dit waren de enige verwanten die ze nog had.

De tempelridders.

31

'Maar ik ga met je mee,' zei Billi. Ze zat op een stoel met een dikke, bruine wollen sjaal om haar schouders geslagen en voelde zich honderd jaar oud. De pijn was van ondraaglijk gezakt naar bijna draaglijk. Misschien waren de botten van de oude tempeliers die hier in de catacomben lagen opgeborgen een betere bescherming dan alle magie van Elaine bij elkaar.

'Nee, jij gaat niet mee,' zei Arthur. Hij tilde zijn armen op, terwijl Elaine zijn verband controleerde. Hij was uitgemergeld en zag lijkbleek, maar hij was de meester en zou de tempeliers leiden. Hij wenkte Pelleas, die een zwaar maliënkolder over zijn schouder droeg. Arthur trok een gewatteerd zijden onderhemd aan en knoopte de rode lintjes op zijn linkerzij vast.

'Gwaine zorgt samen met Bors voor een afleidingsmanoeuvre. Ik val met de rest aan.' Pelleas trok het maliënkolder als een trui over Arthurs hoofd. Er liepen leren veters van zijn nek tot aan zijn schouderbladen. Pelleas knoopte ze dicht terwijl Arthur de hals iets losser maakte.

Gwaine. Ze kon haar oren niet geloven.

'Laat je dat aan Gwaine over?'

'Waarom niet? Hij is de seneschal.'

Billi boog zich naar hem toe en fluisterde: 'Pap, na alles wat hij heeft gedaan? Hij heeft je verraden.'

Arthur wisselde een blik met Pelleas, die een brede, leren zwaardkoppel om het middel van zijn meester gespte. 'De seneschal heeft mijn volle vertrouwen.' Zijn woorden stonden echter in schril contract met de kille, weerspannige blik die hij Gwaine toewierp, die aan de andere kant van de wapenzaal zijn strijdbijl aan zijn riem bevestigde. De vete was nog niet bijgelegd, maar dat zou moeten wachten.

Arthur trok zijn schouders naar achteren en zijn wapenrusting plooide zich om zijn lichaam. 'Hoe zie ik eruit?'

De ontelbare metalen ringetjes glansden in het gedempte licht. Het was een maliënkolder van de infanterie dat tot aan de dijen reikte en waarvan de mouwen en de hals met leer waren afgezet. Arthur droeg er een zwarte combatbroek onder en stevige, kuithoge laarzen. Hij pakte een zwaard met een eenvoudige beugel en een ijzeren gevest met een knop in de vorm van een walnoot. Het lijvige lemmet was niet lang en leek meer op een machete dan het elegante zwaard van een ridder, maar Billi wist dat het niet snel bot werd, afschuwelijke wonden kon toebrengen en precies bij haar vader paste. Wreed en scherp. Hij liet het in de schede op zijn linkerheup glijden. Op zijn rechterheup droeg hij een aantal smalle Milanese stiletto's uit de vijftiende eeuw.

'Moorddadig,' zei Billi schor.

Billi keek de wapenzaal rond. Elaine liep met open mond door de zwak verlichte catacomben. Ze staarde naar de verzameling beenderen in de alkoven, de wapens en de wapenuitrustingen. Ze woog een zwaard op haar handen en haar gezicht werd rood van inspanning.

De tempeliers konden met alle wapens overweg, maar hadden wel hun favoriete wapen. Gwaine had zijn bijl met stalen steel, die bij de brandweer vandaan kwam en waarmee je net zo goed kon beuken als hakken. Gareth tokkelde aan de strakke snaar van zijn composietboog alsof het een lier was en streek vervolgens zacht over de zwarte adelaarsveren van zijn pijlen. Bors had twee korte zwaarden op zijn rug. Vader Balin zat onder de lamp aan tafel en schrobde zorgvuldig met een tandenborstel het stof en het vuil van de ijzeren punten van zijn knots. En ten slotte Pelleas, de klassieke duellist: rapier en pareerdolk. Hij stond met gesloten ogen in het midden van de wapenkamer en liet langzaam zijn handen naar zijn tenen zakken om zijn rug te strekken. Zijn dunne zwartleren handschoenen had hij tussen zijn riem gestoken.

De tempeliers waren klaar voor de strijd.

'En ik dan?' Ongewild sprak Billi haar gedachten hardop uit. Het was niet de bedoeling geweest dat iemand het zou horen, maar Arthur had haar woorden opgevangen. Hij liep naar haar toe en hurkte zuchtend neer. 'Hoor eens, Billi. Jij moet hier blijven, samen met Elaine.'

'Je neemt Vader Balin wel mee en mij niet? Hij kan die knots nauwelijks optillen.'

Arthur keek naar de oude priester. Ze wist dat ze gelijk had; hij was bijna zeventig en hij was al nooit een geweldig strijder geweest. Ze zag dat haar vader het ook geen goed idee vond.

'Balin heeft zijn keus bepaald.'

'Maar hoe gaan jullie de Wachters verslaan?'

'Ze zijn nog maar net hier, en dus niet op volle sterkte. We zullen snel en hard toeslaan. Zo veel mogelijk schade in zo kort mogelijke tijd.'

'En Michaël?'

Arthur stond op en legde zijn hand op het gevest van zijn zwaard. 'Ik heb hem al eens eerder verslagen.'

'Maar, pap, dat was toen. Nu heeft hij zijn hele legerschaar hierheen gehaald. Hij kan niet worden verslagen.'

Arthur keek haar aan en siste door zijn opeengeklemde kaken: 'En dus proberen we het ook maar niet?' Hij zette zijn handen op de tafel en liet zijn hoofd hangen. 'Wat kunnen we anders doen dan vechten?'

'Zelfs als het hopeloos is?'

'Juist als het hopeloos is.'

'Maar waarom, pap?'

Toen glimlachte hij. De plotselinge warmte verraste Billi. '*Deus vult.*' Hij pakte haar hand. Zijn handpalm was droog en hard van de vele wapens die hij al die jaren had gehanteerd en op zijn vingers zaten dikke lagen eelt. Billi had ook al eelt op haar handen. 'Billi, ik heb ons leven al genoeg geruïneerd door in Kays voorspelling te geloven. Al die jaren heb ik mijn gevoelens moeten verbergen om jou sterk te maken. Je weet niet half hoe bang ik ben geweest.' Hij zoende haar op haar voorhoofd en liet zijn lippen daar rusten. Billi voelde de tranen, die langzaam langs zijn wangen op de hare druppelden. 'Je bent alles voor me, Billi. Zonder jou kan ik niet leven.'

Arthur deed een stap achteruit en keek haar aan. Niet als een meester zijn ridder, maar als een vader zijn dochter. Zijn ogen glommen.

'Billi, ik ben zo trots op je. Dat ben ik altijd al geweest.'

Gwaine kwam discreet naast hen staan met Arthurs leren jas over zijn arm. 'We zijn zover, Arthur.'

Arthur veegde zijn tranen weg. Hij pakte het jasje en trok het aan. Billi stond op, terwijl de ridders zich bij de deur verzamelden.

'Waarheen?' vroeg Bors.

Arthur keek Billi vragend aan.

Waar anders zou hij zijn? Michaël had het haar praktisch verteld.

Ik zal de wereld herboren zien worden. Vanuit de hoogte.

'Het Elysische Veld.'

Elaine bracht Billi soep. Ze strooide wat koriander in de dampende, tinnen kroes en gaf hem aan haar.

'Ik vind het heel erg van Kay,' zei ze, terwijl ze naast Billi ging zitten. Ze legde haar knokige vingers op Billi's hand.

Billi voelde dat de hand beefde van het ingehouden verdriet van de oude vrouw. Kay was Elaine ook dierbaar geweest. Billi sloot haar ogen. De dampende soep deed haar ogen tranen en ze wilde niet dat Elaine dacht dat ze huilde.

Kay.

Hij was nog maar net terug geweest en nu was hij voorgoed weg. Vanbinnen voelde Billi een diep, zwart gat en zij stond aan de rand ervan. Ze durfde er niet in te kijken, uit angst erdoor te worden opgeslokt, maar het gat was geslagen op het moment dat Kay verdween. Ze hield van hem. Ze was een jaar alleen geweest en nu zou dat voor altijd zijn. Ze keek naar Elaine, die alleen maar knikte.

'Hij was een heldhaftig ridder,' zei ze.

Ze vonden een paar veldbedden die ze in een hoek van de wapenkamer neerzetten. Elaine schoof onrustig onder haar dekens heen en weer.

'Ik slaap niet graag tussen de doden,' zei ze, terwijl ze naar de stapel beenderen naast haar knikte.

'Ik denk dat zelfs jouw gesnurk ze niet zal wekken.'

Billi rolde zich op in de dekens en sloot haar ogen. Het duurde inderdaad niet lang of Elaines gesnurk klonk luid door de duisternis. Het weergalmde tegen de muren, zodat het leek alsof het van alle kanten kwam. Hoe uitgeput Billi ook was, ze kon de slaap niet vatten. Het was alsof er scherpe messen tussen haar ribben werden gestoken, en het ene moment rilde ze van de kou en het volgende droop ze van het zweet. Hoeveel ze ook dronk, ze bleef dorst houden. En het gegons...

Het geluid van de vliegen weerklonk in de donkere ruimte. Ze kon ze niet meer zien, maar ze kromp ineen bij de gedachte dat ze over haar heen kropen. Billi trok de dekens strak over haar hoofd. Misschien zouden ze haar zo met rust laten. Ze lag een hele tijd te woelen, maar viel uiteindelijk in slaap.

Kay.

De beelden vulden haar dromen: de vlammen die uit het appartement sloegen, Michaël die werd verpletterd onder de bank, Kay. Zoals hij naar de wereld had geglimlacht.

Kay.

Ze miste hem. Ze miste hem erger dan ze had gedacht. Het gat in haar binnenste werd groter.

Ik ben hier, Billi.

Ze hadden gezoend. Ze had nog nooit iemand gezoend.

Kom naar buiten. Ik wacht op je.

Haar vingers tintelden toen ze zich herinnerde hoe ze ermee door zijn haar was gegaan dat zilver had geglansd in het maanlicht.

Billi, kom nou. Ik wacht op je.

Billi knipperde met haar ogen. Het leek net alsof hij naast haar had gestaan, in haar oor had gefluisterd. Maar het was maar een droom geweest. Ze draaide zich op haar zij.

Het is geen droom, Billi.

Kay?

Ja, Billi. Ik ben het. Kom naar buiten.

Het klonk als Kay. Ze schudde haar hoofd. Dat kon niet. Ze ijlde. Dat moest het zijn. Ze ijlde. De tiende plaag speelde haar parten.

Doe niet zo stom, man. Kijk dan naar buiten!

Dat was zonder enige twijfel Kay.

Billi stommelde op haar blote voeten de trap op en bleef bij de voordeur staan. Buiten de wapenkamer zou er helemaal geen bescherming meer zijn. Ze voelde nu al dat de pijn heviger werd en dat de vurige klauwen langs haar ingewanden schraapten. Ze keek de binnenplaats rond, bang dat ze het zich had verbeeld, dat hij er niet was, dat het toch een droom was geweest en hij voorgoed was verdwenen.

Toen zag ze hem staan, onder de kloostergang. Hij stond met over elkaar geslagen armen tegen een pilaar geleund, alsof er niets aan de hand was. Zonder te letten op de plaag die als gif door haar aderen omhoogkroop, liep Billi de binnenplaats op. De regen viel als een massieve muur omlaag en de wind teisterde haar gezicht, maar het kon haar niet schelen. Ze schuifelde naar hem toe, ook al voelde het aan alsof ze haar blote voeten door een laag gebroken glas moest slepen. Zelfs in het vale lamplicht was zijn huid stralend wit en glansde zijn haar als platina. Zijn blauwe ogen deden haar hart sneller kloppen.

Kay.

32

Billi bereikte de beschutting van de kloostergang en liet zich trillend tegen een pilaar aan zakken. Ze veegde de brandende tranen van haar gezicht en staarde Kay aan, bang dat het toch een droom was en hij zou verdwijnen.

'Hoe?' Ze wilde dichterbij komen, maar Kay deed een stapje achteruit.

'Ik ben... gered.'

Het vuur. Het pand was ingestort.

'Heeft de brandweer je gered?' Ze stak een hand uit. Haar vingers trilden, maar ze wilde hem aanraken, voelen of hij echt was.

'Nee, zij niet.' Plotseling kwam hij naar voren, pakte Billi's armen beet en keek haar aan. 'Ik ben voor jou teruggekomen, Billi. Ik kon je hier niet achterlaten.'

Hij was echt.

Billi stortte zich in zijn armen. Ze zou hem niet meer laten gaan, nooit meer.

'Ik dacht dat ik je kwijt was, Kay.' Ze had het koud en huiverde, en Kay drukte haar tegen zich aan. 'Waar heb je gezeten?' Maar het kon haar niet schelen; hij was er weer.

'Ik heb het voor jou gedaan,' fluisterde hij wanhopig. Billi voelde hem snikken. Ze maakte zich los uit zijn omhelzing en keek hem aan.

'Het is oké, Kay. Alles is in orde.' Maar de angst in zijn ogen deed haar aarzelen. Hij deed een stapje achteruit en veegde zijn tranen weg.

'Ik heb het voor jou gedaan,' herhaalde hij.

Waar had hij het over? Hij keek opzij en Billi volgde zijn blik.

Het lag op de grond bij de muur, omgeven door een dodelijke, zilver oplichtende gloed. Het bloed stolde in haar aderen.

Het Zilveren Zwaard.

Billi liep ernaartoe. Nog voordat ze het aanraakte voelde ze de macht die ervan uitging. Langzaam sloten haar vingers zich om het gevest.

De energiestoot was sterker dan de vorige keer; een shot etherische energie regelrecht haar hart in. De cellen in haar lichaam barstten bijna uit hun voegen en de tiende plaag week onmiddellijk, werd louter door de schittering van het zwaard weggevaagd. Satan had dus toch de waarheid verteld: het zwaard maakte haar inderdaad ongevoelig voor Michaels macht.

Ze wendde zich tot Kay.

'Hoe kom je aan dit zwaard?' Terwijl de angst langzaam bezit van haar nam, greep ze het zwaard steviger vast.

'Wat denk je?' Kay stak smekend een hand uit. 'Ik heb het voor jou gedaan, Billi.'

'Hoe kom je eraan, Kay?'

'Ik ben het, Billi.' Kay stond een paar meter bij haar vandaan, maar de behoedzaamheid in zijn bewegingen ontging haar niet. Hij was bang.

O god. Billi ging met haar hand naar haar borst en trok het crucifix over haar hoofd. Ze wierp het tussen hen in op de tegels.

'Raap het op, Kay. Alsjeblieft.'

Kay knielde neer en staarde naar het zilveren kruisje. Billi keek toe, terwijl haar hart brak.

'Raap het alsjeblieft op.' Als hij het opraapte, was alles gered. Waren zij gered.

Kay stak bevend een hand uit naar het kruisje. Maar toen hij er nog maar een paar centimeter bij vandaan was, begon zijn hand vreselijk te schudden en kromden zijn vingers zich. Hij trok zijn hand terug en legde hem beschermend tegen zijn borst.

'Wat heb je gedaan, Kay?' Maar ze wist het al. Hij had zijn ziel aan de duivel verkocht. Voor haar.

'Ik ben het, Billi. Ik ben nog dezelfde.' Toen hij overeind kwam, was er iets in hem veranderd. Het licht was verdwenen. In zijn helderblauwe ogen lag alleen nog een oppervlakkige weerspiegeling en de glimlach die ooit vol liefde voor de wereld was geweest, was nu een lege, koude grimas. Hij schopte het crucifix aan de kant. 'Ik ben nog dezelfde.' Terwijl hij op haar af kwam, herhaalde hij de woorden steeds opnieuw, in een poging haar te overtuigen. Zichzelf te overtuigen.

Hij pakte de pols van haar zwaardhand beet, sloeg zijn andere arm om haar heen en hield haar stevig vast. Zijn gezicht bevond zich vlak boven het hare en Billi zag de vreselijke strijd in zijn lege ogen weerspiegeld. De honger drong zich al naar de oppervlakte en hij liet een woest gegrom horen, dat trillend uit de diepte oprees. Zijn lichaam verstijfde, maar zijn lippen weken uiteen en zijn tanden, die waren veranderd in een rij vlijmscherpe punten, blikkerden in het gedempte licht.

'Ik. Ben. Nog. Dezelfde.' Maar zijn lichaam schokte door de leugen.

'Ik heb het voor jou gedaan, Billi.' En terwijl hij zijn tanden in haar hals begroef toonde hij haar.

DOODSANGST

wanneer de vloer het begeeft en Kay omlaagstort, verblind door het puin en de vlammen. Met zijn wilskracht rukt hij de planken los en laat ze als reusachtige, vurige speren op Michaël af suizen. Michaël trekt een muur omver en Kay duikt weg tussen twee half ingestorte balken. Hij bedekt zijn gezicht. De rook verstikt hem en hij rolt zich op, verdoofd door de bulderende vlammenzee om hen heen.

PIJN

wanneer de haren in zijn nek verschroeien, er blaren op zijn huid verschijnen en hij weet dat hij doodgaat, verbrandt. Hij hoest wanneer de rook zijn keel wil binnendringen en hij is bang. Zijn trui vat vlam en de pijn verdrijft elke gedachte, terwijl het gebouw instort en hij wordt vastgehouden, niet in staat zich te bewegen, de vlammen likkend aan zijn arm.

ONTZAG

wanneer hij verschijnt. Hij hurkt op de brandende balk neer, zonder zich om het vuur om hem heen te bekommeren. Zijn ogen zijn lege kassen en Kay weet dat de duivel er is om hem te zien sterven. Hij moet dapper zijn en als een martelaar sterven. Maar hij ruikt dat zijn arm brandt, als de misselijkmakende stank van vet en gebraden varkensvlees.

WOEDE

wanneer de duivel zijn moed bewondert. Kay is een echte tempelier en zal als martelaar worden herinnerd. Satan voelt niet de behoefte Kay zijn glorieuze dood te ontzeggen.

VUUR

vreet aan Kays ledematen en hij wordt overspoeld door golven ondraaglijke pijn. Hij ademt nog maar oppervlakkig, een verkrampt gehijg, maar hij klemt zijn kaken op elkaar. Nog even volhouden en dan is het afgelopen, voor altijd...

VREDE.

Maar Billi dan? vraagt de duivel. Kay wilde tenminste zelf de martelaars-

dood. Arme Billi zal sterven, net als alle andere eerstgeborenen, aan de ziekte die haar tot op het laatste moment folterende pijnen zal bezorgen. Er zullen talloze doden vallen en zij zal geen martelaarsgraf krijgen. Zij zal een massagraf in gaan, samen met duizenden anderen in de koude aarde worden gegooid, naamloos en vergeten. Een getal in de statistieken. Ze zal niet zacht sterven, maar in de nacht zal de tiende plaag haar langzaam maar zeker verteren en elke seconde zal een eeuwigheid van pijn zijn.

TWIJFEL

knaagt aan zijn geest. Maar Billi dan? vraagt de duivel opnieuw en hij steekt zijn hand uit. Pak beet, Kay. Als je het niet voor jezelf wilt doen, doe het dan voor Billi.

BILLI.

Kay pakt de hand.

'Nee!' schreeuwde Billi en ze rukte zich los. Ze greep naar haar hals vlak bij haar schouder. Toen ze keek was haar hand rood en nat.

Ze keek hem verwilderd aan. 'Mijn hemel, Kay. Wat heb je gedaan?'

'Ik heb het voor jou gedaan, Billi.' De tranen welden op in zijn ogen, maar het waren dikke, donkerrode druppels. Hij zag de afschuw op haar gezicht en plotseling realiseerde hij zich wat hij bijna had gedaan. 'Jezus, Billi. Sorry. Dat was niet mijn bedoeling.' Hij deed een stap naar voren. 'Ik zou jij nooit iets aandoen. Nooit.'

'Blijf van me af!' Ze had het Zilveren Zwaard in haar hand, met de punt op zijn hart gericht. 'Waarom?'

Hij deinsde achteruit. 'Dacht je soms dat hij het me zomaar zou geven? Denk je dat ik dit had gedaan als ik jou er niet mee had gered? Ik heb het voor jou gedaan!' In zijn ogen gloeide een hels, blauw vuur. Hij keek naar de dodelijke kling tussen hen in. 'En nu ga je me doodmaken?'

Ze wilde nee zeggen, maar het woord bleef in haar keel steken. Er gleed een schaduw over zijn gezicht. Was het angst of twijfel? Of verdriet?

'Hij heeft me gered, Billi. Gered. Jij hebt me daar laten liggen, creperend in de vlammen. Ik zag je vluchten, samen met je vader en Elaine. Je hebt me achtergelaten.' Kay spreidde zijn armen. 'Maar... ik vergeef het je. Echt. Kijk dan, Billi. Ik ben het, Kay.' Maar het enige wat Billi zag, was het bloed in zijn mond en de honger in zijn ogen.

Nee. Dit was Kay niet.

Niet meer.

'Laat me je helpen,' zei ze terwijl ze een stap dichterbij deed.

'Hoe? Door mijn lijden te verlichten?' Hij wees beschuldigend naar het Zilveren Zwaard. 'Daarmee? Ik heb je alles gegeven, Billi, alles.' Hij liep langzaam achteruit en het was alsof de duisternis hem opslokte. Hij bleef staan, terwijl zijn lichaam zich vermengde met de schaduwen. Hij stak een hand naar haar uit, maar Billi verroerde zich niet. Hij liet zijn arm zakken. Zijn witte gezicht vertrok zich tot een monsterachtige sneer. 'Ondankbare teef.'

Toen rende hij weg, de nacht in. Het duurde een hele tijd voordat zijn gekrijs was weggestorven.

33

Het was vijf uur 's ochtends en de straten waren afgestampt. Over een klein uur zou de dag aanbreken. Billi had het Zilveren Zwaard in een doek gewikkeld en het op haar rug gebonden, in ninja-stijl zoals de schildknapen het onderling noemden. Ze was Kay nu echt kwijt. Er was nog maar één plek om naartoe te gaan. Nog maar één ding te doen. Ze keek omhoog naar de regenachtige hemel en zag haar bestemming. Het was nu niet ver meer.

Het Elysische Veld.

Er zat een vrouw op de stoeprand. Ze schommelde van voren naar achteren en sloeg met haar vlakke hand tegen haar voorhoofd. Haar gezicht was vertrokken in een geluidloze, oneindige schreeuw, haar ogen waren stijf dichtgeknepen, maar zonder tranen.

Ze zag er als een waanzinnige uit, zoals ze daar wezenloos zat te wiegen. Pas toen Billi langs haar liep, begreep ze het.

In haar schoot lag een bleek, slap babylijfje in een Winnie de Poeh-pyjama. Billi kon niet zien of het kind nog leefde. Ze voegde zich weer snel tussen de mensenmassa.

Billi baande zich een weg door de menigte, langs achtergelaten auto's, krijsende kinderen en hysterische ouders. Duizenden mensen waren de straat op gegaan. Er werd aan één stuk door getoeterd, sirenes loeiden en de talloze wanhopige vaders en moeders schreeuwden, krijsten en vochten om hulp, en om hoop.

De toegangswegen naar St. Paul's Cathedral zaten potdicht. Mensen met halfbewusteloze kinderen in hun armen klommen over de daken van de auto's die midden op straat waren achtergelaten toen ze niet meer verder konden. De ingang was haastig gebarricadeerd en de uitgeputte priesters en politieagenten probeerden de mensenmassa die eroverheen probeerde te klimmen tegen te houden. Boven hun hoofden weerklonken de kerkklokken en de donderslagen.

Verbijsterd keek Billi om zich heen.
Michaëls meesterwerk.

Het hek van het bouwterrein lag verwrongen in de modder. De vrachtwagen was er dwars overheen gereden en een tiental meter verderop neergezet, nog met draaiende motor en zijn neus in de zijkant van een bouwkeet geboord.

De regen en de wind beukten nog harder op haar neer. De elementen leken haar tegen elke prijs de toegang te willen ontzeggen. Boven het gebulder van de storm en de donderslagen uit hoorde ze geschreeuw en het gekletter van staal.

Ze haalde het Zilveren Zwaard tevoorschijn en liep het terrein op.

Billi's hart ging tekeer. Het uitgestrekte bouwterrein met de immense, zwarte toren was donker en vol koude, peilloos diepe schaduwen waar moordzuchtige engelen konden loeren. De grote graafmachines, de talloze keten en opslagcontainers leken lukraak te zijn neergezet. Ze vormden een doolhof die werd doorkruist door diepe bandsporen die vol water stonden. De tractors die werkeloos over het terrein verspreid stonden hadden kuilen gemaakt die nu diepe plassen waren geworden. De modder zoog soppend aan haar laarzen en moeizaam kwam ze vooruit. Toen ze de hoek om ging en bij een smalle opening kwam, greep ze het zwaard steviger beet.

Vader Balin zat tegen de muur aan. De regen droop uit zijn witte haar en zijn kin rustte op zijn borst. Zijn kleren waren besmeurd met bloed en modder. Ze knielde naast hem neer en raakte de gapende wond op zijn borst aan. De knots lag in zijn schoot en zijn crucifix bungelde aan zijn rechterhand.

Hij was nooit een echte vechtersbaas geweest. Ze keek naar zijn vriendelijke, gerimpelde gezicht. Zijn ogen waren gesloten, maar er lag een glimlach om zijn lippen. Het waren geen tranen die over zijn wangen stroomden. Het waren regendruppels. Alleen maar regen. Ze drukte een zoen op zijn voorhoofd en stond op.

De wolken boven haar hoofd kolkten en spuugden bliksemflitsen uit, die de hemel even in een verblindend wit licht zetten. De regen daalde als een muur van ijswater op haar neer, maar iets verderop kon Billi nog net een aantal figuurtjes onderscheiden die in het skelet van de torenflat een groepje mannen insloten.

Dit was het dan. Zevenhonderd jaar lang hadden de tempeliers de duisternis afgewend. Ze hadden gevochten, ze waren gesneuveld, en dit was waar het na al die eeuwen op uitliep: een gevecht om de eerstgeborenen van Londen te redden uit de klauwen van Michaël, de gevallen aartsengel van de Heer.

Dit was hun laatste gevecht. Hun laatste uur had geslagen.

Het uur der waarheid.

Gareth, die op een vrachtwagen zat, spande kalm zijn boog en schoot pijl na pijl af, als de zwartgevederde dood die feilloos het hart, de hals en de ogen van de helder stralende en woest huilende engelen wist te vinden.

De ruige Bors gebruikte zijn korte zwaarden om als een slager om zich heen te hakken en Pelleas werd bijna bedolven onder de witte wezens die met roodgelakte klauwen en tanden terugvochten.

Gwaine hield bebloed, gehavend en tot de laatste snik uitdagend stand. Zijn linkerarm was opengereten tot op het bot en bungelde slap langs zijn zij, maar hij vocht door en zwaaide zijn bijl in grote cirkels boven zijn hoofd.

En Arthur...

Ze had altijd al gehoord dat Arthur de monsters nachtmerries bezorgde, maar nu zag Billi het met haar eigen ogen.

Hij stond boven op een stalen container zo groot als een dubbele garage. Zijn zware leren jas was gescheurd en het maliënkolder eronder lag aan flarden. Uit tientallen wonden op zijn armen, borst en benen stroomde bloed, maar zijn gezicht was een en al razernij. Hij hief zijn zwaard, ontblootte zijn tanden en brulde luid.

'Vooruit!' schreeuwde hij. Aan zijn voeten lagen de doden, en de levenden cirkelden om hem heen. Twee Wachters met machetes in hun hand sprongen tientallen meters door de lucht. De eerste landde niet eens; hij werd tijdens de sprong door Arthurs zwaard doormidden gekliefd, zodat de twee stukken aan weerszijden in de met bloed doordrenkte modder onder hem neervielen. Arthurs geweld deed de tweede Wachter aarzelen, en dat werd haar fataal. Hij sloeg zijn wapen tegen het hare en de machete vloog uit haar hand. De engel wilde vluchten, maar Arthur greep haar bij haar goudblonde, wapperende haren beet en trok haar naar achteren. Ze had niet eens de tijd om te schreeuwen toen hij het lemmet door haar heen joeg.

Na hun eeuwenlange opsluiting hadden de Wachters de fysieke wereld nog maar net betreden en waren nog zwak. Ze hadden niet zoals Michaël het goddelijke vermogen een dergelijke verwonding door een sterfelijk wapen te overleven. De ridders richtten een regelrechte slachting aan, maar de Wachters hadden het voordeel dat hun aantal veel groter was. Ze hoefden de tempeliers nog maar even op afstand te houden, want dan brak de dageraad aan en zouden alle eerstgeborenen die door de plaag waren besmet sterven.

Billi bleef als aan de grond genageld staan. Het tumult, de verschrikking en de chaos waren overweldigend. Ze wist niet wat ze moest doen. Moest ze haar vader helpen of Gareth beschermen? Of Bors te hulp schieten? Elk moment kon hun laatste zijn, kon haar laatste zijn en ze werd bevangen door paniek en onzekerheid.

De Wachters kropen als insecten over de zwarte, stalen binten en kolommen. Het waren er tientallen. De bliksem knetterde en tegen het oogverblindende wit stak een kleine, eenzame figuur af, op het hoogste punt van het skeletachtige geraamte van de toren.

Michaël.

Ze wist het. Het was aan haar. Dat was het altijd al geweest. Ze was een tempelier. Uiteindelijk was dat de simpele waarheid. En als dit het laatste uur van de tempelridders was, dan zou het ook haar laatste zijn. Ze wist het en eindelijk was ze niet meer bang.

Gij zult zich begeven in het gezelschap van martelaren.

Had dit moment altijd al vastgelegen? Was dit Kays voorspelling? Een waanzinnig toeval? Een speling van het lot?

Nee, het was veel eenvoudiger.

Billi hief haar zwaard en het schitterde in het stormachtige licht. De bovennatuurlijke energie kolkte door haar heen, terwijl het wapen de vonken van de bliksem opving en vlammend oplichtte. De anderen keerden zich naar het felle licht en Billi schreeuwde:

'Deus vult!'

Ze rende regelrecht naar de goederenlift. De tempeliers zagen haar rennen en begrepen het. Ze maakten zich los van de aanvallende Wachters en volgden haar. De Duistere Engelen hadden het ook door. Ze krijsten en huilden, en sprongen haar over de stalen binten achterna, maar ze was al bij de lift. Net toen ze erin dook had Arthur haar ingehaald. Hun blikken kruisten. Er verscheen een glimlach op zijn met bloed besmeurde gezicht. Ze zette haar benen schrap tegen het schudden van de kooi in de hevige storm. Hij zei niets – er viel niets te zeggen – en knikte alleen maar. Toen deed Arthur een stap achteruit en sloeg het hek dicht.

Billi zette de rode hendel om en de lift schoot ratelend omhoog. Onder zich zag ze het modderige slagveld waar de tempeliers een kring vormden rondom de liftschacht. Michaëls helpers dromden om hen heen. Billi staarde omlaag totdat ze in de dichte regen waren opgelost.

De lift kwam met een schok tot stilstand. Dit was het eind van de reis. Billi veegde met haar mouw de regen uit haar ogen. Ze pakte het Zilveren Zwaard stevig beet en voelde de krachtige energie door haar heen stromen. Ze schoof het hek open en stapte de lift uit. De helft van de vloer was volgestort met beton, maar ze zag dat er grote zwarte gaten in zaten. Eén misstap en ze zou tweehonderd meter naar beneden storten.

'Billi, wat passend,' zei Michaël. Hij stond boven op een stalen kolom die nauwelijks genoeg ruimte bood voor zijn beide voeten. Ondanks de gierende wind wankelde hij niet, maar stond hij in volmaakt evenwicht te wachten. Hij had niet meer dan een doorweekte zwarte spijkerbroek aan. Zijn ontblote bovenlijf glinsterde in de regen. De tatoeages vormden een nachtmerrieachtig patroon van spijkers, stekels en doornen, een ingewikkeld en grotesk mozaïek van folterattributen als eerbetoon aan het lijden.

'Kom omlaag,' zei ze. Haar ogen waren op de zijne gericht, maar ze beefde niet.

Een tempelier beeft niet.

'En dan?'

'Stort je in een orgie van geweld.' Ze liep naar het midden van de betonnen vloer. 'Dat moet heel bevredigend voor je zijn.' Ze hield het zwaard met beide handen vast, maar laag. 'Of ben je bang?'

Michaël zuchtte diep. 'Wat zie je daar?' Hij wees met het zwaard dat hij in zijn handen hield naar het westen.

Naar de St. Paul's Cathedral.

Licht. Ze zag duizenden lichtjes, zelfs vanaf deze hoogte. De stad die de eerste keer dat ze hier had gestaan zacht had gefonkeld, was nu gehuld in een knipperend geel waas van licht.

'Prachtig, vind je niet?' zei hij.

Maar ze wist wat die lichtjes waren, wat ze betekenden. Elk lichtje vertegenwoordigde een gezin met een stervend kind. Iemand die werd bemind en aanbeden, die met de dageraad zou sterven. Ze hadden zich rond St. Paul's verzameld en als ze daar beneden was geweest, had ze kunnen zien dat het niet prachtig was, zoals Michaël zei, maar lelijk, weerzinwekkend, afschuwelijk.

'Zie je wel, Billi? Zie je hoe ik God weer in hun leven heb gebracht? Ze zullen nooit meer afdwalen van het pad der gerechtigheid.'

'En de miljoenen die door jouw toedoen sterven?'

'Die zullen naar de hemel gaan. Zij zijn mijn offer.'

'Je bent volkomen gestoord. Je hebt God niet in hun leven gebracht; het enige wat jij ze hebt gebracht is angst.'

Michaël glimlachte. 'En dat is het begin van geloof.' Hij gebaarde naar de oostelijke hemel. Ondanks de zwarte donderwolken gloorde er een sprankje licht, niet meer dan een zweem van grijs en paars. 'Het duurt niet lang meer.'

Billi tikte met haar zwaard op de grond; ze had er nu genoeg van. 'Kom omlaag en sterf!'

Hij spreidde zijn armen. En liet zich vallen.

De zwaartekracht had geen effect op hem. Michaël bestond niet uit vlees, botten en kraakbeen. Hij was een wezen van licht en hij zweefde sierlijk omlaag. Eerst streken zijn tenen over de grond en toen zette hij zijn voeten stevig neer.

'Herinner je je dit nog?' vroeg hij, terwijl hij het tempelierszwaard omhooghield en het glanzende lemmet traag in het langzaam sterker wordende licht ronddraaide. Het was veranderd. Billi kon niet zeggen hoe, maar ze voelde het verschil. Er straalde kracht vanaf. Het was geen door mensenhanden gesmeed staal meer. Het was meer, het was bezield met hemelse energie.

Billi hief haar eigen wapen. 'Herinner je je dit nog?' vroeg ze op haar beurt.

Verbeeldde ze het zich of trok Michaël werkelijk bleek weg?

'Een Zilveren Zwaard. Dat heb ik lang niet gezien. Hoe ben je eraan gekomen?'

'De vijand van mijn vijand is mijn vriend,' antwoordde Billi.

Michaël opende zijn mond in een geluidloos 'ah' en knikte. 'Satan. Erg ironisch dat je een verbond met de Morgenster moet sluiten om mij te vernietigen.'

Ze stapte over een balk heen en liep behoedzaam, de gaten in de betonnen vloer ontwijkend, voetje voor voetje naar Michaël, zonder haar ogen van de zijne los te maken.

Hun zwaarden maakten contact, de dodelijke lemmeten gleden over elkaar heen, tastend op zoek naar een opening. Billi's hart klopte wild door de adrenaline die door haar bloed joeg en terwijl ze haar tegenstander opnam parelde het zweet op haar voorhoofd.

Sint-Michaël.

Aartsengel van de grigori.

Engel des Doods.

De Wreker Gods.

Michaël stootte haar zwaardpunt opzij en pakte zijn zwaard in zijn andere hand. Billi's instinct nam het over. Ze zag de aanval niet eens, maar draaide haar pols als vanzelf en het staal krijste. Terwijl ze om beurten hun zwaardpunt in het vlees van de ander probeerden te drijven, vlogen de vonken van het dodelijke staal. Michaëls hete adem streek langs haar gezicht toen ze tegen elkaar aan stootten en vervolgens weer achteruit sprongen.

Zijn aanvallen volgden elkaar in razend tempo op. Het zwaard raakte haar arm, maar ze voelde het nauwelijks. Billi weerde zijn aanvallen af, maar werd door de stortvloed achteruit gedreven. Michaëls slagen dreunden op het Zilveren Zwaard neer en bij elke slag deden haar armen pijn.

De zwaarden haakten in elkaar: haar pareerstang kwam vast te zitten in zijn gevest. Ze gaf een harde ruk in de hoop het wapen uit Michaëls greep te bevrijden.

Michaël grinnikte. 'Is dat alles wat je...'

Billi schreeuwde luid en gaf hem een kopstoot. Michaël wankelde even, maar dat was genoeg.

Terwijl hij bijna viel, greep Billi zijn zwaardhand beet en liet haar knie op zijn pols neerdalen. Ze voelde een schok – het was alsof ze tegen een boomstam schopte – maar zijn vingers verslapten. Ze maakte een draaiende beweging met haar zwaard: het tempelierszwaard kwam los en vloog door de lucht.

Michaël brulde en zonder aandacht te besteden aan het Zilveren Zwaard dat zijn borstkas openreet, greep hij Billi's hoofd beet. IJzeren vingers sloten zich om haar gezicht. De spieren, de botten en het vlees vervormden alsof ze in een bankschroef werden geklemd. Gloeiend hete pijn vulde haar schedel, haar ogen puilden uit en dreigden als druiven uiteen te spatten. Maar ze gaf niet op. Ze siste, volledig ten prooi aan moordlustige waanzin.

Het Zilveren Zwaard raakte zijn buik en ze drukte door, steeds dieper. Zelfs toen haar kaak knapte en haar zenuwen gierden bleef ze doordrukken.

Michaël liet haar hoofd los. Hij greep zijn zij beet en struikelde achteruit. Billi was plotseling bevrijd van de verpletterende vingers en ze hapte naar adem. Terwijl de grond onder haar golfde deed ze haar uiterste best om niet flauw te vallen.

Michaëls handen plakten van zijn bloed, maar de wond in zijn buik was niet dodelijk. Zijn ogen zochten naar zijn wapen. Als een bliksemschicht dook hij op het tempelierszwaard af.

Maar Billi was hem voor en ze sloeg het uiteinde van haar zwaard in zijn gezicht. Michaël viel achterover tussen het puin in een plas water. Er gingen felle pijnscheuten door Billi's hoofd en haar blik was wazig door de tranen. Ze stommelde naar voren en richtte de trillende punt van haar zwaard op Michaël.

Hij keek naar haar op, zijn gezicht verwrongen in een grimas. Het Zilveren Zwaard hing vlak boven zijn keel en raakte zijn kin. Hij snoof.

'Zo. En nu ga je me doden?'

'Zoals jij de Egyptenaar hebt gedood.'

Michaël glimlachte.

'Niet echt.' Hij stak een hand op. 'Help me, vriend.'

De duisternis achter het vreemde woud van stalen binten trilde als de hitte boven het asfalt. Billi dacht dat ze iets hoorde, maar vanwege haar eigen gehijg wist ze niet waar het vandaan kwam. Toen ze het geluid weer hoorde, drong het tot haar door dat het in haar hoofd had geklonken.

Billi.

Er doemde een zwarte gestalte op uit de schaduwen. Het gezicht stak duizelingwekkend wit af tegen de omringende duisternis.

Kay.

35

Kay glimlachte. Billi's hart kromp ineen toen hij op haar af kwam.

Wat is hij al veranderd.

In het spookachtige licht glansde zijn huid als parelmoer: zacht, doorschijnend, smetteloos. In zijn ogen brandde een vurig verlangen, een dierlijke honger.

Haat.

'Ik ben blij dat je er bent, Billi. Dan kunnen we jouw laatste momenten samen doorbrengen,' zei hij.

'Kay...'

Hij brulde en sprong op haar af. Billi dook opzij, maar haar voet bleef haken achter een opstaande rand en ze viel hard op de grond. Ze tilde het zwaard op, maar Kay liet zijn laars op haar pols neerkomen. Er schoot een vreselijke pijn door haar pols en toen was alle gevoel eruit verdwenen. Er welden tranen op in haar ogen en door het waas heen zag ze het Zilveren Zwaard wegrollen.

Te snel, hoe heb je...

Zijn voet raakte haar borst als een voorhamer. Ze hapte naar adem – het was alsof ze ijssplinters en vuur inademde – en haar ribben knapten.

'Kay, alsjeblieft,' mompelde ze. Haar hoofd tolde en haar benen voelden aan als natte kabels.

Hij is te sterk.

Ik kan hem niet tegenhouden.

'Kay, niet doen.'

'Waarom niet? Vind je het niet leuk dan? Hoezo niet? Dit komt allemaal door jou.' Hij trok haar met één hand overeind. 'Dankzij jou.'

Hij liet een rauwe, waanzinnige lach horen. Billi zag dat er rode tranen over zijn wangen stroomden. Hij liet zijn hoofd tegen het hare zakken en fluisterde: 'Ik verdraag het niet langer. Het is te sterk.' Hij hief zijn hoofd en grinnikte maniakaal. 'Help me. Ik wil je zo graag doden.' Hij stompte haar in het gezicht.

Billi verloor het bewustzijn.

Ze proefde de metalige smaak van bloed, haar eigen bloed, in haar mond. Ze opende haar ogen, maar ze was duizelig en het wolkendek boven haar tolde in het rond. Ze kon niet overeind komen. Ze lag tussen het puin en kon zich nauwelijks bewegen. 'Kay, het spijt me zo.' Ze stak haar handen uit in de hoop iets te vinden waarmee ze overeind kon komen. Haar rechterhand raakte staal, koud, hard, bekend.

Het Zilveren Zwaard.

Langzaam draaide ze zich om en keek ernaar. Er sijpelde energie door haar handpalm haar arm in. Haar greep werd steviger.

En verslapte toen weer.

'Ik kan het niet,' zei ze.

Niet Kay.

'Pak het, Billi.' Hij staarde haar aan en in zijn ogen brandde de waanzin. Zijn vingers waren gekromd als vogelklauwen en hij grauwde. Dikke, rode tranen dropen over zijn wangen. 'Ik kan mezelf niet lang meer tegenhouden.' Hij greep haar beet en Billi voelde zijn innerlijke strijd. 'Jij moet het doen,' fluisterde hij. 'Hou me tegen.'

Kay had de waarheid gesproken, tegen haar, tegen hen beiden. Hij had zijn ziel verkocht, zichzelf verdoemd, om haar te redden. Op dat moment, terwijl ze in zijn ogen keek, begreep ze de voorspelling.

Om hen te redden zal ze degene die zij liefheeft offeren.

Het ging niet over haar vader.

Het ging om Kay.

Billi's hand die op het gevest lag verstrakte.

'Vergeef me, Kay.'

Er ontsnapte een jammerkreet aan zijn lippen. De bliksem kleurde de hemel wit en ze zag hem, ze zag hem zo dichtbij en zo scherp als ze niemand ooit had gezien.

De zachte, ronde contouren van zijn kaak, het witte dons op zijn kin, zijn lippen. Ze voelde nog steeds hoe ze de hare hadden aangeraakt.

Billi sloot haar ogen. Het lemmet straalde warmte uit, de pijn ebde weg en de dageraad gloorde.

'Doe het dan!' schreeuwde Michaël.

Kay liet zich op zijn knieën vallen. Hij nam haar in zijn armen en legde zijn hand om de hare die het gevest beet had.

Billi lag in zijn schoot en keek in zijn ogen. Ze zag zijn moed. Als ze de eerstgeborenen wilde redden, zou ze net zo dapper moeten zijn als Kay. Als ze Michaël wilde tegenhouden, moest er een offer worden gebracht.

Ze keken elkaar aan en hij beroerde haar lippen met de zijne.

'Doe het, Billi,' fluisterde hij.

Billi's hand beefde, maar Kay hield hem stevig vast en samen hieven ze het zwaard. Hij drukte haar stevig tegen zich aan en perste zijn lippen op de hare.

'Vaarwel,' zei hij met dunne, raspende stem.

Billi stootte het zwaard in Kays hart.

Er golfde bloed uit de wond en Kay werd slap. Billi trok het zwaard terug en het gleed uit haar hand toen ze zijn in elkaar zakkende lichaam tegen zich aan trok. Ze drukte haar handen op de wond.

'Het is oké, Billi.'

Het dikke, kleverige bloed stroomde over haar handen en doorweekte zijn hemd. Kay kokhalsde en er schuimden rode luchtbellen uit zijn mond en neusgaten.

Het is oké, Billi.

'Kay,' fluisterde ze. Hij pakte haar gezicht beet en hield het stevig vast. Zijn bebloede handen lieten warme afdrukken achter op haar gezicht. Afdrukken zoals haar moeder op haar slaapkamerdeur had achtergelaten. Ze keek in zijn ogen en hoopte vurig dat hij nog bleef leven. Het maakte niet uit hoelang, elke seconde was er één.

'Het spijt me, Kay,' zei ze. Hij was aan het doodgaan, maar ze wilde tot op het laatste moment bij hem zijn.

Hij keek haar aan en zijn ogen waren helder, gefocust. Zijn bebloede mond vormde een glimlach, zijn geheime glimlach.

Prachtig.

Zijn laatste uitademing was niet meer dan een zucht. Ze staarde hem aan en wachtte, ze wachtte totdat hij weer zou inademen, al was het maar een beetje.

Al was het maar een beetje.

Alsjeblieft, Kay.

Een beetje maar.

Maar er gebeurde niets.

Billi drukte hem tegen zich aan. Ze drukte zijn lippen op de zijne, ze proefde het zoutige bloed, tevergeefs hopend op een vleugje adem.

Maar er gebeurde niets.

Ze keek naar hem, maar Kay was verdwenen. Zijn grote, helderblauwe ogen waren geopend, maar staarden nu dof en leeg voor zich uit. Hij keek niet meer naar haar.

Billi hoorde metaal over de grond schrapen en het hout onder een voetstap kraken. Er viel een schaduw over haar heen. Ze keek niet op.

'Wat zou hij nu zien, met die grote, open ogen?' vroeg ze.

Het koude, zilveren lemmet streek langs haar wang. 'Dat zul je snel genoeg weten,' zei Michaël.

Billi tilde haar hoofd op. Michaël hield het Zilveren Zwaard tegen haar keel. Hij keek haar aan, niet triomfantelijk, maar met een vreemde gelatenheid. Alsof hij altijd al had geweten dat het zo zou eindigen.

Billi ging met haar hand naar haar wang en voelde de kleverige afdruk van Kays bloed dat haar beschermde, net zoals haar moeders bloed had gedaan. Ze staarde naar de donkerrode vlekken op haar vingers en bleef stil zitten.

Haar moeder had geweten hoe ze Michaël moest tegenhouden. De nacht dat hij naar hun huis was gekomen had hij Billi helemaal niet achtergelaten. Hij had niet bij haar kunnen komen. *Jamila had de deur gemarkeerd met offerbloed.*

Toen was haar moeder gestorven om haar te redden, en nu had Kay hetzelfde gedaan. Ze drukte haar bebloede vingers tegen haar lippen. Kay was gestorven om zijn voorspelling te doen uitkomen en nu was het haar beurt. Maar als ze het mis had, zou ze sterven. Vreemd genoeg maakte het haar niet uit.

Kay zou op haar wachten.

'Het is beter zo,' zei Michaël.

'Doe het nou maar.'

Het zwaard ging de lucht in. Billi drukte Kay tegen haar hart toen het weer omlaag kwam.

Het Zilveren Zwaard spatte in duizenden fonkelende lichtjes uiteen, een stille eruptie van diamanten sterren, die fel oplichtten en vervolgens zacht uitdoofden en verdwenen waren voordat ze de grond raakten.

Ze voelde een scherpe pijn in haar nek en er liep een straaltje warm bloed over haar koude huid.

Ze raakte de wond aan: een kleine, oppervlakkige snee. Oppervlakkig, maar ze wist dat hij er voor altijd zou zitten. Ze draaide zich naar Michaël om. Hij staarde wezenloos naar zijn hand waar van het zwaard geen spoor meer te bekennen was.

'Hoe kan dat?' stamelde Michaël.

Offerbloed. De krachtigste magie die er bestaat, had Elaine gezegd. Michaël schudde zijn hoofd en liep struikelend weg. De bliksem flitste en de donder deed het gebouw op zijn grondvesten trillen. De enorme stalen kolommen kreunden en er verschenen barsten in het beton. De joden in het oude Egypte hadden hun huizen beschermd met offerbloed en de Engel de Doods had er niet kunnen binnenkomen.

De enige onschendbare wet van de Wachters.

'Je had deze deur moeten overslaan, Michaël,' zei Billi, terwijl ze Kay in haar armen wiegde. Michaël had geprobeerd een grens over te gaan die door Kays offerbloed was gemarkeerd. 'Je hebt het convenant geschonden.'

De afschuw op zijn gezicht sprak boekdelen. Michaël hief zijn zondige hand en jammerde. Hij trok aan zijn door de regen doorweekte haar en zette zijn nagels diep in zijn wangen. Hij hief zijn armen ten hemel en smeekte: 'Vergeef me! Vergeef me!'

De bliksem deed de hemel opensplijten en het dikke wolkendek week uiteen. De hemel vulde zich met een ondraaglijk fel licht en de donder was oorverdovend. De wind die over de stad joeg blies Billi bijna omver. In de ingewanden van de tornado hoorde ze miljoenen stemmen krijsen en ze zag hoe Michaël in het centrum ervan gevangen werd genomen. Met elke vlijmscherpe reep die van hem af werd gesneden verdampte zijn essentie. Hij wankelde en kromp ineen door het geweld; smekend viel hij op zijn knieën neer.

'God almachtig!' schreeuwde hij. Toen had het hem verteerd en zijn kreet stierf weg op het koor van de verdoemde wervelstorm.

Terwijl de wind om haar heen raasde, hield Billi Kay stevig vast. Langzaam maar zeker trok het geweld zich terug in zichzelf en toen ze eindelijk haar ogen opendeed was de dageraad aangebroken, de echte dageraad. De storm was voorbij en door de wolken heen zag ze eindelijk het daglicht. Ze keek naar de zon en de warmte van de nieuwe dag deed haar huid tintelen. 'Inderdaad, God almachtig.'

Ergens, op een kleine stadsboerderij, kraaide een haan.

En een miljoen kinderen sliepen door.

36

Een week later begroeven ze Kay bij een klein romaans kerkje aan de kust van Kent. Het stond op een klif en keek uit over de stille, traag deinende zee. De witte vleugels van de rondcirkelende zeemeeuwen staken scherp af tegen de helderblauwe lucht. Pars, Berrant en Balin waren in Londen begraven, maar Billi had voor Kay iets speciaals gewild.

Hij vindt het uitzicht vast mooi, dacht ze.

Geen familie, en op de steen stonden alleen zijn naam, zijn geboorte- en sterfdatum en een kort grafschrift:

EEN ARME STRIJDER

Elaine stond bij het hoofdeind van het graf. Billi had gedacht dat Arthur zou spreken, maar ze wist dat Elaine voor Kay een mentor was geweest zoals haar vader, een krijgsman, nooit had kunnen zijn.

'We zijn allen arme strijders,' zei Elaine. 'Wat is het leven meer dan bittere strijd en leed? Je moet een strijder zijn om het te kunnen dragen. Om getuige te kunnen zijn van wat het leven brengt: verlies, wanhoop, nederlaag. Onze overwinningen zijn gering in aantal, en van korte duur.' Billi zag de tranen op Elaines gerimpelde wangen glinsteren en langs de diepe groeven omlaag glijden. Ze vervolgde: 'We moeten vertrouwen hebben. Vertrouwen dat er iets goeds voortkomt uit onze offers. Ik denk dat Kay ons dat heeft bewezen.' Billi pakte haar vaders hand en hij kneep er zacht in.

'Kay was geen krijger. Maar toen hij werd geroepen, werd hij niet onwaardig bevonden.' Elaine sloeg haar handen voor haar gezicht. 'We kunnen alleen maar hopen dat hij rechtvaardig beloond wordt.'

De zon scheen op het glanzende eikenhouten deksel toen de ridders de kist in het graf lieten zakken. Ze waren er allemaal. De arme medestrijders van Christus en van de tempel van Salomo. De tempelridders.

Vier vermoeide mannen en zij.

Ze hielden de touwen van de kist vast, Bors en Pelleas aan de ene kant van de kist en Gwaine en Arthur aan de andere. Haar vader zweette en zijn gezicht vertrok pijnlijk vanwege de hechtingen. Centimeter voor centimeter lieten ze Kay naar zijn laatste rustplaats zakken. Billi sloot haar ogen en zag de geesten van Pars, Balin en Berrant die zich om het graf hadden geschaard.

En die van Kay.

Billi voelde zich leeg. Die ochtend had haar hart een sprongetje gemaakt toen ze een lange, magere, blonde jongen had gezien. Even had Kay weer geleefd, maar toen had de jongen zich omgedraaid en was het iemand anders geweest.

Kay is er niet meer. De gedachte deed haar huiveren. Hoe had hij zo snel verdwenen kunnen zijn? Bij het ontwaken had ze gehuild van schrik omdat ze zich niet meer alles van hem kon herinneren. De gedachte dat haar herinneringen zouden vervagen was zo ondraaglijk, dat ze zichzelf dwong hem tot in de kleinste details voor de geest te halen. Zijn bleke huid, zijn zilverkleurige haar, het zachte dons van zijn beginnende baard. En zijn ogen. Die zou ze nooit vergeten.

Blauw. Intens blauw.

De kist raakte de bodem van de kuil. De ridders lieten de touwen vieren.

Laat me niet alleen, Kay.

De anderen gingen in een rij staan en zegden om de beurt een kort gebed bij het graf, een laatste vaarwel. Toen was het Billi's beurt.

Ik kan dit niet.

Arthur was blijven staan en keek naar haar. Ze bloosde beschaamd. Hij had zijn vrouw begraven en was toen ook niet bij de pakken gaan neerzitten.

Dan moest zij dat toch ook niet doen? Kay zou toch niet anders van haar verwachten?

'Je moet afscheid nemen, lieverd,' zei Arthur.

Maar ze kon zich niet bewegen. Ze staarde naar de kist. Er vielen een paar kluitjes aarde op het deksel.

Ga niet weg.

Billi.

Haar hoofd schoot overeind en ze keek om zich heen. Haar hart bonkte tegen haar ribbenkast.

'Billi.' Arthur stak zijn hand uit. 'Laat hem rusten.' Toen liep hij weg over het glooiende grasveld. Ze keek naar het donkere gat aan haar voeten en deed haar crucifix af. Ze hield het boven het graf en liet het toen op de kist vallen.

Terwijl ze weg liep, gingen de anderen naast elkaar bij de uitgang staan. Ze keek hen om de beurt aan en een voor een knikten ze haar toe. Hier hoorde ze. Arthur stond achteraan. Hij sloeg zijn armen om haar heen en drukte haar tegen zijn hart. Ze hoorde het luid kloppen. Haar vader zoende haar betraande wangen en fluisterde zacht:

'Welkom bij de tempeliers.'